▲ 在胡同中徜徉（1988 年）

▲ 刘心武的散文随笔中多次写到母亲王永桃对他人格生成的影响，这是刘心武与母亲在一起（1986年）

◀ 珍视家门口的风景（1994年）

人在胡同
第几槐

刘心

著名作家刘心武
一年闭门谢客的精心力作
一束采自心田的鲜花

▲《人在胡同第几槐》封面（2009 年）

刘心武文存31

[1958—2010]

散文随笔 第九卷
人在胡同第几槐

刘心武◎著

江苏人民出版社

图书在版编目(CIP)数据

人在胡同第几槐／刘心武著. —南京：江苏人民
出版社，2012.11

（刘心武文存；31. 散文随笔；9）

ISBN 978−7−214−08510−8

Ⅰ.①人 … Ⅱ.①刘… Ⅲ.①随笔−作品集−中国−
当代 Ⅳ.①I267.1

中国版本图书馆CIP数据核字(2012)第152284号

书　　　名	人在胡同第几槐
著　　　者	刘心武
责 任 编 辑	刘　焱
统 筹 编 辑	李　丹
特 约 编 辑	朱　鸿
文 字 校 对	陈晓丹　郭慧红
装 帧 设 计	门乃婷工作室
出 版 发 行	凤凰出版传媒股份有限公司
	江苏人民出版社
出版社地址	南京湖南路1号A楼　邮编：210009
出版社网址	http://www.book-wind.com
经　　　销	凤凰出版传媒股份有限公司
印　　　刷	三河市金元印装有限公司
开　　　本	700毫米×1000毫米　1/16
印　　　张	20
字　　　数	384千字
彩　　　插	4
版　　　次	2012年11月第1版　2012年11月第1次印刷
标 准 书 号	ISBN 978-7-214-08510-8
定　　　价	48.00元

（江苏人民出版社图书凡印装错误可向本社调换）

《刘心武文存》出版说明

　　《刘心武文存》收录刘心武自 1958 年 16 岁至 2010 年 68 岁公开发表的文字约 900 万字。《文存》共 40 卷，按文章门类收录，计有长篇小说 5 卷、中篇小说 4 卷、短篇小说 5 卷、小小说 1 卷、儿童文学 1 卷、建筑评论 2 卷、《红楼梦》研究 4 卷、散文随笔 11 卷、杂文 1 卷、海外游记 1 卷、多品种（图文交融文本、报告文学、诗歌、剧本、足球评论、译述）1 卷、创作谈 1 卷、理论批评 1 卷、早期（1958 年至 1976 年）作品 1 卷、自述 1 卷。因跨越时间达半个世纪以上，收录定有遗漏，但其此期间的主要作品，相信均已收入。

　　《刘心武文存》各卷均附有《刘心武文学活动大事记》及《刘心武著作书目》，可备检索。

　　编辑出版《刘心武文存》的目的，意在供各方面人士阅读欣赏、分析研究、批评批判、收藏保存。

人在胡同第几槐

五十八年前跟随父母来到北京，从此定居此地再无迁挪。

北京于我，缘分之中，有槐。童年在东四牌楼隆福寺附近一条胡同的四合院里居住。那大院后身，有巨槐。来北京之前，父母就一再地说，北京可是座古城。果然古，别的不说，我们那个大院的那株巨槐，仰起头，脖子酸了，还不能望全它那顶冠。树皮上不但有老爷爷脸上那样的皱褶，更鼓起若干大肚脐眼般的瘤节，我们院里四个小孩站成大字，才能将它合抱。巨槐春天着叶晚，不过一旦叶茂如伞，那就会网住好大好大一片阴凉。最喜欢它开花的时候，满树挂满一嘟噜一嘟噜白中带点嫩黄的槐花，于是，就有院里还缠着小脚的老奶奶，指挥她家孙儿，用好长好长的竹竿，去采下一筐笋新鲜的槐花，而我们一群小伙伴，就会无形中集合到他们家厨房附近，先是闻见好香好香的气息，然后，就会从那老奶奶让孙儿捧出的秫秸制成的圆形盖帘上，分食到用鸡蛋、蜂蜜、面粉和槐花烘出的槐花香饼……

父母告诉我，院里那株古槐，应该是元朝时候就有了。元朝是多少年前呀？那时不查历史课本和《新华字典》后头的附录，就不敢开口。反正是很久很久以前。但随着岁月的推移，古槐在我眼里，似乎反而矮了一些、细了一轮，不用四个伙伴合围，两个半人就能将它抱住——原来是自己和同龄人的生命，从生理发育上说，高了、粗了、大了。于是头一次有了模模糊糊的哲思：在宇宙中，做树好呢，还是做人好呢？树可以那样地长寿，默默地待在一个地方，如果把那当做幸福，似乎不如做人好，人寿虽短，却是地行仙，可以在一生里游历许多的地方，而且，人可以讲话，还可以唱歌……

果然我后来虽然一直定居北京，祖国的三山五岳也去过一些，海外的美景奇观也看到一些，开口说出了一些想出的话，哼出了一些出自心底的歌，比那巨大的古槐，生命似乎多彩多姿。但搬出那四合院子，依然会在梦里来到那巨槐之下。梦境是现实的变形，我会觉得自己在用一根长长的竹竿，吃力地举起——不是采槐花，而是采槐花谢后结出的槐豆——如果槐花意味着甜蜜，那么槐豆就意味着苦涩。过去北京胡同杂院里生活困难的人家，每到槐豆成熟，就会去采集。我的小学同学，有的就每天早上先去大机关后门锅炉房泄出的煤灰里，用一个自制的铁丝扒子扒煤核，每天晚上做完功课，就举着带铁钩的竹竿去采槐豆。而每到星期天，则会把煤粉和成煤泥，把槐豆铺开晾晒——煤泥切成一块块干燥后自家烧火取暖用，槐豆晾干后则去卖给药房做药材……在梦里，我费尽力气也揪不下槐豆来，而巨槐顶冠仿佛乌云，又化为火烫的铁板，朝我砸了下来，我想喊，喊不出声，想哭，哭不出调……噩梦醒来是清晨。但迷瞪中，也还懂得喟叹：生存自有艰难面，世道难免多诡谲……

院子里的槐树，可称院槐。其实更可爱的是胡同路边的槐树，可称路槐。龙生九种，种种有别。槐树也有多种，国槐虽气派，若论妩媚，则似乎略输洋槐几分。洋槐虽是外来，但与西红柿、胡萝卜、洋葱头……一样，早已是我们古人生活中的常客，谁会觉得胡琴是一种外国乐器、西服不是中国人穿的呢？洋槐开花在春天，一株大洋槐，开出的花能香满整条胡同。还有龙爪槐，多半种在四合院前院的垂花门两边，有时也会种在临街的大门旁边。北京胡同四合院树木种类繁多，而最让我有家园之思的，是槐树。

东四牌楼（现在简称东四，一些年轻人简直不知道是什么意思，我宁愿永远不惮烦地写出这个地方的全名）附近，现在仍保留着若干条齐整的胡同。胡同里，依然还有寿数很高的槐树，有时还会是连续很多株，甚至一大排。不要只对胡同的院墙门楼木门石墩感兴趣，树也很要紧，槐树尤其值得珍视。青年时代，就一直想画这样一幅画，胡同里的大槐树下，一架骡马大车，静静地停在那里，骡马站着打盹，车把式则铺一张凉席，睡在树阴下，车上露出些卖剩的西瓜……这画始终没画出来，现在倘若要画，大槐树依然，画面上却不该有早已禁止入城的牲口大车，而应该画上艳红的私家小轿车……

过去从空中俯瞰北京，中轴线上有"半城宫殿半城树"一说，倘若单俯瞰东四牌楼或者西四牌楼一带，则青瓦灰墙仿佛起伏的波浪，而其中团团簇簇的树冠，则仿佛绿色的风帆。这是我定居五十八年的古城，我的童年、少年、青年、壮年的歌哭悲欢，都融进了胡同院落，融进了槐枝槐叶槐花槐豆之中。

不过，别指望我会在这篇文章里，附和某些高人的高论——北京的胡同四合院一点都不能拆不能动，北京作为一座城市正在沉沦……城市是居住活动其中的生灵的欲望的产物，尽管每个生灵以及每个活体群落的欲望并不一致甚至有所抵牾，但其混合欲望的最大公约数，在决定着城市的改变，这改变当然包括着拆旧与建新，无论如何，拆建毕竟是一种活力的体现，而一个民族在经济起飞期的亢奋、激进乃至幼稚、鲁莽，反映到城市规划与改造中，总会留下一些短期内难以抹平的疤痕。我坚决主张在北京旧城中尽量多划分出一些保护区，一旦纳入了保护区就要切实细致地实施保护。在这个前提下，我对非保护区的拆与建都采取具体的个案分析，该容忍的容忍，该反对的反对。发展中的北京确实有混乱与失误的一面，但北京依然是一只不沉的航空母舰，我对她的挚爱，丝毫没有动摇。

最近我用了半天时间，倘徉在北京安定门内的旧城保护区，走过许多条胡同，亲近了许多株槐树，发小打来手机，问我在哪儿？我说，你该问：岁移小鬼成翁叟，人在胡同第几槐？

一起来做心灵体操

这本书是在一些读者建议下编出来的。

一次去签名售书，有位读者除了让我在刚买的随笔集上签名，还拿出个笔记本来，也让我在那上面签名，我正疑惑，他便弯腰把那笔记本翻给我看，原来那笔记本里面粘贴着他从几种报纸副刊上剪下来的、我近些年来陆续发表出来的一些文章。我略微翻阅了一下，仍不大明白他那样做的意图，因为在他刚买的那本集子里，就收有他新剪贴的文章，那些剪贴得比较早的文章，也大多分别收集在另外的散文随笔集里了。他看出我疑惑所在，就解释说："您这些年出的集子，总是按时间段编辑，这样当然能展示您最新写作成果，但我喜欢的是您关于心灵体操这一类的文章，您为什么不单把这样的文章攒起来，编成一本呢？"

当时那位读者身后还有另外的读者排队等着签名，我跟他这么一对话，耽误后头读者的工夫了，我和他都觉得抱歉，但几位从后面围到签名桌前的男女读者，听清我们对话的内容后，却都不嫌我们啰嗦，有的还附和他的建议，鼓励我单把关于心灵体操的文章挑出来编个集子。

没想到眼下又有时代文艺出版社主动来联系，点了心灵体操这个题，要给我出这么个集子。在读者和编者的双重推动下，这本书应运而生了。

"心灵体操"这个概念，是我在写这些文章时并没有事先设定的。乍听读者在建议中和编者在命题中说出这四个字，我还觉得有些个生涩。一般是把身体与心灵划分为两个概念，体操应是指身体的操练，如果要表达心灵的操练，是否用"心灵操"这三个字或干脆用"灵操"两个字就行了呢？但我最后还是接受了心灵体操这个比较变通的说法。可以这样来理解，身体是一个看得见的体，心灵呢？其实也是一个实在的东西，可以说也是一个体，只是不能直接看清楚罢了，而一个人的身体与心灵应该是融会在一起不可剥离的，把陶冶、净化、丰富、提升心灵的过程比喻为做心灵体操，未为不可。

"生命的意义在于运动"和"生命的意义在于静止"，这两种说法哪个对？我以为都对。生命在搏动中享受创造之乐，生命在静谧中消化人生百味。

"维持生命活力需要运动"和"维持生命活力需要静默"，这两个说法也都是对的。人的身体需要经常做体操，才能保持生理健康；人的心灵也需要经常做体操，才能首先保持心理健康，并在健康心理的基础上获得健康的情感与理智。身体的操练多需要表现为运动状态，而心灵的操练往往会表现为一个人静默地独处。

我们现在都处在一个无可回避的社会转型期里。各方面都发生着频繁而巨大、急剧而微妙的变化。在岗的有在岗的烦恼，下岗的有下岗的焦虑；离退休的老人有他们前所未料的遭遇，才进入青春期的男女更常面临期望与现实之间的落差；先富起来的成功人士会忽然觉得空虚，朝致富成功之路奔去的人会感到异常吃力而失却耐性。几乎所有的人都有调节心理、梳顺情感、化解焦虑、自我慰藉、提升兴致、丰富感受、深化认知、提升心灵的需求，在这种情况下，帮助人们进行心灵操练的文字时兴起来，也就不足为奇了。

时下被称为"心灵鸡汤"的文字颇为流行。心灵需要补养，心灵鸡汤可谓心灵的维生素，喝它诚然是有好处的。我写的一些文字，也可划归为心灵鸡汤的范畴。比如这本书第一辑第一篇《我的心理保健操》，那"鸡汤"烹出好几年了，却还在最近被一些报刊转载，可见它虽浅显，却还是益人补心的。但我写出的更多文字，是自觉超越"心灵鸡汤"这个窠臼的。我们都知道，光靠吃补药是未必能健身的，要想身体棒，运动是绝对必要的，至少要每天做套体操。心灵的强健也是一个道理，光喝"心灵鸡汤"还不行，还得做心灵体操，也就是让心灵处于运动状态，操练起来，才能更加有效。

　　我把这些年写成的这类文章，编为了五辑。第一辑为"实用心灵体操"，这也是受到前面提及的那位读者的启发，他剪贴我的文章，就从实用出发，比如他在《一把米有多少粒？》这篇文章前这样写下提示："当自己为不必要的精确性而苦恼时，读此文可以把心眼放大。"这一辑的文章老少咸宜。第二辑为"青春心灵体操"，都是为年轻人写的，但他们的父母长辈也无妨读一读，读后有可能增进对他们的理解，从而能更好地进行沟通。第三辑为"人际心灵体操"，我们现在置身的社会是一个激烈竞争的商业环境，人际竞争往往超过了人际温情，这一辑的文章或可为读者的心灵减压增爱。第四辑为"社会心灵体操"，处身社会，对种种社会现象我们不可能视而不见、听而不闻，愤世嫉俗、郁闷心冷都是于世无补、于己有害的，这一辑的文章或可令读者化愤懑消极为清明积极，从小处着手，来参与推动社会的良性发展，并在这样的取向里获得心灵的舒解。第五辑则是一组比较长的文字，它们对心灵面临的问题进行了比较深刻的探讨，我把它叫做"高段位心灵体操"，所谓"高段位"，就是含有了终极性的，关于人性、关于生命意义等方面的思考。当然，各辑的文章都并非死板地扣题，只是大体上属于那方面的话题而已，读者完全不必胶柱鼓瑟，可以抛开分辑，翻到哪篇读哪篇，只要觉得开卷有益，就是对我最大的鼓励。

　　这本书里插入了我颇多绘画和少量照片。我希望读者不要把它们当做一般的所谓"插图"来看。我为每幅图画或照片都写了一点文字。它们应该既具有与其他文章呼应的作用，更具有独立的欣赏体味价值。

　　说实在的，这些文章，我首先是为自己写的。我深深地知道，谁生活得都不易，我也很不容易，我首先需要为自己做心灵体操，然后再与有同感、同好的读者一起，在这既艰难而又充满希望的人生跋涉中，一起来做心灵体操。

　　来吧，来吧，来来来，一起来做心灵体操！

刘心武
2004 年与 2005 年交替之际于北京温榆斋

[附注：此文为时代文艺出版社《心灵体操》2005 年第一版自序]

皱皮苹果

从郊区书房回到城里的家，总会遭逢一大摞待拆看的邮件，我的习惯是先看熟悉者的，对于那些寄件方不熟悉的，一般是先拆看外表堂皇的，这是否有些个"嫌贫爱富"？但"金玉其外"的诱惑，恐怕是很多人都难以拒绝的，尽管往往会发现"败絮其中"，也只好叹息一声了之。有的来函，信封寒酸，字迹幼稚，右下角的地址是某镇某村，由作协或编辑部贴条转来，根据近年来的经验，这样的信函，很少是读我新作品后告知感想的读者来信，多半是附上他写的并不成熟的习作，希望我能往报刊推荐的。

回到城里，大体浏览一下积存的邮件后，我多半会下楼，到附近绿地遛遛。那天到票友聚集的廊亭，听他们轮番演唱，几位经常炫技的票友，已成为我们那一带的明星，我一见他们那堂皇的架势，就总要坐在廊栏上洗耳恭听，无论是裘派黑头，还是程派青衣，听着那些唱段，真觉得满耳落花，满心沁芳。不仅那些名票脸熟，就连总去旁听的，也有若干熟脸。有位年纪估计跟我相仿的，个头矮小，其貌不扬，他欣赏时，总轻闭双眼，一只手还随那声腔在膝上轻叩，他那满脸的皱纹也微微抖动，令我觉得非常滑稽。

那天傍晚遛弯回家，饭后想吃水果，去阳台取。我家的水果一般都放在阳台的一个大纸匣里，弯腰一看，所储水果不多了，又忽然发现，在角落里，有只不大的苹果，显然是很久以前买来，一直忘了吃的，赶忙取出来，放在手心里一看，它那表皮已经干燥得起皱了。

想起多年前读过的一首诗，忘了是国人写的还是翻译过来的，里头有几句是以苹果的名义请求："削我皮，或者用牙啃／之前，能否仔细欣赏一下／我表皮的美丽。"苹果，以及其他水果，确实有权利这样地要求人类。实际上我是一贯比较注意水果外表的，而且经常"以貌取果"，也懂得把比如说苹果的外皮当做专门的审美对象。我曾很小心地将一只大苹果那华丽的外衣削成连续不断的螺丝转，然后将它巧妙地搁放到桌子上，令它望去仍是一只完整的大苹果。

那天我仔细端详那只皱皮苹果，忽然非常感动。它在被遗忘的那相当长的一段时间里，不让自己沾染霉菌，坚决地不腐烂，因此虽然它的表皮因脱水而发皱，却身无黑斑，并且让那红晕依然具有诱惑力，还散发出一种略带酒味的甜香。它是怎样度过那些寂寞的日子，如何洁身自好、保存实力，甚至还利用那被冷落的时间，尽量把自己的糖分保持住的？

我把皱皮削掉，那苹果露出的果肉居然鲜若处子，先尝一口，异常香甜！吃完它，还回味了许久。

第二天，我又下楼遛弯，又去听那些票友演唱。那位我觉得颇为滑稽的听众，又在那里闭眼击节。我忽然觉得，他很像是一只皱皮苹果。待那边一曲唱完，我就跟他说，您何不来上一段？他脸倏地红了，更像皱皮苹果了。接着也有其他人注意到了他，跟着劝，或者竟是跟着起哄，后来连操琴的也问，他想露哪段？他呢，站起来，走到人群当中，说了声"让徐州"，清清嗓子，跟拉琴的对了对弦，然后在琴师配合下，居然唱起了言派腔，宛转优雅，吐字如珠，我觉得那一刻他就仿佛削掉皱皮的苹果，因为在寂寞中久久地自爱，保存住了一腔鲜活，一旦得以施展，则散发出沁脾的香甜。一曲终了，掌声里，我悟出更多。

我承认，因为对积存的邮件里那些"皱皮"的一贯轻视，有的启封后潦草一瞥，就马上当做废物丢弃。现在，我提醒自己，也许，那会是一只"皱皮苹果"，虽然其貌不扬，甚至委琐鄙陋，但表皮里面，却会有鲜活的甜汁，我必须慎重对待，不得轻率处置。尽管到目前为止，还没发现好比能唱言派"让徐州"的高手能人，但殷殷期待之心，确是有了。

又想到，悠悠人生，谁能永居中心？谁能永有抢眼而马上被选取、光艳显示的机会？我自己，也颇像滑落到果匣角落的一只苹果，我能否努力避免感染霉菌，在洁身自好中，任凭表皮起皱，而内里仍默默地保持、积蓄着能贡献于他人、社会的精华呢？

春水浴心

保持你对每一次春天来临的欣悦，以纯净的清水，涤去心上积蓄了一冬的尘垢吧！

春夜扪心，你自省，坦率地承认：颇长一段时间了，你的生命冲动，时常起伏于虚荣和嫉妒，对财富与纵情消费的渴望，还有更难与人言的大胆性幻想上。那三个令你往往因不可得而陷于焦虑的因素，究竟是来自人性深处的幽暗区域，还是从外部飞落粘黏到你心上的尘垢？

以春水冲浴，以那还带有春冰碎屑的春水，以那鸭已先知的温渥的春水，以那接受着最初的鲜嫩落英的春水，以那溶溶漾漾越来越活泼的春水，冲浴你那颗焦虑而迷茫的心吧！

虚荣的渴求，是人生的霉菌，它既来自人性中的恶，更因外界俗世的诱发而上蹿蔓延，以春水将其冲刷驱赶，让朴实的心绪，重新主宰你的心房！你需要的不是暴发，不是侥幸，不是他人艳羡的眼光与肉麻的阿谀。你应以诚实的努力，换取公平前提下的酬劳。信仰平凡吧！唯有在具有尊严的平凡生存中，你的人生才能真如田野里怒放的春花那般美丽芬芳！

嫉妒肯定是我们人性里本原存在的东西。这东西是善还是恶？如果它不是善，那么，它也未必一定是恶，问题在于，你能否控制住它的量？倘让它膨胀泛滥，那会引爆你的生命，即使不害人，也一定害己；如果你能令它以微量元素般渗进你的血管，那么，它就有可能转化为好的东西——促使你在遵守社会"游戏规则"前提下，积极投入竞争，不轻易服气，不随便放弃，不迷信权威，不相信谁能永保第一。这样控制好嫉妒的量，你纵使永不能跻身前列，也一定会持续地朝正前方迈进！以春水涤荡心中那多余的嫉妒量吧！但你要小心——追求美好是对的，却不要追求完美，不要因为你心中总有涤除不掉的嫉妒而痛恨自己，你所需要做的只应是涤除那多余的部分，而不能到头来把人生奋斗中的血性也冲刷得一干二净！

对财富与纵情消费的渴望，与嫉妒类似，人性里很难不先天地沉淀着这样的成分。问题在于，你能否以春水涤心，使对财富的渴望，端正为对创造财富的渴望，并使纵情消费的渴望，端正为健康的正当消费。在春水的冲刷下，你应当憬悟，生命的价值首先在于创造，财富、名声、荣誉、地位，不能以偷窃或侵吞的方式获取，唯有充分释放出你的聪明才智，付出汗水乃至精血，先有创造，才有成功和享受。消费的欲望，只要是正当而健康的，不应被人谴责，更不必自我抑制，你需以春水涤除的，是那些不正当的不健康的消费欲望——如个人消费而以公款报销、色情消费、污染环境的消费、暴殄天珍的消费……

啊，说到漂浮在你潜意识里的性幻想，你脸红了，脸红是应该的，却不要因为我点出了这一层而脖子粗胀起来。在当下的中国，要让所有的成人男女都能理智地认知，即使结了婚，并且夫妻间也确有爱情，有正常的性生活，但无论是丈夫一方，或妻子一方，在欣赏明星时，在旅行甚至日常上下班的途中，因某一觉得美丽性感的形象呈现，当时或事后，在潜意识里游动起朦胧而私密的性幻想，都属于正常的性心理，并不能指斥为堕落，更不必在惊觉后苛刻自责。这肯定是人性里固有的东西。固有的东西也要用春水洗浴冲刷么？是的。要以洗浴使它永远处于一种幽暗的幻想状态，要以冲刷压抑它的恶性蹿升。

敬畏宇宙，敬畏生命，你我携手同行。在这自然与人生的四季里，我们别错过又一个春天，让我们用一斛又一斛的春水，洗浴我们仍在鲜活跳动的心房吧！

春从心出

愿乘火车，喜欢那窗外舒卷的田园画面；愿乘轮船，喜欢那船头劈开的浪花飞溅；愿乘飞机，喜欢那舷窗外的云海无边……旅行之乐，在起点，在终点，更在那前往中的沿途浏览。

愿有机会，被准允一个人进入没有演出的剧场，随便选一个适中的座位，静静地坐在那里，凝望那垂闭的大幕，在万籁俱寂中，以回忆，以想象，以对自己钟爱的编剧、导演和演员的深深感激，以对艺术的敬畏与对审美的忠贞，从心灵里，演绎出一幕又一幕的话剧，喜怒哀乐，悲欢离合，情理之中，意料之外，神秘莫测，难以言喻……啊啊，那是怎样的一种超级享受！

当近照堆积如山时，我们厌倦了摄影，甚至消褪了清理回味的兴致。可是，我们对旧照片的窥视欲久盛不衰。难道，非得通过人世的纷乱，自我的颠沛，以及痛苦的失落、无奈的损减，当那岁月梳篦过的残照，零星如梳齿上的断发时，我们才能懂得珍惜，生发出琴弦般颤动的情愫么？

以往，害怕走进书店，是因为总觉得那陈列出的新书，有许许多多都应该抓紧购买，而自己囊中羞涩，欲壑难填——甚至仅仅是站在书店的橱窗前，便有一种受到特殊强刺激的感觉，怦然心动，难以自持；常常是，进去时拼命告诫自己不得癫狂，而出来时却囊中如洗，抱着一大包书，踽踽独行在长街之上，因为连乘公共汽车的钱也没留下，步行抱书回家真乃苦难的历程……及至回到家中，洗手沏茶，仰坐观书，那一份悠哉游哉的劲头，噫，亚赛小神仙！如今呢，害怕走进书店，是因为那些花花绿绿的出版物，虽然呈现着满坑满谷之势，不像以往那么隔着柜台，大半还得有劳售货员取拿，可以随意自选，浏览听便，可是，竟往往很难遇上一两本想买下的书，甚至带去打算购书的费用，竟有花不出去的苦闷；终于淘出购得数种，打的回到家中，照例洗手沏茶，倚在沙发上展读，那纸张没得说是雪白挺括的，装帧得也颇称"雅皮"，但仅是头一章，便几乎每页都有别字蹦出，如沙石硌牙，好不扫兴！几个人合译之书，选题甚佳，却前面把主人公叫做乔治，后面又称格奥尔基，想必是将原著一撕两半，各译各的，最后为赶快上市抢占市场，"萝卜快了不洗泥"，把贯通一遍的程序都免了，堂皇包装，昂其定价，因请到鼎鼎大名的人物作序，慎重如我，也欣然购回……唉唉，出版业数量大繁荣中的杂芜之弊，何时可减？

书中毕竟有人生，人生毕竟一部书；书业杂芜，仍要耐心从中淘出善本精品，人生诡谲，仍要坚韧地追求活着的真谛。

冬去春来，朋友打来电话，兴奋地报告，他那窗外的晴空中，出现了多年不见的南来雁群，一会儿呈"一"字，一会儿呈"人"字，跃然翩飞，引出他心中酽酽的诗意，多年不曾写诗的他，一时竟挥就了五首新作！放下电话，我也久久不能平静。我们的生命都只有一次。生命中的青春也只有一回。我们生命中最辉煌的时刻也只有那么一段。这都很像北国的春天，会飘然而至，绣出万紫千红，却又会匆匆而去，甚至伴随着阵阵沙风，在你不经意时，已然落红满地。现代人里，谁还会像林黛玉那样哀伤地葬花？一时间你会觉得有许多俗众熙熙攘攘、无情地在你眼前践着落花去追名逐利，于是你惆怅，你喟叹……但是，我鼓励自己，也劝告别人，像我那朋友一样，诗意地看待生命，看待青春，看待成败得失，看待生死关劫；需知，有一种春天是永存的，那便是从心灵滋生出来的，大雁跋涉般的豪情……

旋出自己的小木梨

那天听收音机，点歌节目里，一位白领女性说目前又需要再找工作，因此为自己点一首歌，那是一首我这把年纪的人耳生的通俗歌曲，歌名记不住，只听出歌词里把"梨子"跟"离别"谐音，传达出一种惆怅的情绪。我觉得这位白领女性能采取这种公开的方式排遣自己的苦闷很好。我相信，在那惆怅的旋律中，她其实正坚定着"天生我材必有用"的信念，听歌以为间歇，再迈步人生途程，朝光亮处而行，必有快乐与幸福。

因那歌里的梨子，忽然联想到安徒生的一个童话，讲到一个人处境很不好，种的梨树根本不结果，只好砍掉，但他没有把那梨木当柴烧，而是用那梨木镟出了许多大大小小的木梨，看着这些木梨，他很高兴，产生一种感悟，就是不能自弃，生命不止，劳动不息，最困难的时候，也要做些跟真、善、美亲近的事。他本是一个伞匠，那时候的雨伞收拢后，全用一根连在伞上的带子与一个环子相扣，带子末端钉着纽扣，但那纽扣常会脱落。有一天他手里的雨伞上的纽扣又脱落了，他便顺手拿了一个自己镟出的中间有孔的小木梨，安装在带子末端，用这小木梨替代纽扣后，既牢固，又富装饰趣味，他试着把这样的雨伞供应出去，竟大受欢迎，后来各方都来向他订购小木梨，他就连伞也不做了，专种那不结梨子、但镟出小木梨后纹路特别雅致的梨树，后来不仅发了财，人也变得更快活通达。这是安徒生晚年所写的童话，他那一阶段写的大都是这类其实很真实的人间故事，故事里虽无幻境神仙出现，但那从平凡人生里采撷的香美草叶，却散发出只有用童话二字才能体现出的特殊意蕴。人生多舛，世途多艰，常有些童话意蕴氤氲于心，有利于振作奋进。小木梨其实已渗透到我们中国人的日常生活中，多种衣服，特别是冬季的羽绒服上，松紧带末端，就缀有小木梨。小木梨应该也能在新一代中国人里引发出悠长的思绪。

抗"非典"的高潮期里，一些行业受到不小的影响。有些影响是一时的，疫潮过去恢复不难；有些则情况比较复杂，比如空调这一行，且不说销售商和生产厂家，搞这一行的研究者、设计者，就遭到很实际的挑战。现在的一般室内机使用说明上都有一条，就是应该关闭门窗开机制冷，这与抗"非典"的首要诀窍开窗流通空气相悖，目前已经有很多消费者退回到使用电风扇乃至摇蒲扇、折扇消暑的地步。那么，分体空调向何处去？还有中央空调，原来认为是最先进的人造气候系统，现在遭遇 SARS 病毒的威胁，倘不慎有携病毒者进入，那么整个系统所起的作用便是以科技手段将那病毒散布到大厦的许多部分，想起来真有点惊心动魄。难道现有的空调技术都成了不结好梨子甚至不结梨子乃至结毒梨子的梨树了吗？那天看电视上，有几位空调方面的专家正在接受咨询，努力地提出应变的处方，以使目前大家使用的分体空调和中央空调能够安全有效地运行。给我的感觉，好比系伞的扣子裂落了，教人如何补缝一粒不易裂落的新扣子，这是必要的，应该感谢他们，眼下也只能这样去做，但更重要的，是旋出替代常规扣子的小木梨。我欣喜地知道，一间因故隔离的大学生宿舍里的几位学伴，他们不仅没有在隔离期间失却乐观与旷达，还利用一部分时间热烈并不过分耗电的效果，中央空调如何增大室外新我平空气流入量，如何增添消毒机制，如何能在紧急情况下迅速化整为零、使大循环变为分开的小循环。正是"重整河山待后生"，我相信，这些活泼的生命不仅能战胜 SARS 病毒，而且，他们那不懈地旋出小木梨的可贵精神，一定能使他们自己以及我们大家，享受到更健康也更快乐的文明生活。

"康熙开心果"

"牙痛不是病，痛起愁煞人"，这句俗话虽然不科学，但之所以能流传至今，说明它毕竟传达出了一些中国老百姓的两种认知，一是比起别的绝症来，牙痛并不危及生命，二是牙痛的苦恼，有时甚至比得了其他脏器的险症更加难熬。其实口腔保健极其重要，不但要从幼童抓起，而且应该贯穿终生。人终有一老，人老齿落，乃正常的生理现象，只是每个人的齿老摇落时间不尽相同，有的早些，有的晚些罢了。现在医学发达，牙科的治疗补救手段越来越先进，人们在平时注重牙齿保健的前提下，一旦牙痛，应及时找牙医检查处理，老年人更耽误不得。

退回二三百年，那时的中国老年人牙齿痛起来，虽贵为皇族，一般也没有什么立即止痛的妙着。话说清朝康熙年间，康熙皇帝一日去向孝惠皇太后请安，太后向他诉苦，说自己"牙齿动摇，其已脱落者，则痛止，其未脱落者，痛难忍"，因而向康熙打听治牙痛的偏方。康熙是个大孝子，何况更希望通过自己的孝行来推行"以孝治国"的方针，对孝惠皇太后的牙痛怎能掉以轻心？那时的太医院也未必没有能提供止痛偏方的太医，何况康熙还很接纳了些西方的传教士，这些传教士大都掌握包括牙科医术的西方科学，按说为皇太后提供临床治疗也不是没有条件，但"远水解不了近渴"，康熙懂得，更有效的止痛方法是马上给予皇太后心理治疗，于是，他给皇太后献上了"开心果"。

康熙对孝惠皇太后说："太后圣寿已逾七旬，孙及曾孙殆及百余，且太后之孙，皆已须发将白而牙齿将落矣，何况祖母享如此高年。我朝先辈，常言老人牙齿落，于子孙有益，此正太后慈闱福泽绵长之嘉兆也。"这些话语构成的"开心果"倾倒而出以后，皇太后心理上立即大舒解、大愉悦，心理的安适使生理上的痛苦大为缓解，竟觉得牙齿也不痛了，"欢喜倍常"，她连连称赞皇儿是对症下药，并表示："皇帝此语，凡我老妪辈，皆当闻之而生欢喜也！"也就是说，"康熙开心果"不仅对她适用，而且有加以推广普及的必要。

康熙家族的人丁繁盛，有其特殊的原因，满俗讲究"老齿脱落有益儿孙"也许含有不科学的因素；而筛掉这些成分，"康熙开心果"的富于营养是显而易见的，那就是老年人一要承认自然规律，不要强求自己的生理感觉跟年轻人一样，同时，应该从自己家族乃至民族生命的延续上，汲取慰藉与快乐。

人老病随，就是暂且无病，生理上也总在走向衰竭，有病及时治疗，无病注意保养，当然都很重要，但更重要是保持良好的心理状态。有的老年人不是以乐观的精神对待自己的衰老病痛，而是整天沉溺在"我有病，我痛苦，我活不了啦"的悲观情绪中，并且特别喜欢唠叨自己的病痛。有的更对年轻一辈的健康欢乐产生嫉妒心理，总拿自己的病痛给晚辈出难题，晚辈怎么着照顾也还是不满意，甚至心理变态，对一切新生事物都无端排拒，恨恨然，怅怅然，自己仿佛生活在地狱里，还要拉拽年轻的生命阴着脸叹着气去陪受煎熬。这是很要不得的"老态"。康熙皇帝为皇太后提供的"开心果"，现在也还是治疗这类老年心理疾患的妙方，而孝惠皇太后从中汲取了"知足常乐"以及"老年人应该以儿孙之福为乐"的心理营养后，认为应该再把这一妙方推及到所有"老妪"的见识，也很值得肯定。其实不仅是"老妪"，包括"老叟"，都应该为生命的正常代谢而释怀，为年轻一代活蹦乱跳超越己辈而"欢喜倍常"，从而百病不惧，忘忧享寿。

崇尚平实

一位职业高中的学生跟我说，他很自卑——毕业以后，无非是掌握一门技术，从事一种相应的职业，然后娶妻生子，过一种平常人的生活……我听了，很诚恳地跟他说，我对他很羡慕，真的，确实很羡慕。他很惊讶，以为我是跟他调侃。我告诉他，一般像他那个年龄的人，对未来总是充满了憧憬，有的想成为歌星、影星，或者当个知名作家、画家，这当然没什么不对，但是，我告诉他，这条路很窄，也很险，一般来说，明星式人物，往往是在那条路上拼命追求的成千上万的竞争者里极少数的幸运儿，而且，即使他到头来真的获得了名声，但能否把这名声保持一世，尤其是，是否最终经得起历史检验，也还难说。有的年轻人所向往的，可能是上大学，一步步取得学士、硕士、博士学位，成为学者、教授、专家，这想法更没有什么不对，甚或还应予以相当的鼓动。但以中国之大，人口之多，国力所限，以及每个家庭和个体生命的千差万别，恐怕也不能把这种向往当做普遍适用的人生目标。在目前市场经济蓬勃发展的进程中，还有不少年轻人向往当商人、实业家，或企盼在官场发展，成为一个有作为的公务员，这也都绝不能认为是非分之想，有条件的无妨一试，不过，其成功率，也是很有限的，实事求是地看待社会发展，看待生活前景，看待自身条件和客观环境，我们便能意识到，落生在这大地上的绝大多数个体生命，恐怕还是应当以掌握一门社会所需要的技术、谋求一份相应的职业，来作为最基本的人生目标。靠手艺吃饭，遵守职业道德，本本分分地做人，平平常常地过日子，娶妻生子，丰衣足食，享天伦之乐，有闲暇之趣，不好高骛远，不死比硬拼，自得其乐，问心无愧，这样的人生，难道就一定比成为明星、教授、富商、高官逊色么？

关于人生前景的设计，我崇尚平实之论。跟我交谈的职高生问我：你不是被称为著名作家么？我告诉他，我现在深感自己虚有其名，为这虚名所累的苦楚，非本人难以领会其一二。好在我现在已从文坛中心淡出，越来越边缘化了，得以在平实的日子中使心灵渐远焦虑、渐趋恬静。我希望有更多的年轻人能理解，我为什么羡慕他们所选定的看似庸常而蕴涵着坚实的生命真谛的技术与职业选择。

迈过"本命年"的"坎儿"

"本命年"是个"坎儿"吗？人的生命发育，一是生理上的，一是心理上的。以 12 年为一个生命的大年轮，从心理发育的角度上看，确实往往会成为一个大"坎儿"，构成了一个危险期。

把阴历、阳历结合着算，首先是十二三岁的那个"本命年"。其心理危险，要么表现为早熟，失去应有的童真，导致行为上的越轨；要么心性从此滞留不进，总害怕进入"大人的社会"。学校老师和家里父母，应引领孩子穿越这个"心理窄门"。

然后就是二十四五岁的心理危险期。这个"本命年"里的心理危机会趋于两个极端，一是成为"愤青"，对社会，特别是对长辈，尤其是对固有的传统、规范，打心窝里喷溢出反叛的激情，特别容易受极端理论蛊惑，追求颠覆性、破坏性的快感；一是成为"懦青"，自卑，懦弱，形不成任何主见，特别地害怕长辈、领导、权威、强人，总是自觉形秽而又找不到提升自己的途径。在这个危险期里，学校老师和家长所能起到的心理辅导作用一般都比较有限，因为当中横亘着一条无可避免的"代沟"。这个心理危险期的平安度过，主要还是靠优秀、健康文化的引领。优秀文化里包括经典，比如贝多芬的交响乐和鲁迅的著作，健康文化包括通俗的只流行一时的，比如某些校园民谣和某些电视连续剧，凡能在文化接触上自觉不自觉被这些作品滋润的，都可穿越心理骇浪，顺利地驶向"而立"之年。

三十六七岁与四十八九岁这两个"本命年"里的心理危机，一般存在两种危险，一是自我肯定过头，觉得功成名就，前途似锦，欲望膨胀到如就要崩裂的气球而不自知，因而导致行为上的冒进、冒险，甚至会因藐视道德、法律而犯错误乃至触犯法律；一是自我否定过头，觉得老大不小而仍成不了气候，前景黯淡，对自己万念俱灰，对别人尤其是同辈人的成功妒火中烧，因而导致行为上的怯懦、游移、错乱，甚至会酿成厌世轻生或"与汝偕亡"的惨剧。

时下针对以权谋私的社会现象，有所谓"59岁现象"一说。确实有不算太少的公务员在面临退休的前夕"加大贪污力度"，或竟从大体清廉滑落到贪污受贿的深渊，这里不去探究其外在的社会因素，单就59、60这个"本命年"的心理失衡而言，恐怕是当事人没能揽好"人生定位"的缰绳。人生的意义究竟是什么？置身市场社会，面对富人群体，活到第五个"本命年"的人，容易把自己放到商品的秤盘上，去用酒气财色为砝码，衡一衡自己的"分量"，结果往往是觉得自己"亏大发了"，也就"顾不得许多"，捞取"最后一筐鱼"了！当然，在60岁这个"本命年"的"坎儿"上，也会有一些人心理上会冒出另一种病态。就是再难以适应新事物，沉溺于怀旧，要么愤世嫉俗，要么心灰意懒，这心理危机又转化为生理上的疑神疑鬼，总觉得自己"不行了"，仿佛人生的幕布，也该就此落下。

要迈过上面所说的后三个"本命年""坎儿"，除了以优秀文化陶冶自己，我以为，亲人朋友的相助变得越来越重要。相对而言，亲人对自己更大的作用是情感的支撑，而朋友对自己更大的作用则是心理的舒解。这里所说的朋友是严格意义上的，不等同于工作、生意、创作方面的合作者，更不包括酒肉朋友、麻将牌友，越是跟自己在具体利益上不相关联的朋友越珍贵。能倾听自己吐露焦虑，予以抚慰，已是挚友。我以为，人生的第五个"本命年"基本上可以说是给予忠告，那就是诤言。我以为，人生的第五个"本命年"基本上可以说是心理危机的最后一道"坎儿"，这个"坎儿"度过去了，心理上一般就会越来越平静了。消除这"坎儿"上的心理危险，除了"自诊自治"，朋友的不弃非常要紧，越在这样的"讨厌"状态下，越需要朋友的关爱；相对地，我们也要对处在心理危险期的朋友，不待其提出，便主动予以关怀。生理保健靠自己，心理保健靠朋友，要迈过"本命年"的"坎儿"，这个道理是必须懂得的。

忠告自己

1. 不可中止对美的追求，但：切忌追求完美！

2. 作家必须写作，任何一种鄙夷作家辛勤写作的论调，都是可鄙的。

3. 如果写好了一部作品打算公诸于世，那么，不要被下列种种说法吓退："现在发出一部作品就像朝河里扔了一颗豌豆，连个水花都溅不出来！""现在根本不是一个出得了好作品的时代！""现在再好的作品也会被淹没在平庸的浪潮中！"……其实，一个作品拿出的最好时机，便是你写好了它并且想把它公诸于世的那一刻。作品写完改妥了吗？不要犹豫：赶快与编辑部联系！更要懂得持那些"不宜发表"论的人，其实他们多半也会忽然令人一惊地发出他们的大作。再有，千万千万要明白：即使你朝"河里"扔的只是"一颗豌豆"，即使"连个水花都溅不出来"，即使你根本没碰上"好时代"，发表出来的不是"好作品"，即使你的作品非常之好却"淹没在平庸的浪潮中"了，那你也用不着战战兢兢，或忧心忡忡，哪个天皇老子规定你非得往"河里"扔"西瓜"甚至"原子弹"了？又是哪个天皇老子限定你所发表的必须是"百年经典"了？又有哪个天皇老子能保证你那确为"杰作"的玩意儿，不被"淹没"？你就兴致勃勃地写作，尽你所能把它写好，陆陆续续地投稿吧！作品发表出来，任人评说，也任人不评说吧！

4. 相信别人，主要不是相信自己遭劫难时别人会慨然相助，而是相信他们中的绝大多数都不会落井下石。

5. 千万不要过高估计自己的正义感；比如说当一个人在某事上遭遇到不公正待遇时，我的惯技是：尽量避开那不公正和他（或她）的不幸，并且努力调动出他（或她）此事以外的毛病，特别是性格缺陷，然后鼻子里哼出一声："他（或她）那个人呀⋯⋯"于是，似乎我既与不公正划清了界限，更凌驾于施予不公正者与遭遇不公正者双方之上，俨然一方神圣！——当然，能随时这样揭揭自己的这类"心灵惯技"，也好。

6. 对相当数量的人和事，一定要能以一笑了之！但倘若对任何人与事都一笑了之，那便离堕落不远了！

7. 最值得自己反复扪心自问的是：怎么不仅常常地"身不由己"，而且还时不时地"心不由己"呢？

8. 怀念那旅途上充满友善的旅伴，但不必刻意地寻求与他们的邂逅。

9. 凡有幽默感（不是故作"幽默状"）的人，都必有可亲近之处。

10. 恭维话是些包装精美而内里发霉的礼品。接过，却不必拆开。

11. 以宽容的态度对待从别人身上感觉出的俗气，是高雅的体现。

12. 行动固然比言论更能说明问题，然而有时不行动既胜过言论也胜过行动。

13. 保持对个别人有理由的恨，这与保持对许多人有理由的友爱一样，都是生命尊严的体现，切不可轻易改变。

14. 拥有不能或不想在传媒上表达他们阅读兴致的读者越多，于我而言则越觉幸福。

15. 鄙夷"时文"是一种心理疾患。能从未曾听说过的作者所发表的"时文"中获得乐趣，是心理健康的标志。

16. 不接受任何标签，也不必弄清楚每一个贴标签者的用意。

17. 不要羞于谈钱，除非是谈来路不正的钱或钱的不正来路。

18. 把握现在，切忌把什么都推诿于"历史"。

19. 事已如此：我写，故我在。

春草明年绿

"如果不在星巴克咖啡厅，就在去星巴克咖啡厅的路上。"这是阿铿教给我的一句形容白领一族的话。但是这天阿铿说他现在的状态是"肯定不在星巴克咖啡厅，可能正在路过星巴克咖啡厅的人行道上"。

阿铿是所谓"80年代后"的一员，他本以为大学本科毕业后，能顺利进入京都白领一族，喝星巴克咖啡，吃新款比萨饼，贷款购小户型，开血红QQ车，用宜家家具，书架上摆几本——今年应该是耶利内克的小说……但是，我也看到了传媒上的消息——是好消息：今年应届大学毕业生就业率比去年提升了好几个百分点——不过仍有约百分之二十几的"80年代后"学士不能马上获得他们期望的职位，阿铿即其中一位。

阿铿也曾动考研的念头。据他说，考研更有利于女生，导师大多爱红妆——我不大相信他这一判断，但女生考起试来势若破竹——这个判断我颇认同。一位以极大分数优势取得读博资格的女生就自己笑着对我说过："世界上有三种人，一种是男人，一种是女人，一种是女博士生。"想想这话，既忍俊不住，又不寒而栗。

阿铿放弃了考研，去秀水街的美国领事馆外头看了看那阵势，探了探深浅，也放弃了留学。

阿铿来找我，不是为了求职——他知道我无职无权无关系网，只不过来散散闷。他说知道过去有"愤青"，而他现在只是郁闷，他们"80年代后"多属"闷青"。

阿铿坦言他面临两种解闷的东西，一种是摇头丸，一种是心灵鸡汤。他当然是拒丸就汤，但交替着喝了洋人和本土作家烹制的若干心灵鸡汤后，他现在见汤生腻。他问我，难道就没有更好的东西，可供"闷青"们破闷？

我沉吟良久，心生惭愧。我虽然没有刻意地去炖熬什么心灵鸡汤，但写出的一些文字，也往往只停留在助人化解焦虑、求得心理平衡的层面上。确实应该超越所谓心灵鸡汤，哪怕用最拙朴的话语，来和我们共和国的"80年代后"的青春群体，一起冲决那份郁闷了！

我对阿铿说，我的想法是，设法将自己定位在一个好的职业位置，谋求过上稳定的小康生活，这仍然应该是你们这百分之二十几的待业群体的近期目标；拒绝摇头丸为象征的邪恶诱惑，喝心灵鸡汤滋润胸臆，应该是你们永久坚持的生活方式。但是，无论是已经进入白领阶层的，还是像你这样"晚白"一步的青春生命，在构筑自己的小康人生的时候，都不应该放弃社会关怀，说穿了，只有整个社会不断地朝良性的方向调整，这社会中的成员才有良性生存和良性发展的可能。社会关怀最能破一己"郁闷"，建立这种关怀不是喝鸡汤所能奏效的，要给予自己的生命更强有力的驱动。

阿铿告诉我，他目前屈就了一份灰领工作，而且"灰得发蓝"，吃一碗马兰拉面就算"打牙祭"。我并不劝他就此"灰蓝"下去，这于他显然屈才。但我建议他不要放过接触"灰蓝"的机会，无妨就此积累些社会阅历，甚至着手搞一点社会调查。过去的"愤青"那社会关怀往往会滋生出非理性的过激言行，他们"80年代后"则应告别过激，以理性为前导，从小处着手，浸润性地去优化社会环境。我想起了前些时一位艺术家的尝试：邀来许多农民工，与他们同时脱去外衣，链环般牵扯站在一起，构成一次行为艺术。这件事很小，颇有争议，但经传媒报道，于受众心灵而言，却仿佛墨水滴在宣纸上，有着难以言传的、浸润性的启迪效果。我以为，像这类力所能及地体现社会关怀的事，我们都可以做一点。这比炖熬呷饮心灵鸡汤意义大多了。

阿铿跟我告别时说，起码他现在不郁闷了。他说没时间，也没必要老来访我，但明年春天无论他是个什么状况，他会再来跟我交流。

明年春草绿，我心多期盼！

漱口音与雨丝影

20年前，儿子上高小的时候，有一回忽然问我："什么叫怀旧？"我想那是因为当时家里常来跟我一样喜欢舞文弄墨的人士，嘴里时会呐出这两个字眼，听得他好奇，故有此一问。当时我试着回答了两遍，可他眼睛里还满是疑惑，于是我叹口气说："等你长大了，自然明白。"

弹指间儿子已经年逾30，娶妻另过。那天他们小两口来家，儿子一进门就兴奋地说："爸，我买着好盘啦！有张是给你买的呢。"我说："那些个高科技合成的美国神怪大片我可不爱。"他说："知道。我这回买的是怀旧片。"先拿出为他们自己买的，是前南斯拉夫的《瓦尔特保卫萨拉热窝》，未及观盘，就随口跟儿媳对出了其中某些台词，甚至还哼起了片头音乐来。我就说："其实，在世界电影史上，这根本是入不了谱的东西。"儿子就拿出给我买的盘来，未递入我手，笑道："这个难道就入谱吗？但是您一定喜欢！"我接过一看，天，是久违了半个世纪的《美丽的华喜丽莎》，苏联的一部根据流传久远的俄罗斯民间故事拍摄的童话片，我上小学时译制过来的，风靡一时，片名又叫做《三头凶龙》。影片最后是勇士与喷火的有三个脖颈三颗头颅的凶猛恶龙展开搏斗，那场面曾久久萦回在我童年的梦境里，令我恐怖，也激发着我的想象力。

那天饭后，小两口陪我看《美丽的华喜丽莎》，边看边讥笑："多幼稚呀！""瞧这特技，好笨啊！"妻忙些别的事，没有完整地坐下来看，但有时会走过来问我：

"青蛙变公主了吗？"电影里的华喜丽莎是被巫婆施魔法变成青蛙的，在被搭救前，她只能在夜里变回人样。妻和我是同代人，自然都经受过这部电影的洗礼，其中一些场面于我们来说，虽沉淀在了记忆水潭深处，却是一经搅动，便会极其生动地悬浮最上面，如莲花开放般鲜艳。

那光盘根据旧电影拷贝制作，配音对话里，有的角色带着明显的东北口音——因为是长春电影制片厂译制的，那时候除了一些主要的配音演员，有的配音者还发不准普通话的音。小两口觉得滑稽，我却觉得恰恰是那个味儿的配音，才能勾出我酽酽的童年回忆。拷贝年代太久，对话有时会出现漱口音，画面上有雨丝般的划痕掠过。然而我看得津津有味。后来小两口看了半部《瓦尔特》，声音画面虽然好许多，但色彩显然褪去不少，整体是变成了褐调子，跟他们当年在电影院里看到的效果完全不能相比，但他们却看着眼前这场戏，就兴奋地议论着、期待着下一场熟悉得不能再熟悉的画面呈现、人物登场。

于是悟出，文化史，包括文学史、电影史、戏剧史、美术史、音乐史……高标准，严要求，淘汰第一，取留持重，势在必然，令人敬畏，然而那多半只是学术界和高等学府里的殿堂供奉；而俗人的审美体验，尤其在过了青春期后，多半并不理会"史的定论"，虽然会有与时俱进的一面，却往往更多地固执于生命时空里所经历的那些兴奋与感动，时过境迁，乃至沧桑巨变，筛掉许多，也还会珍藏若干私下里最喜欢的，终生不放弃。所谓怀旧，也就是反刍这些可能早被史家剔除，更与下几代隔膜，却能与同代人交流感想，更包含最隐秘的个人缘由的人与事、景与物，包括现在重温时会有漱口音与雨丝影的老片子。

除了以永恒性、普适性为前提的高标准猛筛汰的文化史，我们还需要追踪一代人、一茬人的文化感受史，还应当提倡那样一种文本，就是完全从个人角度出发，来回顾自己的阅读欣赏史，喜欢过什么、排拒过什么、为什么感动、为什么厌恶、为什么疑惑、为什么憬悟。也许，在后两种文本里，我们能获取到更多的，解读一代人、一茬人和一个人在当下会有如此言行取向及其表达方式的文化遗传基因。

话说"糟改"

在北方话里,"糟改"意味着讽刺挖苦,乃至戏弄。

昨天在地铁月台报摊前,听到有人指着摊上挂出的一张报纸上一位明星的玉照,大声地对她的同伴说:"瞧她那个德性!知道吗?她是工读学校毕业的……那时候,我妈一天到晚拿她当例子吓唬我:可别跟她似的,栽到工读学校去……她回到我们宿舍大院,多少家大人不让孩子跟她玩……"不仅她的同伴听来有滋有味,就是一旁买报等车的陌生人,包括我在内,都禁不住听进去了。

于是想到,在人性深处,最难承受的事情之一,便是往昔寒微的熟悉者,忽然显露出的成功。

当传媒上赫然出现关于那往昔熟悉者功成名就的信息时,类似的讥评会蝉声般地噪耳:

"当年我们班上,就属他不及格的次数最多!"

"他呀,当年在我们单位里,人缘儿最次!"

"光经我手,就起码退过他10来回稿……实在是没灵气儿啊!就他现在这个……到我手里还得退!"

"知道吗?她那时候考哪儿哪儿都不要!"

"瞧呀瞧呀,他那双眼就是典型的三角眼!"

"……别提了,他当年……要不是我……"

也许，事到临头，"短兵相接"会当面向他或她表示祝贺，但目睹身受其成功意态，心底里总不免冒出"小人得志"、"沐猴而冠"、"能有几时"之类的悻然鄙夷的情绪。

这种"生命中不能承受之轻"，在同性中、同代人中，特别是"同科"中，往往其难以承受的程度最烈。

倘只不过是如上所述，在某些"当口"上，忍不住吐露出些不屑与讥评，甚至于在亲友同事围坐时，或社交饭局席面间，"随手拈来"地讲一两个关于"那位主儿"当年如何委琐狼狈的小故事，说实在的，也还都属于"人之常情"的范畴，算不得人性中多么严重的恶。

倘有时，遇到某个机会，竟当面向那"得意忘形"者，或从牙缝里挤出，或以微笑包装，"奉献"出令其败兴的，特别是揭"老底"或"疮疤"的"妙语"，只要没闹出什么事端，也无非是人际间的一种带酸味的"心灵碰撞"罢了。

倘竟能仅仅把鄙夷不屑存于心中，并不形之于颜色声息，那德行，应当说，是相当地高了。

萨特说："他人是地狱。"

言重了！

但他人的眼光，于成功者，尤其是呈现为"出水芙蓉"状者，确实不会是天堂。在拥趸的"追星族"后面，会有许多双岂止仅是挑剔的眼睛，在探照灯般地盯准、扫描着。

仔细想想，人性大海中那"嫉妒"、"不服"、"不忿"、"看你红得到几时"等永不会止息的波涛，也许，倒是人类群体不可或缺的平衡器。

这世界毕竟不只是为出类拔萃的"成功人士"而存在的，"成功人士"在品尝"成功之果"时，必须付出代价，那代价中就一定要包括进他人——主要还不一定是同一"成功群体"的成员，而是那些并不一定取得了同等成功，或简直还谈不到成功的人们——的讥评与不屑，或用土话说，就是"糟改"。

意识到有人"糟改"，并且不以为怪的成功者，或许会将那"糟改"当做磨刀石，把自己的心性能耐磨砺得更坚强锋利。

这样说来，"糟改""出水芙蓉"的人性本能，也许竟该划归于人性善的范畴了。

"暂"字里面禅意浓

"暂时领先"、"暂居榜首"、"暂无变化"、"暂时落后"……这些天观奥运赛事，耳边常灌入带"暂"字的解说，眼里常吸入带"暂"字的字幕，赛事紧张，瞬息万变，有"暂时领先"甚至是"一路领先"者到最后定格时，竟名落孙山，有"暂时落后"甚至到最后一搏前仍然落后者，却在尘埃落地时金牌到手。正是：月有阴晴圆缺，人有悲欢离合，月儿弯弯照九州，几家欢乐几家愁，到头来对手一笑泯恩仇，共襄盛事，恰如一江春水向东流。

细思"暂"字，能生敬畏之心，而终于遍体清凉者，方是真正的斗士、强者。宇宙在不断地运动、变化，斗转星移，花谢花开，河东河西，沧海桑田，此乃人间正道。蝉联多届的冠军，也终于会由新的骁将取代；保持多年的纪录，也终究会被新的冲击者打破。而今天的失败，也许就是明天摘冠的起点，胜负乃兵家常事，"常胜将军"也不过是跟别的将军比起来，胜仗打得多些罢了。

人在拼搏过程里，应该把握好每一个"暂时"，却又绝不能胶着于某一个"暂时"。越过每一"暂时"而终于夺冠者，暂时的狂喜、暂时的忘形，乃至暂时显露出王者的霸气、赢家的倨傲，只要那毕竟只是"暂时"，就都无大碍，但我们可以从荧屏上看到，个别的摘金者，那忘形与失态实在是延续得太久了，结果竟敷衍地或干脆忘记了履行奥林匹克运动那约定俗成的重要礼节：向裁判握手表达谢意，向同站奖台的亚军、季军以面部表情和肢体语言表达同喜互贺，向全场观众，包括那些只给对手加油、喝彩的异国外族观众挥手乃至鞠躬致谢。奖牌确实是一种荣誉，但又应该不仅仅是象征荣誉，荣誉毕竟是"暂时"的东西，除了专家、资料员和体育迷，谁能总牢记得前几届奥运会每一项目的金牌得主？奖牌更重要的象征意义在于提醒我们：记住那通向大同的路径——人类和平竞赛，各民族亲如手足。

雅典奥运会赛事未过半，当我写这篇文章时，我们的体育健儿金牌数暂时领先，我为之欣悦。但我也清醒地意识到，一旦田径的各类项目展开，我们就很可能被美国、俄罗斯赶超。而一个国家一个民族的体育水平，到头来还应该主要体现到体育运动在国民中的普及以及平均健康状况，切莫被暂时的"金光"迷了眼。奥运会赛事如此，其实我们在人生跋涉中的得失宠辱莫不如此，我们的生命与事业，就是在一个接一个的"暂时"链环中向前发展的，我们应该把握好每一个"暂时"，不以"暂时"的成功荣誉而忘形失态止步滑坡，不因"暂时"的挫折失利而沮丧灰心消极放弃，始终能超越每一个"暂时"，奋力奔向充分展现自我而又利人益世的人生终点，融入永恒。到此我暂时停笔，在静默中，再深味"暂"字的浓酽禅意。

山外青山天外天

虽说是"林花谢了春红，太匆匆"——中国男羽头把拍意外失利，以及中国男篮、女篮也都"飞花片片减却春"，男子体操等项目成绩也不理想，但是中国奥运军团的夺金势头仍是"红杏枝头春意闹"，看到自己民族的体育健儿一个接一个登上冠军领奖台，升国旗、奏国歌、挂金牌、戴橄榄枝冠，确实有"万紫千红总是春"的感慨。

不过，细看荧屏上的场景，详搜网上的报导，也就发现了一些值得戒惕的表现。比如，心中眼中只认金牌，视银牌、铜牌竟若粪土。某举重冠军登台领奖时竟连对获亚军的队友也只是敷衍地握了下手，对获季军的他国运动员连眼球也不转过去一下；某记者对获银牌的运动员的劈头一问竟是"你是否感到沮丧"。就算原来是瞄准金牌而去，壮志未酬，问句"是否遗憾"也罢，先就设定为"沮丧"，这是什么心态？一个人参加世界业余运动竞赛的盛典——奥林匹克运动会，在一个项目中获世界第二，这是多么荣耀的人生履痕。你从电视镜头里可以看到，一些外国运动员获得了冠军，他会主动去和亚军、季军握手甚至拥抱祝贺，而只获得银牌、铜牌的运动员也都欣悦异常，满脸春花，浑身春风，或举牌自豪地展示，或亲吻那银牌、铜牌，为自己在作为银行职员、生意人或大学生的人生跋涉中，还能从业余爱好出发，通过集训，获得赞助，参与此世界盛会，得此奖牌，而无比自豪。

我们必须认识到，实在还有比挂在脖子上更珍贵的金牌，那就是心中的金牌，那金牌容纳民族自尊和爱国之心，但主要的成分是对他民族的亲和友善，对世界大同的推进，其中包括对他人的欣赏，对其优点的学习，对暂时落后、一时失利的同情与体谅。这回卢旺达的游泳运动员的成绩大大落后于其他选手，可谓是创造了一项世界最慢纪录，但许多世界游泳名将都站在泳池边为她鼓掌。她游完后高兴地告诉大家，她是他们国家游得最快的人！结果组委会决定把原来发给冠军的一对吉祥物奖给她，这是多么美丽的一幕！

世界很大，人类具有多样性，一切都在发展变化中，山外有山天外有天，超越唯金牌的狭隘价值观，多一些对奥林匹克运动精髓的认知与思考，不但对我们的体育官员、教练、运动员、传媒人士是必要的，就是我们一般民众，也该修炼出这样的情怀。

人各有痣

艺术家阿宽给我画了张像，放在我温榆斋里几天，访客看了都说除了鼻子左侧尽上头那颗痣，全不像。阿宽听了不服气，说："你去动美容手术把那颗痣除了，我再画，一定更像！"

鼻子左侧的这颗痣，几年前还没有。开始不过是淡淡地有个灰点，后来渐次凸起，并且不知不觉地长大，现在呈浅黑色，装点在面孔左边那卧蚕眉、丹凤眼与狮子鼻间的三角地带，俨若天成，成为他人的一大看点。

去请教过医生朋友，他说你这痣不痒不痛，边缘整齐，更无溃烂，属良性疣，没关系，别去管它。我说它跟我的脾气一样，见长啊。医生笑说你每天吃进那么多营养，餐后还吞复合维生素片，身体各处都吸收，它怎么就不能也跟花儿似的，吸收营养把自己涨圆？最后嘱咐我，如果发现它让你不舒服了，或者边缘不齐整、出汤儿了，那才是病，你赶紧来，我给你处理。

想想也是，人各有痣，实在不必大惊小怪。银幕荧屏上的不少明星，都有痣，有的痣还挺大，有长脑门上的，有长下巴上的，有长脖颈上的，这并没有影响人们津津有味地看他们扮演各种角色，甚至对卸妆后的本人，不仅不嫌那痣，还更觉形象有味。从事让人观看的演艺职业，尚且不怕有痣，其他行业的人士更该无所谓了。何况，按某些相术的说法，长在人某些部位的痣，有的还特别吉利，意味着他或她会在某种领域里飞腾发达。另外我们都熟悉"美人痣"一说，有的女士那部位本来并无那么个痣，会去购买价钱不菲的人工痣，小心翼翼地粘贴到特别能产生迷人效果的望点上。

但是有的人就是要追求完美，容不得自己身体上特别是面庞上的痣，明明良性，也非要去动手术去除。医生朋友告诉我，有位女士一定要把嘴角上的一颗小痣电灼掉，她称那是"媒婆痣"，是"贱痣"而非"贵痣"。自己照镜子怎么瞧怎么别扭。医生就跟她说，你把心理状态调整一下，改个称呼，叫它"红娘痣"不就快乐了吗？那女士还是非要电灼，术后效果不错，但复查时叹气说："怎么痣都除掉了，人家还说我一张媒婆嘴，总好管别人对象婚嫁的事？"医生就问："人家更讨厌你了吗？"她说："那倒没有，都知道我媒婆嘴、红娘心，完全是一腔好意。"医生说："人的性格弱点跟良性疣一样，不妨碍生存，扭不过来也无所谓，不必自觉其丑，自怨自艾，跟自己过不去。"

包容自己身上的良性疣，更包容他人那些暴露于你眼前的正常痣；包容自己性格中那些一般性的弱点，更包容他人那些并不危害社会和你的人性软肋；追求美好，却绝不妄想拥有完美。持这样的人生态度，也许对自己、对社会、对他人，就更有益处，也能更怡然自得，更宽厚仁慈。

我的脾气，确实跟鼻上的痣一样，见长。但那也并非什么跟别人过不去的戾气，只不过是愈加直率，比如来电话问能不能去"光临"某个活动，立即答曰"不能"。有的听了就觉得这脾气或者说架子实在太大。其实无论我绕多大弯子，比如先鸣谢，再解释，甚至撒点"无伤大雅"的"美丽谎言"，最后也还是不去，当然"婉谢"有其好处，就是让对方感觉不是碰钉子而是碰天鹅绒墙壁，但直率拒绝也并不意味着不尊重人家，依我想来，彼此时间精力都很宝贵，还是干脆利落为好。这见长的"直脾气"，也渐渐得到了部分机构与人士的包容。有的仍打电话来，听到"可以"的干脆回答，也就不跟我道谢道乏，就立即敲定有关细节，我既应允，也就一定带痣出席，最后两下里都会觉得事情不那么完美，却也毕竟都有收获都还愉快。

医生朋友说有回他觉得恐怖极了，就是在给一个单位的人士做身体普查时，发现有个人身上竟找不出一个哪怕是小小的浅浅的平平的痣来……惊叫中，他醒过来，原来是个梦。让我们都来细细琢磨这个怪梦吧。

人间有味是清欢

如今带"高"字的语汇在报刊上的出现频率很高：高科技、高标准、高档次、高级人才、高考状元、高学历、高级白领、高年薪、高收入、高待遇、高尚住宅区、高品位装修、高档家具、高贵风格、高雅品位、高奖、高走、高扬、高回报、高期望……

"水往低处流，人往高处走"，人们向往自己的生活"更上一层楼"，是合理的心态，而且，这也是整个社会赖以推动物质文明与精神文明的原动力。从上世纪70年代末以来，我们国家实行改革开放，到80年代中期后，更进一步推行市场经济，社会上绝大多数人都从中有不同程度的受益。水涨船高，人们眼界大开，欲望释放，为自己和家庭的生活品质拟定的标准，也便迅疾攀升。其中，不乏"有志者事竟成"者，但有很不少的人，"这山望着那山高"，好高骛远，本来是挺美好的向往，由于欲速而不达，于是心理上焦虑，行为上失常，把自己人生"剧本"上所设定的喜剧，反倒演成了悲剧。

我以前的两位学生，在"上山下乡"那个历史阶段产生爱情，10多年前结为伉俪，如今他们的爱子，已经上到高中。我和他们一直保持联系，偶尔也到他们家里小坐，他们仍像当年一样，有了什么烦恼，都愿跟我倾诉。前几天夜里，差不多已近子时，我正像往常一样在电脑前写作，忽然电话铃响，拿起接听，是那对伉俪的男士，气喘吁吁地说："刘老师，您现在能不能接待我？"我当然应允了他，原来，他家出事了！那天晚上，他发现儿子虚报了考试成绩，一时大怒，把正吃着的一碗面朝儿子身上摔去，妻子本来也在生儿子的气，见他失常又同他冲突起来，两口子冲突时，儿子负气出走，两口子发现后又赶紧外出寻觅，后来总算通过打一系列电话，知道儿子去了姨姥姥家……

他在街上用投币电话求我接待时，妻子去姨妈家与儿子会合，却不许他也去。据妻子说，儿子在跟他顶嘴时，喊了一句："我跟你拼了！"他当时满脑子飘火苗，并没听清……他坐在我面前时，失神落魄地喃喃自语："怎么弄成了这个样子？他真会跟我拼命么？她会跟我离婚么？"

我细细询问那已过不惑之年的父亲，才搞清楚这场家庭纠纷的症结何在——仅仅为了儿子物理考试中的一分之差！他们自己因为青春期没得到受正规教育的机会，目前所从事的职业都很一般，所以把获得高学历、高职位的人生理想，一股脑倾注到了儿子身上。儿子应该说也相当地努力。他们要求儿子在考试中无论哪科都绝不能低于90分，儿子居然基本上也都能达标，最近一次物理考试，儿子偏只得了89分，因为怕受责备，谎报为90分。他对儿子的要求比妻子更苛刻，必须每回考试要比上回分数更高才行，他记得上回儿子物理考试是得了91分，这回少一分，已应责备，在与物理老师电话联系后，得知儿子其实仅得89分，撒了谎，这还了得！结果，这一回弄得天翻地覆，好好的一个家，似乎濒临爆裂的边缘。

静夜里，跟他细谈，竟很难一下子令他心平气和。他如瀑布直挂似的向我诉苦。他说，现在学校里开始实行"减负"，可是不少老师，特别是他这样的家长，心理上很难减除焦虑，因为就在报纸上宣传"减负"的同时，却又似乎在加大对高科技高学历高级人才高薪高聘以及"成功人士"的宣传。近来又有"知本家"一说，意思是如今靠资本发家已经落伍，要靠"知本"才能出人头地。他和妻子那一代既不可能成为"资本家"，也无望成为"知本家"，错过了以"成家"确立人生价值的机会，那么，现在说什么也得让儿子登上成为"知本家"、跻身"成功人士"的"时代快车"啊……

对谈中，我也不时梳理着自己的思绪。我是坚决主张学校给学生"减负"的。我以为，要真正做到"减负"，关键在于必须确定"平凡人士的人生价值"。高考今后恐怕还得"以分取士",因为"分数面前人人平等"固然有若干弊病,却总比离开分数诸如"推荐"、"综合评定"之类,听来非常理想、行起来弊病一定更多的方式,更能保障无权无势无靠山无背景的普通人的权益。但即使在世界上的发达国家,也不是人人都上大学的。尤其在我们国家,上大学的人会在很长的时期里,都只是同龄人中的少数,而且即使是上大学,也并非都去学习最尖端的科技,不会都成为微电子技术方面的人才,不可能都成为硕士、博士,都成为"知本家"去创业谋利,更不可能成为比尔·盖茨那样的人物。我们的传媒在这方面的宣传引导可能有些问题,至少在"减负"和"知本家"的宣传上还没有圆成一个统一的逻辑。我劝我那过去的学生且不要太重视传媒上应时应景的响锣重鼓,自己先把人生价值的标准从高不可攀的尺度上,降到一个更合乎自家实际的位置,尤其是对儿子的期望值,不必定得那么高。

人世间哪有只能一步高过一步,不许回落不许起伏,只能成功不能失败的道理呢?比尔·盖茨的事业也会盛极而衰,眼下他就麻烦一大堆嘛!我们不要贫穷,拒绝没有尊严的生活,不放弃任何提升自我生活品质的机会,但我们如能在事业上小有成就,物质上达到小康,精神上健康快乐,即使算不得"成功人士",当不成"知本家",只不过是社会上平凡的一分子,又有什么可遗憾的呢?甚至于,上班只是为老板打工,下班后能有个温馨的小家,钱不多而够用,社会知名度为零却有爱自己的亲人和不必太多的几个好友,也就算得上满不错的人生嘛!

我过去的学生渐渐平静下来。我念了一首宋代文学家苏轼的《浣溪沙》给他听,那最后一句是"人间有味是清欢",我劝他仔细体味。苏轼填这首词的时候正被贬官,离开了社会的中心位置,不可能过钟鸣鼎食的富贵生活,他却从平常的春茶与素淡的青菜中发现了生活的诗意,得出了"人间最有味道的东西是清幽的生活情趣"这一结论。

一周后我去他们家,进门就见到他们新买来的一盆巴西木。迎进我之前,女士正舒舒服服地坐在沙发上看电视里的综艺节目,丈夫和儿子则在儿子那间小屋里下五子棋。我落座后,儿子关上门钻研他的功课,两口子关上电视,跟我茶话。

我们都没再提起那惊心动魄的一夜。他谈及已经攒够了钱，今年夏天要安装空调，她笑说还打算一家人去逛一趟香山植物园。俩人提及正和儿子一起商讨明年究竟报考哪种大学，儿子表现出了对植物的兴趣，也许学了那专业并不能成为"知本家"，发不了财，可是一个人若能把自己的职业跟爱好结合起来，岂不是更有名利以外的幸福感？他们还都在企盼着生活的提升，却少了盲目攀比的焦躁，添了"有多大的园子种多少菜"的务实精神，回归平凡，享受小康……在他们那温暖的小巢里，我心里如歌般地萦回着那千古名句：人间有味是清欢……

补慈有方

一位老大哥给我来电话，说最近很烦，我问他烦什么，他说孙子辈跟他们老两口闹别扭，说他们不慈爱。"清官难断家务事"，究竟是这位老兄对孙辈严有余而慈不足，还是其孙辈无端苛求，乃至无理取闹，我不敢率言。不过，老辈与小辈发生龃龉，从老辈这方面来说，"缺慈"确是因素之一。

我交往的一位年轻人，最近杀青了一部自传体小说，那名字就很吓了我一跳：《不良父母》，据说很快就能上市，出版者并有畅销的预测。他把那小说中最惊心动魄的情节给我讲了足有一个钟头，我的印象是，源于其生命体验，非瞎编乱造者可望其项背，而且从那一派生活细节的生动描摹中，确有可能引出读者长足的思考：为什么有的父母、长辈，那么样地缺乏亲子之爱，而且，特别"缺慈"，不仅使自己的儿孙的生命体验中少却了可贵的受哺之忆，也徒令自己的暮年怀旧中空缺了舐犊之乐。

我们中华传统文化中，对"孝"的弘扬是不遗余力的，作为一种伦理资源，其中精华自然要继承；相对而言，对人伦中"慈"的强调，似乎力度就差多了。所谓"严父慈母"一说，就把"慈"单推给了母方，似乎为人父者，只要"严足"，"缺慈"无妨。对我们传统文化中的这一缺憾，实有填补的必要。

什么是"孝"？凡进入老年的人几乎都能讲解个八九不离十，概而言之，就是儿孙晚辈应该对自己好，这好既要体现在物质赡养方面，更要体现在精神安慰方面。那么，什么是"慈"呢？是不是凡进入老年的人，都能自觉地琢磨这个事儿呢？

我把那打电话来的老哥约来我家，品茗闲话，讨论了一番"慈"的问题。我再过三年也便花甲，扪心自问，也有个"缺慈"的问题。现在市面上有许多产品是瞄准了老年人的，如种种"补钙"的玩意儿，我就很买了一些，胡乱地吃了一通，究竟自己骨骼里的钙质增加了几许，实在还是一个疑问——这且不去管它。市面上似乎还没有"补慈"的产品，我指的是专门启发老年人与儿孙辈更和谐更愉快地相处的书籍，因此，我们无妨先自己开方子抓吃。

单对着一个"慈"字，我们也许还很难解析它的内涵。但只要加上一个字，比如说"慈蔼"，立刻明白那是什么意思。我们对儿孙，往往是因为看不惯他们，甚至仅仅是因为一个发型、一件衣衫、一个做派、一句话儿，让我们觉得心烦意乱，于是便严词责问，甚至大加批评，这样相处，难怪他们要视我们为"老厌物"了。其实，即使儿孙那发型、衣衫、做派、言辞真的"很不得体"，我们也完全可以和和蔼蔼地跟他们相处。他们是我们生命的延续啊！

能做到"慈蔼"，进一步便可以力求自己在儿孙面前"慈祥"。作为长辈，自然有教导儿孙晚辈的义务、责任，但"身教胜于言教"，而身教的精髓，更在于"尽在不言中"的熏陶。如果自己为人正派，行事正直，那么，不必在儿孙晚辈前絮絮叨叨，应自信"正光之下无长影"。应使儿孙晚辈觉得，虽然隔代有膜，但那膜是透光的，跟你相处时，周围洋溢着祥和的气息，乃是人生享受中不可或缺之一种。

人间有善，而"慈善"一词，更意味着成熟的善意，来自"慈爱"之心。老年人将自己的人生经验融化在了心灵中，积淀为真知灼见，而真、善、美、诚，应是所憬悟的核心。善是无私的，不求回报的，老年人最忌向儿孙索报的心态，尤其不能有嫉妒晚辈的阴暗心理。老年人不应放松与儿孙晚辈相联系的纽带，但纽带两边，毕竟是属于两个时代阶段的生命，所以，要通达，要深深地懂得，新一代毕竟有他们新的天地、新的观念、新的兴趣、新的标准、新的追求、新的前景，自己可以努力了解，也可以不必深究，无妨背负着因循的闸门，自己不再前冲，而喜悦地望着他们，跑向更光明更宽阔的所在，并且在心里祝祷：孩子，我爱你，你去吧，舍下我，去吧……

我们俩的讨论卓有成效。那位仁兄建议："咱们不能全是形而上，也该有具体的，可以进入操作的 ABCD。"有理有理。于是我俩立时凑成了如下的若干"补慈"：(1) 只要儿孙晚辈总体对自己不错，就不要"挑礼儿"；(2) 在生活小节上，如发型、衣着、做派、爱好、习惯……方面，对其绝不干预，偶然评论，也出语幽默，无改变对方之想；(3) 把训诫尽量改为忠告；(4) 戒除吹胡子瞪眼，如果原来缺乏，现在立即学会慈眉善眼、蔼然可亲——这对自己也是养生之道；(5) 不要强行将其纳入自己的怀旧举措中；(6) 乐于响应"您们那时候是怎么样的"这样的提问，努力向其提供生动的细节，但尽量让其自主引出感叹与评议；(7) 不怕在其面前适度自嘲；(8) 不必有问必答，但对最不喜欢的提问也不必生气，可以蔼然地告诉对方"现在不想说这个"；(9) 放下"架子"，同其一起开怀畅笑；(10) 珍惜类似一起品尝瓜果那样的、琐屑的天伦乐趣……

相信别的老年朋友，或渐入老年的朋友，或对之亦有所感有所得的年轻朋友，能更准确地号出"慈"脉，开出"补慈"妙方来，我长揖以待。

新月与市灯的微光

把《站冰——刘心武小说新作集》寄给马国馨后，他很快给我来信，称"首先翻阅你自己画的插图，看来中学时的爱好到这时候有了发挥的机会，我看你那些黑白线条既有丰子恺先生的韵味，也有毕加索的劲头，不知所言确否？"

"中学时的爱好"，这淡淡的六个字，引出我许多的回忆。我和马国馨在北京六十五中三年同窗，那所学校在当时算得相当独特——它只有高中而无初中，校舍是一座工字楼，顶楼上是两处漂亮的空间，一处是铺有高级木地板的体育馆，面积约略有一个网球场那么大；一处是设有阔大阅览室的图书馆，里厢的书库藏书量相当可观。我和马国馨有着共同的爱好，正如他在上述来信中所说："想想当年时分，虽然外面政治运动不断，但在高中三年里，还是有许多逍遥自在之处，如到中苏友协去听报告、看电影，东安市场书摊上站着把古典小说都读遍，校尉营中央美院展馆几乎逢展必到，以及记得你和师洁琦参加'图书馆小组'，在帮助整理图书过程里看了不少书……"

是的，那时候学校开设了多种课外活动小组，不记得马国馨报名参加的是什么小组，他看古典小说居然要跑到东安市场的书摊前头立读。我们参加了图书馆小组的，看书可比他方便多了。他提到另一位同窗师洁琦，是一位女生，我们那个时代的北京中学，大多数是男、女分别设校的，像六十五中那样男女同校同班甚至同桌的学校是罕见的。师洁琦和我都喜爱文学，一起报名参加图书馆小组，为的就是多读些中外文学名著。那时候出版界的出书种类和速度都远比现在少、慢，拿外国古典文学名著的出版状况来说，一个爱好者是完全可以出一种读一种，全盘吸收的。

图书馆小组的成员，参与新购图书的登记、贴签、上架，同时有优先借阅的便利。记得有次来了本人民文学出版社新出的翻译小说，是英国作家萨克雷的《享利·艾斯芒德的历史》，完成上架程序后，师洁琦和我都想先睹为快，别的组员也不跟我们争，因为他们连萨克雷的代表作《名利场》也没读过呢。我和师洁琦正争着借那新书，旁边响起了一个蔼然的声音："先让师洁琦看吧，她有塑料护书膜。"说话的是图书馆的靳老师，我们图书馆小组的辅导员。那个时代塑料制品算是非常先进稀罕的东西，师洁琦不知怎么有那样的物件，我嫉妒，但也无可奈何。

靳老师让师洁琦先看那书，实际上是向全体图书馆小组组员进行爱书的教育，但他的这种教诲从不是端架子的、讲大道理的、啰嗦絮叨的。四十六七年过去，我还清楚地记得他的模样，颀长的身材，皮肤黝黑，薄薄的嘴唇，修长的手指，脸上总浮着淡淡的微笑。他的整个做派透着两个字：安详。

有一天他见我和师洁琦又争着抢先借阅一本很厚的新书，就走过来，笑吟吟地问："为什么你们总喜欢大厚本呢？"我和师洁琦一时都说不出所以然来，我心里只是觉得，大厚本里才有大学问呀！靳老师就从书架上取下两册薄薄的小书，分别递到我们手里，建议说："读吧，如果喜欢，无妨背诵几段，很润心的。"递到我手里的是印度泰戈尔的《新月集》，给师洁琦的则是同一文豪的《吉檀迦利》。

那《新月集》是郑振铎译的，连同他的短序，全书只有 39000 字、64 个页码。当晚灯下就读了一遍，只觉得满眼满口满心全溢出田园花草的芳菲，灵魂里汲入了若干莫可名状的感动、难以言说的感悟。读了一遍，还想再读。一周之内，竟温习了许多遍，并且完全不用费力，就可以背诵出若干句子，比如："我每天把纸船一个个放在急流的溪中／我用大黑字写我的名字和我住的村名在纸船上／我希望住在异地的人会得到这纸船，知道我是谁／……夜深了，我的脸埋在手臂里，梦见我的纸船在子夜的星光下缓缓浮泛前去／睡仙坐在船里，带着满载着梦的篮子"。后来师洁琦告诉我,《吉檀迦利》仿佛用栀子花熏了她的心。

　　真的非常感激靳老师。也是他,知道我还喜欢画画,就找出丰子恺的人生漫画给我看。那时候我们的文化政策是抵制西方现代派艺术的,但因为定居巴黎的现代派画家毕加索政治上左倾,一度还加入共产党,为社会主义阵营主办的世界和平大会绘制了和平鸽会徽,因此,他的一些抽象画也能在我国得到印行,靳老师也找出来让我观摩。马国馨只知我受到丰子恺、毕加索的画风影响,却不清楚这里面还有靳老师的一份恩惠。

　　郑振铎在《新月集》译序里说,他是在"新月与市灯的微光"中初读泰戈尔的这些散文诗的,我不想夸大当年六十五中靳老师对我的启迪,比如硬说他给予了我华灯与火炬,但靳老师所给予我的新月与市灯的微光,不是至今仍闪动在我心头吗?那时的靳老师大约40来岁,现在应该已是耄耋老人了,想问一声:您在哪里?您还能听见我的声音吗?我正在给您朗诵:"当雨雷在天上轰响／六月的阵雨落下的时候／润湿的东风走过荒野／在竹林中吹着口笛／于是一群一群的花从无人知道的地方突然跑出来／在绿草上狂欢地跳着舞……"

承接倾诉

爱唠叨当然不是什么优点，有时还会令人厌烦。可是，人有时候就是想找人说话，倒并不一定要对方给予深切的同情，或提供多么深刻的忠告——只要能静静地倾听，也就感激莫名了。大体而言，女性在这方面的需求，比男性更加强烈。

于是想到鲁迅先生的《祝福》，倘从人性辨析的角度分析，则鲁迅先生这篇名著的最可贵之处，可能就正在于表达了人性中这种强烈的需求——倾诉。

祥林嫂当然极其不幸，尤其是她和贺老六的爱子被那狼叼走以后，命运出现了最大的危机。贺老六死去后，无奈中她又投奔了鲁四老爷家。按小说里的描写，四老爷和鲁家太太也还勉强能容纳她，只是忌讳她的"不祥"，不让她参与年关的祭祀仪式罢了。他们最后解雇祥林嫂，主要是因为她变得神经质地唠叨，总想跟人倾诉关于她爱子在冬天里竟被狼叼走了一事是如何地"真没想到"，他们不但不愿承接这一倾诉，而且觉得那是一个人完全不中用了的症状，所以导致祥林嫂沦为乞丐，并在寒冬里，以"天问"式的自言自语，倒毙在了荒街野巷。

人生的大悲苦，在于其倾诉的欲望竟不能获得哪怕仅仅一个"他者"的承接。

不承接祥林嫂倾诉的，岂止是鲁四老爷和太太，就是跟祥林嫂社会地位差不多的那些人，也无人愿善意、持久地承接。

更恐怖的是，有时一些人以假意承接来戏弄倾诉者，以为消遣，那在倾诉者心上划下的伤痕，更深更痛。

倾诉是一种有尊严的人生行为。任何亵渎、玩弄、压制、禁绝倾诉行为与倾诉者的做法都是错误的。即使是"病态的倾诉"也要尊重，医生难道可以不尊重患者吗？

祥林嫂是在"倾诉欲望"不能有任何哪怕是轻微的承接者的大苦闷中，结束她凄惨一生的。

我以为，《祝福》的最可贵之处，不仅体现于"反封建"、"反礼教"或"控诉旧社会"等层面上，它深刻地将人性中的倾诉欲望加以了揭橥，并沉痛地呼吁：人类应当懂得承接他人的倾诉，在相互承接倾诉中，逐步地达到人类大同。

依我的思路，所谓友情，其实主要就是互相承接倾诉的一种人际关系。

爱情呢？性爱或许可以越过相互的倾诉与承接达到"皮肤滥淫"的短暂快感，但情爱，则一定还要加上这一因素。在中国古典文学名著《红楼梦》中，贾宝玉与林黛玉的情爱，就贯穿着一条倾诉—承接—不满意承接度—赌气不倾诉—恳求倾诉—终于又倾诉—在倾诉与承接中获得大欢喜—新一轮的倾诉欲望—新一轮的承接需求—新一轮的倾诉与承接的契合度的矛盾……

一个好的社会群体，必能提供多样化的倾诉渠道，并具有多层次的、相互承接倾诉的良好机制。

或许会有人问：那么，沉默的价值呢？

答曰：还是鲁迅先生，他不是说了吗？不在沉默中爆发，便在沉默中灭亡。又说，于无声处听惊雷。

我一再把鲁迅先生《祝福》的意蕴和这些配伍的话融会起来细加体味，只觉得有许多以往未品出的新意，如血滴如水，丝丝缕缕地，在灵魂中浸散开去。

必要时出现

虽然是邻居，甚至在单元楼里住在同一层，往往很多天不照面，偶尔在电梯口遇上了，也不过点点头，笑一笑罢了。邻里之交淡如水。淡有淡的好处，现代社会给个体生命提供了凸显个性的可能，也提供了更充裕的隐私空间。多数人不愿意他人，尤其是邻居，过多地介入自己的生活，不分时候、状态、氛围，随意闯入自己的私密空间，哪怕那是出于好意，喷溢着热情。人们越来越愿意"关起门来做皇帝"，自己主宰自己的个人生活。

但是，哪怕是独立性极强的人，也总有需要帮助的时候。往往是关键的时刻，平时淡然相处的邻居，出现在了眼前，及时伸出了援手，使眼前的困厄，开始有所化解。那也许只不过是叫来了一辆急救车打通了一个必要的电话，或仅仅是道出了几句在那特定情况下至为宝贵的忠告……而你的处境一旦稍为缓解，那在必要时出现的人，却又飘然隐去，并不希求丝毫感激，更遑论企盼回报。

人际间，有些认识的人只在必要时出现，在关键时刻才与你有一度的亲和。总体而言，他们与你，若即若离，若亲若疏，似友非友，以礼相待，你不能期望他们跟你心心相印，不可将你长远的根本的利益与他们相勾连，但你却可以在某种特定的情况下，在举目无亲时，在自己实在无法独立解决某一具体问题时，非常放心地向他们求助。而他们当中有的人，也可能在你认为是必要时，主动应召，甚至不请自到，使你在那一段特殊的时间里，甚或只是一瞬间，感受到人世间最可宝贵的善意与诚信。

在人际间，在只关乎自我的事项上，他人的自觉回避，是我们生活里的福分；而他人在必要时的及时出现，则是我们生命中的亮点。

反躬自问，作为他人意识中的他人，比如，作为邻居的邻居，同事的同事，路人的路人，能不去多余地介入、干涉、纠缠吗？尤其是，能在其最需要援助时，必要地也是及时地，出现在其眼前吗？

当然，多余地介入与必要地出现，那界限往往很难划分。恐怕是既需要理性，更需要凭借心灵中善诚积淀而成的感悟，在一瞬间做出决定，并迅疾付诸行动。比如，忽然听见邻居的怪异惊呼，模糊地想起，那家只剩他一人居住，而此人平时绝无高声大气的响动，于是，先去按那门铃，久不开启，而隔门尚闻怪异呻吟，便果断地回到自己家，拨打 110 报警……警察来了，从阳台进入那邻居家，证实是疝气症急性发作，一时竟不能挪动身体……"再叫急救车，陪同送往医院，垫付钱款，代办手续，直到其侄子赶到。在医生与其侄子商讨手术事宜时，便如同必要时出现一样，又在不再必要时悄然离去……邻居手术后痊愈归宅，与侄子一起来道谢，留坐一时，也收下那表达感激的、不算离谱的礼物———一套雀巢咖啡，送出时再祝其今后康健。但此后也便不再过从，更不去探究：怎么平时就一个人独居？侄子是什么职业？侄子的父母又是做什么的……像这样，进退裕如，分寸得当，能做到么？

自己，他人，那接触点上的火花，最好是多余时不起，而必要时，灿烂如星。

春草如针

1

问路时，那应答的陌生人眼中闪出生怕指错的神情……

心领了，您那份自然流露的善意！

2

那位老人站在树下，仰着头，在凝望什么？

是一片有了秋斑的叶子。

生命的映照中，都闪动着哀乐的虹彩。

3

还牢牢地记得，村舍中一碗麦饭的清香。

能让这碗麦饭的香气伴随一世，您的灵魂有福了。

4

在老同学聚会时，你不是自然而然地直驱"成功人士"身前，哄然地捧场或

打趣……

你是自然而然地先握住那"未成功人士"的手，并以当年那样的眼光直视着对方的眼睛，真诚地微笑着……

你的生命历程里，又开放了一朵花！

5

你在打架吗？为了在公交车上，把你得到的座位让给偶然遇上的熟人……

你闭眼打瞌睡，仅仅是因为在这公交车上，有偶然站到你身边的老人……

你生命历程里，就此少开了多少朵花！

6

"啊，他呀，"你回忆起来了，"不就是那一年春节，让人家给轰下台的家伙吗？"

"啊，对了，"跟你对话者说，"那一年春节，他唱歌跑调，我记得大家笑得前仰后合……"

记忆都准确，但一种是腐叶，一种是至今还缀着露珠的花蕾。

7

"啊呀，他那个新居真棒！双卫啊！原来的恭桶就不错，他又改换了云石的……啧啧啧……"

"是啊，他那个新居真棒！从朝西的阳台望出去，好大一片绿野……可惜他总把百叶窗帘合得拢拢的……"

两位老同学在向第三位老同学介绍他们当年班长的新居。介绍得都很准确。

介绍的侧重点不同，也无可厚非。

但，不厚非，薄非呢？

眼里有诗，至少，有寻找诗意的本能，总是好的吧？

8

电梯里，这位女士忽然对同楼的邻居，多了一种强调出来的"礼贤下士"的态度，比如说，她毫无必要地，非要请邻家的中学生先出电梯，又多余地对偶然先于她走出电梯的大嫂高声致谢。

原来，是她丈夫提升了。

还是真花好，哪怕只是土茉莉、牵牛花。假花再华美，终究因其假而逊色于人间。

仔细想来，也不光是真假的问题。以突发的"礼贤下士"来提醒被礼遇者，自己已经攀升到了什么样的"高度"，令人又联想到暴发户的庭院里，那种鸡屎黄顶子、鸡血红柱子的水泥亭子。

9

静夜里，隐隐地听到有哀哀的哭声。

意识到，那并非是求救的信号。

是想抑制，而未能抑制住的隐私的泄露。

不想去探究他人的隐私。

但在静夜里，再一次憬悟——人们到处生活；而生活，有多么不易的一面啊！

10

一年来，每看见他一回，都惊悚于他在明显地消瘦。

不问他的病情。去看望，只说些开心的事。

每次从报纸、杂志上看到，关于国际上对治疗癌症的研究有新进展的报道，都不由得剪下来，不知不觉竟攒成了一沓。

昨天在楼下看到，他爱人又陪他去医院，做新一轮的化疗。原来的美男子已形销骨立得不忍多看了。他勉强地微笑着，令人想到正在飘落过程中，打着旋儿的秋叶。想给他一个春花般的微笑，不能成功，因为需要别过头，藏住浸到眼眶边的、酸涩的液体。

哀莫大于无法助人。

静夜灯下，重翻那些剪报，都是些"远水"。真把有着"下世纪 20 年代，人类将能像治疗肺结核那样，使绝大多数癌症患者免于死亡"一类句子的剪报送给他或他的家人，毋乃残酷？

但那确实是为他而剪下，攒起来的。

摩挲着那些剪报，为他默默祈祷。

11

"国有企业下岗职工，失业人员，城镇低收入者"。

近期报纸上，这三种人的称谓出现得相当频密。

他们是我的同胞。

同胞，这个词值得细细体味。

那味道是独特而又难以言传的。

你自己，你的至爱亲朋，都不属于这三种人么？

我且不忙祝福你和你的亲朋。

要问你，在闹市、在郊野，你有没有注意过某些陌生人，他或她，使你心里哪怕只轻轻地一动念——是下岗的吧？失业的吧？低收入的吧？——不一定非涌流出多么强烈的同情，更不要求你有什么帮助他们的具体行为，仅仅是眼中有他们，不是视而不见、浑然不觉。在沉浸于自己和同一类人的成功与幸福时，能在心头有一点关于他们艰辛的轻轻喟叹，那我，就要为你和你的亲朋，默默地祝福了。

在岗的能多少想到下岗的，就业的能多少想到失业的，高收入的能多少想到低收入的，是个人的福气，更是社会的福气。

12

"那个人，我注意他半天了，他就是不断地站在滚梯上，上去下来，下来上去……"商场中，保安向值班经理报告。

"他有什么不妥吗？"

"他什么也不买，也不逛货位……"

"那就由他去。"

一个小时过去了。

保安又来报告："那人还是那样！他该不是有精神病？"

"他既然并不妨碍我们营业，也不妨碍别人购物，那就不必管他。"

又一个小时过去了。

保安忍不住又来报告："他还是那样……"

经理干脆地回答："他有那样的自由。"

保安离开了。经理耐心地观察了那人一会儿，只见那人终于离开了滚梯，微笑着，走出了商场。

经理想了想，恍然大悟："那是一位诗人！他有自己的世界和自己融入世界的方式！"

13

当你清理抽屉，想把一沓旧信销毁时，你犹豫了。

不管你究竟是终于销毁还是全数保留，或者检索后有毁有留，你那当初的犹豫，是心灵中最优美的旋律之一。

14

他在电话那头说，虽然好久没跟你通消息，但有时会和爱人念叨你……

"有时会"，这三个真切的字眼，像豆大的雨点，洒落在你几近干涸的心土上，吱吱吱地被贪婪地吮吸了⋯⋯

问自己，可"有时会"非功利地念叨起故交旧识？

15

傍晚，两位年逾花甲的老人在小花园里闲聊。

一位望着那边嬉笑着的刚放学的孩子们，羡慕地感叹："唉，他们身上那种双肩背的书包，该有多好啊！可惜我们不能返老还童，也尝尝背那书包上学的滋味了！"

另一位想了想说："其实我们完全可以买一个来背，背着去老年大学上课。究竟谁在阻挠我们这样做呢？"

他们对望着。微风拂过他们稀疏的白发，仿佛轻轻地对他们耳语。我们不能听到那耳语，但两位老人在对望中现出了诡谲调皮的微笑⋯⋯微风绕他们一圈后离去，吻开了几朵夜来香。

16

真有过月光如水的感觉吗？

为什么没理会？

为什么顾不上？来不及？

一到晚上，就只是盯着电视机屏幕吗？

晚间泻到你的身上的，就总是电光吗？

为什么不，哪怕偶尔。一个夜晚，关闭电视，连所有的电灯也都关掉，让月光泻入你的房间，沐浴你的身体。你用手，试着捧起月光，而月光从你的指缝，急急地还是缓缓地，漏下去了⋯⋯

没有想到故乡么？没有想起爷爷胡须的形状，闻到外婆煮山芋的香气么？或者还有妈妈送别你时嘴角的颤动，以及爸爸下夜班时那沉闷的脚步声？还有你向同桌女生借橡皮时，她爽性送给你的那块粉红色的、像草莓软糖般的香橡皮？也许是无来由地倏地想到，仅仅去过一次的、并非风景地的、远郊某处的、那棵高高的、被雷击倒、却还挂着累累青果的核桃树，它当时很疼吗？

"……月光如水水如天……风景依稀似去年。"那一、三两句是什么？想不起来了么？不去想也罢。月光下，你自己，便是诗。

17

农贸市场，你买红枣，讨价还价，终于成交。买卖中夹杂着一些笑谈，双方情绪都不错。端起秤盘往你的布口袋里倒进足秤的红枣后，那卖红枣的大嫂，在讨价时原是很强硬的，却忽然又往你口袋里抓了两大把红枣……

她对你生出好感。

萍水相逢，一个人能让另一个人生出好感，以及一个人具有对他人生发好感的能力，都是人间艳丽芳菲的花朵。

18

残冬与初春之交，忽然望见地皮上有一根如针的春草，心里涌出莫可名状的感动。

连续几天注意观察，才懂得古人曾用一个"绣"字来形容春色的呈现，是何等地贴切。

自己的心田，是否已为现实中的功利焦虑而板结荒芜？愿能有如针的春草从心田蹿出。一针针，绣出灵魂的春意。

迎面吹来凉爽的风

　　散步路过大花坛，有人唤我："刘老师！"

　　扭过头，认不出，但能猜到——果然，是我教过的学生。

　　命运安排我非常年轻时就到北京一所中学任教，那算得一所名校，当时是男校，我头一次走到讲台，班长喊"起立"，我和学生们实实在在是"面面相觑"，他们发现我太小，而我发现他们个个未免太大，我们的磨合难度可想而知。

　　我只比我教的头一班学生大七岁。他们全是跟五星红旗同龄的人。

　　唤我的学生说出他的名字，又报出几位当年同窗的名字，倏地，若干41年前的花瓣青果从记忆库里飞舞而出……

　　还用算吗？他和他的同届学子们55岁了。这也正是我们身旁大花坛所庆贺的那个寿数。如果能让他们那一届的学子，包括当时女校的成员，找一批来站在这花坛当中，或者竟完全由他们的生命之花构筑成瑰丽的礼坛，该更能引人高歌长吟吧？

　　55，这是个多么凝重的生命数码。我面前挺立着一棵成材大树，"沙场秋点兵"，当年同窗逐个数。他知道很多，我也略知一二。有的成了专家、学者，有的经商发财，有的定居海外，有一位现在是知名艺术家，还有一位当了局级干部……但大多数，还都属于托举着上述成功人士的普通社会存在。

　　站在我面前的已经是位高级工程师。他说，他们这一茬人，自身生命的年轮，比任何其他茬的，都更鲜明地记录着五星红旗的飘扬轨迹。我望着他，经过风雨后的成熟，戒除戾气后的澄明，摸石过河历练出的睿智，以及在良性突破中永不后退的勇气，都细微而又蕴藉地体现于他明亮的眸子、眼角的鱼尾、灿烂的微笑、挺拔的脊梁与浑身喷溢的旺盛生命力中。因此，是不是也可以说，五星红旗那猎猎飘扬的风采，也更多地体现出他们这个同龄群体的生命律动，似乎在为他们传输着更多的祝福与激励。

他身旁还有一个年轻人。他这样给我介绍："我命运的转折点，几乎恰好在55年生命的一半处。我们这一茬人大都如此。就在那个转折之后，我的生命也开花结果，现在这果实就在您的眼前……"原来那是他正攻读博士学位的儿子，小伙子谦和地对我点头微笑，与我紧紧握手。我望着这父子俩，思绪绵厚。是啊，单个的生命会渐渐老去，最后会消失，但是生命的群体会生气勃勃地延续。5，10，15，20……40，50，55……健康的生命不仅会在每一个衔接点上闪光，即使是在普通的日日夜夜，也会积极地储留记忆，总结经验，汲取教训，长啸欢歌，跋涉不息。

我们一起朝前散步。不知不觉来到北海公园，进去继续边走边聊。年轻人告诉我，他目前所钻研的，是建立和发展最后达到基本完善的社会保障体系这一课题。尽管我平时也经常思考这一问题，知悉不少相关观点与论争，但他的许多零散的随机的议论，还是令我感到惊奇与欣喜。构建五星红旗下的社会保障体系，这是多么迫切而神圣的事业。我深知谈何容易，但若我们每个人都能做些有益于推动这一功业的小事，如愚公移山，如精卫填海，那么，共同小康就不会只是歌中词、画中景，而会演化为神州大地上的活生生的存在。

当我们一起倚栏望水时，我的老学生打断儿子的高谈阔论，说"一张一弛，文武之道"，应该好好地欣赏一下那默默不语的白塔，还有那似乎总在喁喁低唱的湖波，他哼起了那首几代人都唱过，并且还有往下传唱可能的歌曲。他停下哼唱发表意见："这首歌里最具警句意味的，是'迎面吹来了凉爽的风'。"

迎面果然吹来了凉爽的风。55年，多种多样的风吹动过我们的旗。55岁，企盼今后会有更稳健的凉爽之风，迎面给热切地从事良性变革的生命——单个的与群体的——以抚慰，以鼓励。

克服病态审美心理

乐山岩石佛，与峨眉山一起，并列为一项世界文化与自然遗产。那里的人文景观本已相当饱满，完全没必要去画蛇添足。可是乐山市却将景区承包给了一家公司要赢利，而且想赢大利，觉得光靠祖传的大佛还不足以满碗满钵地赚，于是在国家重点文物保护区内，大兴土木，建造所谓的"东方佛都"。其最得意的一笔，就是凿山破石，复制阿富汗那被塔利班轰毁了的巴米扬大佛。且不追问他们对佛教历史究竟有多少研究，把阿富汗的大佛与乐山大佛搞在一起是否合适，也且不追问所谓"东方佛都"究竟是个什么"都"，光从乐山大佛景区的地质结构、自然生态与人文内涵来说，他们此举的破坏性，已经骇人听闻。

峨眉山呢，提出了"打造天下第一名山"的口号。这是一个非常古怪的口号，联合国教科文组织将它收入"世界文化与自然遗产"，并非是因为它是"世界第一名山"而是冲着它固有的个性而去的，如果把它"打造"——其实也就是脱胎换骨地改造，搞过度到疯狂地步的旅游开发——为"天下第一名山"，峨眉山也就不成其为峨眉山了。搞"天下第一"，也就是要自动把峨眉山从"世界文化与自然遗产"名单里删除。

乐山和峨眉山文化与自然景观被粗暴破坏，吃"景"发财是恶劣的动机，此外值得一说的，是病态的审美观。病态审美观，一个表现是以堆砌为美，完全不懂得真正的美感全在于适度。这种毛病也不是现在才有，比如明代的家具，线条明快，装饰趣味点到为止，雅致优美，可是到了清代，就渐渐变得构件烦琐，装饰性细节重叠堆砌,只有匠艺感而无灵气可言了。病态审美观的另一表现,是误以为越大越美,"第一"才美,其实巨大和"第一",未必就美,倒往往是并不那么巨大的事物,并非"天下第一"的山川房屋,更具骄人的美感。

把本来以适度展现而显得挺美的事物,愣往大了拉扯,硬去争"天下第一",那无异于自杀。

再说张家界,原来默默无闻,上世纪80年代初被一位著名画家发现,叹为人间仙境,于是引发出越来越热的旅游开发。一处奇景,不令其为少数艺术家、探险者专享,而让一般的平头百姓也能分享其美,这本来是桩好事,但把审美性的事情,搞成了"吃景",结果是在最优美的天子山核心景区,修造出了别墅群,还有密集的住宿餐饮区,自以为是地傲称形成了"天上的街市",实际是十足的佛头着粪,以致在列入了"世界文化与自然遗产"名单后,又被联合国教科文组织发出警告,勒令悉数拆毁。目前虽然执行着这一决定,却仍然运行着所谓的"观景天梯",也就是倚山而建的大电梯,望去活像侵入自然山林的外星怪物。这类以"方便游客极顶观览"为由建造的电梯、索道、缆车,近年来普遍出现在中国各个景区,首批被列入"世界文化与自然景观"的泰山,就有既破相又危害地质结构、自然植被、生态和谐的索道,问题到今天依然没有妥善解决。

在列入世界文化与自然遗产的地方,有的官员一味地想以"旅游开发"的"硕果"为政绩,有的开发商则敲骨吸髓地去榨尽"遗产"的"金汁"。他们那有悖联合国教科文组织评定世界文化与自然遗产的初衷的作为,当然必须首先予以批判、矫正。但一般民众中,也有糊涂人,在病态审美观作怪下,不是首先心存敬畏,而是亟欲先睹为快、染指留痕,去遗产地还非要大吃大喝,"玩"字当头,俗趣横溢。那些遗产地的宾馆酒肆、娱乐中心、登山电梯、跨涧索道等事物,也正是在病态审美的买方推动下派生出来的。吉林的高句丽遗址申请世界文化遗产的消息刚见诸媒体,游客便蜂拥而至,保管机构门票印制不及倒还事小,只为好奇,甚至只为满足"捷足先登"虚荣心而去的某些游客,这里抠点东西"以作留念",那边刻上"到此一游"还署上大名,不知文化为何物,离去却津津乐道"玩过了",针对这样的行为,特别是这种卑劣的病态审美心理,我大声疾呼:国人,请努力克服!

疏浚与藤鞭

我所居住的高楼下，有一段残存的护城河，这段护城河 15 年前疏浚过，两岸镶筑起水泥护墙，又营造出了由两排乔木和两排灌木交错形成的绿化带，堪称北京一景。这道护城河不仅构成我日常生活的实际背景，也经常进入我的小说，生发为我艺术想象的歌哭空间。我以外地民工进京遭际为题材的中篇小说《护城河边灰姑娘》、《民工老何》，其中都有这道护城河的影子。

最近，我们楼下的这道护城河先是抽干了水，然后河边支起了几个帐篷，一众民工扎下营盘，接着更有许多的卡车、铲车来来往往，从河底掏走淤污，往平整后的河床里垫入运来的新土，还兼带修整破损的岸墙。这疏浚护城河的工程，日夜不停，尽管深夜里卡车、铲车来往的声响很大，影响楼里人们的睡眠，更影响我这样的"夜猫子"的劳作，但邻居们和我的家人以及我本人，都毫无怨言。两周过去，河道平整，帐篷拆除，民工撤走，只等放清水观碧波，真是身心大畅！

但是，水还没来，从我家窗子朝下一望，不禁吃了一惊——那拆除帐篷、进行撤退的民工，把他们认为是已经无用的东西、种种垃圾，包括一只"完成了历史使命"的红色的塑料桶，尽悉抛扫进了由他们亲手修整好的河道里！我跑到楼下，到得河边，看到一位似乎是尚未离去的民工，问他："好不容易疏浚干净的河道，怎么能往里头抛扫垃圾呢？"他满不在乎地说："马上就要放水啦，水一淹，就什么也看不见啦。"当时我确有一种冲动，就是跳进那河槽里去捡脏，但那些遗弃物既多，分布又达十几二十米，没有工具和容器，是根本不可能解决问题的。心中闷闷然，叹息着回到家中，决心写一篇文章，多多少少，对此负起一点责任。

我细究那些抛扫垃圾的民工的心理，觉得他们可能没有故意破坏什么亵渎什么的意思。由此联想到前些年在长江三峡乘轮船游览时，目睹船上的清洁工，很认真地清扫甲板，那脸上的表情、肢体的动作，都堪称敬业的典范、辛勤的标本，但她那最终的一招，是把所有的垃圾，其中最多的是一次性使用的塑料饭盒，扫到江水之中。往自己疏浚过的河床里抛扫垃圾的民工，大概和那江轮上的清洁工一样，他们并没有意识到，自己所作所为是多么地悖理。

我于是打算把自己的文章题为《疏浚观念》。是的，江轮上的清洁工应该首先意识到，保持长江河道的清洁，其重要性远胜过保持一艘江轮甲板的清洁；疏浚我楼下护城河的民工们，他们不应该只是为挣些劳务费而干那些活，他们应该懂得环保的意义！当然，还可以追究到江轮上那清洁工的领导，以及护城河疏浚工程管理者，他们首先应该树立大环保意识，并应该对所领导所雇用的人员，疏浚出良好的环保观念。

文章写到这里，正好一位朋友来访，说起此事，他竟对我的思路，颇不以为然。他说，观念观念，你总迷信观念，拿环保这事来说，光疏浚观念，还是不能解决问题的，起码是"远水解不了近渴"——在绝大部分民众里牢树起某种观念，往往需要几代人的持续性努力；而且，现在有的人是明知故犯，比如天安门广场修整工程，那边还没竣工，这边就有人撬砖毁路；再比如紫禁城筒子河修整工程，刚砌好的围墙，愣给你掀掉上盖；中山公园的郁金香展览，非踩到花丛里去拍"纪念照"……许多这号人并不是不知道环保、公德等方面的道理、规矩，但他就是满不在乎。我行我素！他举出的事例，我在最近的报纸上都见到过，自己目睹的也很不少。拿楼下的护城河来说，现在已然放了半腰水，那只红塑料桶以及其他一些垃圾确实被掩盖住了，但我就眼睁睁看到一位从桥上走过的、衣着时髦、描眉涂唇的女士，毫不犹豫地把吸饮完的软包装盒，很"酷"地朝刚疏浚完的护城河里一抛，倘截住她诘问有无环保观念，她也未必是懵然无知……

这可该怎么办才好啊？我求教于朋友，他反问我，你忘啦，咱们在新加坡听说的藤鞭的事儿？我一时哑然。新加坡在环保——也不仅是环保——等公益事项方面，都以峻法加以维护，违者不仅可能罚款坐牢，而且还有鞭刑"伺候"。那施刑的鞭子以当地一种野生的长藤制成，本身已十分坚韧刚劲，还要在马尿里浸泡多日。施刑的印度族狱卒身高体壮，一鞭抽到犯科者屁股上，往往便皮开肉绽、当场晕死。但倘若法庭判的是三鞭，则会将犯人送往设备极优良的医院，加以极认真的医治，一旦屁股养好，则再带往受刑处接茬儿挨鞭……不要说挨鞭者此生此世再不敢重触法规，就是闻此"藤鞭无情"的一般民众，谁还敢于孟浪放肆？新加坡因此成为一个花园国度，处处草绿花红，水清气爽，不要说没人敢往河湖溪海里乱抛废弃物，就是往垃圾桶里扔东西，扔得不准掉在外面，转身走开的事，也几乎不会发生。前几年有个美国小伙子在新加坡乱涂了别人汽车，新加坡法庭判他鞭刑，克林顿出面求情，还是没能让那美国小伙子免于屁股开花。新加坡为了环境进一步优化，甚至还立法禁止销售、食用口香糖，因此一些西方人尤其美国人，讥称新加坡为"美丽的监狱"。新加坡是一个华族人口占绝大多数、又在经济上完全加入了国际大循环的、许多方面很西方化的国家，我虽去过那里不上一次，印象鲜明，却不敢说对其真有理解。难道在华族聚居的地方，就非得疏浚观念与藤鞭峻刑并行，甚或因为藤鞭的震慑更具可操作性，所以也就更能规范一般俗众的行为吗？

朋友走了，文章需要收尾，心情很沉重。文字怎抵藤鞭？心火不熄，仍要祈呼：国人啊，若要美丽而非"监狱"，请自珍自爱！这份自珍自爱，不能仅体现为让自己和家人过得富裕舒适，也不一定以宏大响亮因而往往也就缺乏可操作性的那些概念来衡量。我以为，无妨从爱我们身边具体的树木花草、大小水域，以及我们共享空间里的那些具体而微的设施做起！

慎言取代

　　一位报纸记者给我打电话，问我一旦电脑网络取代了纸质书籍，我会是个什么心情？我告诉他我首先认为电脑网络不会取代书籍，他问是不是我觉得那是很久远的事情，所以不加考虑？我说，在我看来，是无论多久，纸质书籍都还会存在。

　　我有一个感觉，就是也许是我们这个民族过去落后得太久了，特别是跟外部世界的沟通联系脱节了颇长的一个阶段，因此，对于世界上人类所发明的新事物，在张开双臂拥抱的同时，有时就不免把某些科技上生产上的某工具性的进步，夸大为了衡量文明程度及富裕程度的标准。十几年前，电视机在中国开始普及，也曾有记者打电话给我，问我一旦电视取代了其他所有的娱乐方式，我会是什么心情？那时我也是回答，我不大相信电视会取代一切的娱乐方式，电影、舞台演出、广播、阅读书籍报刊等等娱乐方式，仍会并存。当然，正如我上面所说，中国有中国的国情，电视大普及以后，电影和舞台演出确实受到影响。而且，家里是否拥有电视机，至今仍是中国一般俗众衡量生活幸福度的一个主要尺度，上个世纪80年代初会问及是黑白的还是彩色的，到90年代会问及是否已换成29英寸以上、是否纯平屏幕……这当然有其可喜的一面，不过，一出现某种新科技产品，便闹哄哄地出现"取代"的声浪，我以为，那是思维方式上存在偏差的反映。

　　电脑在美国最发达，有关的科技研究和产品开发都可谓日新月异，但进电影院看电影，仍是美国一般俗众最主要的娱乐方式。我前年在美国从东部跑到中部再到西部，接触到不少一般美国人，他们家里自然都有电脑，但远不是我们许多人所想象的，他们干什么都由电脑取代了，他们不仅常去电影院看电影，也常到专门的商店借录像带来看——我注意到，不仅美国，我大前年在日本，也是许多一般民众都并不用光盘机将放像机取代，到处有租录像带的商店，而租光盘的地方还并不多——在美国加州硅谷，我就逛过好多家卖纸质书的书店，里面生意毫无清淡之感。说到购物，一方面，确实，从网上购物已是他们那边的家常便饭，他们从因特网上选好中意的商品，按规定输入自己信用卡的密码，商家就会在约定时限内把货物送到家里；但另一方面，他们到商店购物也依然是频繁的，并且许多人仍认为逛商店乃是生活里一大乐事。给我印象更深的是，他们绝不以家里有无电视机，以及电视机尺寸什么的，来衡量文明与富裕的程度。对电脑就像我们看待电灯一样，不过当成一种方便的工具，并不以是否上了网什么的，来确定自身及他人的社会价值。而且，我发现，正是那最高雅的家庭，倒是尽量标榜他家拥有哪些人工的、低科技的制作物。比如那样的一个人家的起居室里根本没有电视音响之类的东西，晚餐后也不开电灯，使用枝形蜡烛照明，妻子弹钢琴，丈夫拉大提琴，大女儿操中谱提琴，二女儿和小儿子则拉小提琴。人家是以进行一番西方古典式的室内乐演奏，来显示其文明格调与富裕程度，若跟他们谈"取代"，肯定会引得他们齿冷。

电子琴的出现，并不会取代钢琴；电视的出现，并没有使广播业倒闭；行为艺术的时兴，也不会搞得没有人创作架上画了；录音带和激光盘会并存下去；舞台演出在某些地区某些时段会有些萎缩，但就像真人的演出不会彻底灭绝掉木偶戏一样，那是一定会久远存在并发展下去的；钢笔没有完全取代毛笔，油性签字笔没有完全取代钢笔；通过电脑发"伊妹儿"固然很好，但电话、传真、电报、书信仍会与其并存……也许，某些事物确实会在人类社会的发展中被逐渐淘汰掉，但我们需要懂得，人类社会已进入了一个以兼容为其主要特征的发展阶段，我们的思维方式，不要再"一根筋"了，与其询问对"取代"的感想，不如引导对"兼容"的感悟。

其实电脑发展本身，最要命的一条就是走兼容之路。美国有家本来很强大的电脑公司，因为开发的产品只想着"取代"而忽略了"兼容"，结果破产倒闭。在这文明的发展以兼容为特征的时代，朋友，请慎言取代！

高处的果子最甜美

　　1999 年 10 月 29 日，被认为是历届中最强的中国国奥队，主场以 1：1 与韩国队踢平。虽然从逻辑上说，下面的赛事还有可能出现导致中国国奥队出线的结果，但其实那希望已十分渺茫。从 10 月 29 日那场比赛终场哨声响起，电视台的直播刚一结束，我就接到约稿电话，要我就此写篇文章。以后几天这样的约稿电话接连不断，令我欲拒不能，欲写却又一时无词。

　　是的，让人说什么好呢?

　　我在几年前，就曾写过一篇题为《消除误会》的文章，大意是说我其实算不得球迷，离足球评论家的资格更有十万八千里之遥，切盼各方人士消除误会，莫再拉我侃球。但误会却很难消除，来邀我侃球的人士总是说："你那篇《5·19 长镜头》，我们直到今天还记得……"

　　那是 1985 年 5 月 19 日，中国国家队因"意外"地在主场负于被普遍视为弱队的香港队，失去了似乎已近在咫尺的世界杯入场券。终场后一些心理上难以承受的观赛者有若干过激的行为，少数"闹事者"被指认为"害群之马"受到拘捕惩罚。我在那以后迅捷地写出并发表了《5·19 长镜头》，从个案入手，对这一事件做出了社会学和心理学角度的剖析，没想到竟引出了轰动。后来此文被多种关于足球的文集收入，更有趣的是香港中文大学中文系连续几年将其收入课本，列为正式教材。这篇文章成为我个人写作史上的"当年勇"之一。

　　岁月悠悠，从 1985 年到 1999 年，我从四十唧当岁已迫近花甲，"好汉不提当年勇"，《5·19 长镜头》不仅我个人不该再提，社会各方也早该将其忘怀。若说是关注我的创作，则在那以后我发表的作品甚丰，完全可以提出我的新作加以讨论。

　　但人们却还记得《5·19 长镜头》。我想，那倒并非是我那文章写得有多么好，而是因为——说来真令人不得不长太息，乃至于热泪横流——中国男子足球队在进军奥运会和世界杯的赛事中，竟 15 年仍毫无建树，不仅屡战屡败，而且每次败落的情况都与当年"5·19"极其类似，似乎是在一个怪圈里转来转去，怎么也转不出来了！

　　这种对《5·19 长镜头》的"看重"，是痛苦记忆的延伸。我能引以为荣么？细想起来，1985 年 5 月 19 日的那场球赛的观看者，他们与 80 年代以前的球赛观看者已经有了很大的不同。80 年代以前，体育比赛被赋予了强烈的政治、外交意义，"友谊第一，比赛第二"，"为双方加油、鼓掌"，观看者多为有组织地进场，零散购票入场者往往不占多数。而到 1985 年那个时候，体育比赛的观看者对输赢的关注已经升至了第一位，自由购票的观看者在看台上已成为主流，所以，突发的"5·19 事件"虽然记录着若干观看者的粗暴过激行为，但我们可以说，也就在那个夜晚，中国诞生了严格意义上的"当代球迷"——虽然就整个球迷群体而言，是文明水平较低的球迷。15 年过去，我们发现，中国的球迷渐渐成熟起来。尽管不理智的非文明表现还常在赛场内外出现，但就主流而言，球迷们已经创造出了相当璀璨丰满的"球迷文化"，不但能与世界球迷们的"球迷文化"接轨，而且还能具有鲜明的中国特色。现在各地都有健康的球迷群体，其中不乏"专业球迷"。有"球迷餐厅"之类的特殊活动空间；有己戳某足球队的后援组织；在赛场内外，球迷有自己的旗帜、横幅竖标，有各拥戴的各种各样的"道具"，从带有喻意的造型物，到能发声、发光的"助威器"；看台上，球迷们会把自己"符码化"，有的彩扮的复杂程度已经可以媲美为戏曲舞台上的花面武将，有的则近乎"赤裸裸"，似乎是以"苦肉"来倾诉其对心爱球队的一腔切盼；开赛后，球迷们的肢体语言往往比赛场上的球员们更丰富多彩，除了个人的自由发挥外，也会以群体方式掀动"人浪"……

近年来球迷包机飞赴海外观球助威的热情越来越高。总而言之，中国的球迷群体可以说是已然冲出了亚洲，走向了世界。

悲剧也就在此。球迷成熟了，与世界沟通了，可是，中国男子足球呢？"15年一觉足球梦，只赢得赛场屡败名"，一位超级球迷在10月29日中国国奥队未能赢得关键的三分后，沮丧地来电话对我说："你看，我连到悉尼观战助威的机票钱都攒好了……"

现在对中国足球评说的浪潮仍很高涨，说什么的都有，互相争论也很激烈。只因为我曾写过《5·19长镜头》，并且曾在前年参加过一次中央电视台体育频道的"足球夜话"，发表过一番"体育（包括足球）比赛是人类的游戏，不必过分在乎输赢名次"的引出若干反驳的议论，于是乎人们希望我在中国足球队再次无望冲出亚洲——并且是在20世纪里失去了最后一次机会——后，再来说说我的看法。

我能有什么高见呢？

我只是忽然想到，少年时代所居住的那个大院里，有一株百年以上的大枣树，每到秋天，它的树枝上总是结满累累的大白枣。每年总有那么一天，院里孩子们集合起来，用竹竿打枣，那真是欢乐无比的时刻！大白枣噼里啪啦纷纷坠地，我们激动地把枣子捡到大笸箩里，然后分给各家，这其间当然也可以把拾到的大枣在衣袖上擦擦，立即品尝，哎，真是又甜又香！但是，那大枣树最高一根枝桠上的那几嘟噜大白枣，却总是无论如何也弄不下来。用最长的竹竿打，打不到；让最大胆的伙伴爬上树，坐到能经住身子的分杈处抱住有那白枣的树干摇晃，也还是不奏效；让爬上树的伙伴再用递过去的竹竿打吧，身体重心难以掌握，几回险些出事，也就不敢再试。就这样，年年打枣，年年吃不到拔尖的枣。院里的老人们说，高处的果子最甜美，但那些最甜美的果子，我们竟总不能领略其味。也曾盼望秋末的西北风将那些高处最甜美的果子吹落在地，让我们白捡来吃，但西北风真刮来时，大家都躲在屋子里，再出来仰望时，那些大甜枣都没有了，俯视地下，也不见踪影，据说是地鼠及时地将它们搬进窝里当冬粮了。

对于高处的果子，不是像西方《伊索寓言》里那只狐狸一样，因为吃不到，便断言是酸的，而坚信"高处的果子最甜美"，这是我们民族的美德之一。我想，中国男足的冲出亚洲、走向世界，也好比是"高处的果子"，我们不能因为十几年里总未能尝到，便以"那是酸的，本不值得品尝"而成了没出息的狐狸，我们应该在下一个世纪初，想方设法去摘取那高处的甜果。回想少年时代，我们大院的孩子们其实还是没有竭尽全力，更没有发挥出全部智慧，否则，那大枣树高处甜果的滋味，早已成为我们成长过程里足资骄傲的记忆了！

这就是我能侃出的一点意思。愿人们能忘掉《5·19 长镜头》那篇文章，而记住"高处的果子最甜美"的箴言。

给你90秒

　　新世纪将是一个节奏更加快捷的世纪。只涉及个人的事情，节奏可能还有缓慢的余地，凡涉及他人，特别是进入职业性的人际交往和技术性操作的范畴，则时间岂止是"金钱"，恐怕还深深地关乎尊严与美感。1999 年在上海举行的《财富》全球论坛活动中，有一条具有示范性的"游戏规则"就是每一位做主题发言的人士，只给予 90 秒的发言时间。一位有幸在现场聆听的朋友后来告诉我，会前他曾一度以为自己是听错了那规则，他想，怕是把"每人发言不能超过九分钟"，误报成"每人发言不能超过 90 秒"了吧？因为在中国许多会议上，发言者以"我讲两句"开头，然后侃侃而谈，讲个半拉钟头，乃至一个多小时，实在不稀奇。倘能将每人发言限定在九分钟里，已属很"新朝"的"会议文化"了，怎么能只给那么些大老远乘专机飞来的大享们，仅仅 90 秒的发言时间呢？毋乃太荒唐，也难以真正履行吧？可是，会议进行时，果然实行了"每人发言 90 秒"的规则。令他大为惊异的是，不仅每位发言者都自觉地遵守这一规则，而且，每一位发言者的发言，居然都论点清晰、逻辑圆满、个性凸显，有的发言者甚至还并没有用足 90 秒的时间，那发言也一样给人留下了鲜明的印象。

　　20 世纪末《财富》全球论坛上海会议的"90 秒发言制"，给了我们一个很好的启示：进入 21 世纪的中国人，应当努力锻炼自己向他人，特别是向公众精炼地表达观点的能力。这首先就要求我们一定要有独特鲜明的观点，倘尚未形成一个

独特鲜明的观点，那么，就不忙向他人、公众表达；待观点形成后，则在表达上
要力求言简意赅，扫荡掉一切浮言赘语，开门见山，直指论题，不给"思维杂质"
与"语言垃圾"任何储留的间隙；倘能使用具有个性的语言来表述，那就更精彩动
听了！

　　笔者曾参加过某些访谈性的电视节目的拍摄。在摄影棚里，一个播出时不过
才一刻钟的"版块"，往往要录制一个小时以上。到那节目播出时，我在家中观看，
会发现我所说的许多话，都被编导者剪掉了，留下来的，也就两三分钟，甚至于
加起来也不过 90 秒而已。我心里就不怎么高兴，辛辛苦苦去说了半天，怎么到头
来只剩下这么一丢丢儿？当然，平心而论，有时编导者所删去的，确实可惜，而
所留下的，又未必精彩。但在多数情况下，节目播出后，我便会接到熟人的电话，
告诉我从电视里看到我了，有的还引用着我在电视节目里的某些论点，或表共鸣，
或与我争论。这使我悟到，其实我所想借媒体表达的，90 秒其实也就足够了，而
在 90 秒里，一个人真是可以表达出一个完整而鲜明的观点。

　　在新世纪里，人们一定会逐步习惯"90 秒发言制"，这不仅是一个节约时间的
问题，也是令新世纪的人际交往更有利于展示个性尊严，更具沟通快感美感的一
种新文明的标志。

　　给你 90 秒，你试试，能否将你现在最想表达的意思和盘托出？

旅途小憩

1

不要太过匆忙。

你说，实在急迫，简直没有时间停下来做些别的事。想？夜里失眠，也只想着那一件事。

怎样的事？

如何赚到更多的票子，如何把票子转换为房子车子……

只要你想的是在规则中的运作与收益，当然无可厚非。

但，我对你，虽不厚非却要薄非。

是的。在这静谧的夜晚，当你把头颅安放在柔软的枕头上时，你为什么不可以想一想，白天缠住你的那一件事以外的，另一些事……

还记得吗，那一年，我们光着脚，在池塘边，在蛙鸣与虫瑟交织的夜曲中，伸出还没有长大的手掌，捞捕萤火虫的情景……月牙儿细细的那晚，阿胖的小玻璃瓶里，装进的萤火虫最多！是的，是的，你想起来了，当然还生动地记得，回家的路上，偏阿胖跌了一跤，把玻璃瓶摔破了，哈！我们都开心地笑了！可阿胖歪着嘴哭了，呀，他的手指被玻璃碎片割破了！我捉住他的胖指头，给他吮血，你掏出手帕，给他包扎伤口……我们也都把自己捉到的萤火虫放了，我们跳跳蹦蹦，在弯弯细细的月牙儿底下，一起回家了……

对，疲惫的你，为什么不在这静静的夜晚，朝往事里撒一只潇洒的网，捞一网童真的鱼、青春的虾？哪怕只捞到些细小的菱角、飘零的荷瓣，那无邪的清香、超功利的情趣，岂不是你人生艰辛跋涉中途，一次宝贵的小憩？

不要累坏自己，不要太过匆忙！

2

啊，你说，想起来了，阿胖呀！好多年失去联系啦……于是你问我：他现在混得怎么样呀？住几室几厅？现在时兴大起居室，他那厅多少平米？够40平米吗？……他那单元几卫？几卫都听不懂？现在只有一卫叫寒酸，起码两卫才及格！……装修得怎么样？搞没搞红外线壁炉？……有没有家庭影院？还是只有彩电？多少寸？有没有画中画功能？……车呢？富康？桑塔纳？量他买的还不是本田雅阁吧？……孩子定居哪儿了？美国？加拿大？新西兰？……

我脸上为什么敛去了微笑？不知道，我只是感觉到，你那一连串问题，散发出一种令我气闷的味道。

我怎能责备你？我们都置身在流动的世道变迁中，都被时兴的价值标准所笼罩，都在那无形的鞭策下如螺旋般匆忙运转……

总体而言，我并不例外。明夏要给居所每一间屋子都安上空调，这是最近经常萦怀我心的计划，为此，我也必须匆匆赶路，以便更快更多地有所积累。

但是，忽然想起了阿胖……

能不能这样来想象他：他那小眼睛上的两弯浓眉还是那么黑吗？他那永远像在吹喇叭的左腮帮上，还总衔着一个酒窝吗？他唱起那首关于家乡黄槲树的民谣时，每到第三句，是不是还要跑调？他还总喜怒哀乐都形于色么？他父亲传给他的那把二胡，他还一直保留着吗？他自己削制的那管箫，是否还在常吹……

我只是希望，一个小小的希望——在这人生的中途，让我们一起来一次短暂的小憩。

3

也许，在正当的物质追求的间隙里，那些超越世俗价值标尺的、偶然的、随机的、转瞬即逝的、难与人言、也不必与人言、隐秘的、细琐的心灵小憩的段片，才是能以证明我们生命真实价值的隐形标尺。

听见了吗，这静夜里，远处有如歌如叹的声息？松弛下来，你在生命旅途中，又一次酸涩而甜蜜地小憩吧。

高贵的停顿

报载北京、上海的几个演出团体都将演出安东·契诃夫的剧作。我觉得这是一道福音。浮躁的世风需要清新的艺术帮助廓清。契诃夫的全部作品，包括小说和剧作，贯穿着一个永恒的主题，那就是反庸俗。在庸俗招摇过市、膨胀无度的当下，契诃夫作品绝对是宝贵的精神资源。

契诃夫的作品大体上都属于现实主义的范畴，他的剧作设定的舞台节奏就是生活本身的自然节奏，但他那现实主义又超越了古典现实主义，拿他剧作的设定节奏来说，有点像后来的现代派艺术家把马桶搬到展览厅里，实际上已经具有对传统戏剧的颠覆性，骨子里是相当前卫的。

契诃夫的剧本文字优美，仿佛散文诗，可读性很强；可演性呢，稍微知道一点他那个时代戏剧史的就都记得，因为缺乏他以前那些舞台演出中惯有的"戏剧性冲突"，又没有什么怪异的场景、角色，表现的就是最常态的生活和人物，因此，他的剧作首演往往都是大失败。像《海鸥》的首演，还没演完观众就不耐烦地发出嘘声，躲在剧院角落里观看的契诃夫溜出剧院后，在冷风里沿着河岸悻悻地踽踽独行许久，从此加重了肺部疾患。有史家说他的英年早逝，与此次失败的打击有直接关系。

其实排演他剧作的都是最杰出的艺术家，丹钦柯、史坦尼斯拉夫斯基等等，但总得是经过一次甚至两三次失败后，最后才能让观众接受他的剧作。可是一旦成功，那就不是一般的成功，观众会在感到耳目一新、润心沁肺之后，起立鼓掌欢呼，令演员多次谢幕，久久不愿离座散去。

契诃夫剧本中经常会有这样的舞台提示：停顿。这停顿多半设置在内心丰富、人格高贵的角色的台词中间或结尾。丹钦柯和史坦尼斯拉夫斯基都曾说过，导演契诃夫剧作的成功，关键的关键，就是处理好那停顿；对于演员来说，在进入人物的精神世界后，顺其心理流程，自然停顿，则是演技的最高境界；而对于观众来说，在那样的停顿中感受到一种难言的诗韵，则是消魂的享受。

要说庸俗与高雅的分界，在于懂不懂得、能不能进入诗境，这一点人们是比较容易接受的，但高雅之上还有高贵，这个贵不是指物质上的富有，而是我们常说的那个精神贵族的贵，是否进入了这个贵的范畴，其分界，从某种意义上说，就是看其心灵是否会有自觉停顿的生命节奏——这一点，恐怕就不是每个人都能心领神会的了。

心灵的自觉停顿，会形成语言的暂时中止、交流的临时切断。在那停顿中，不仅是咀嚼自然与人生中的诗意，可能还会对社会与人生中的悲惨不公沉吟深思，对庸俗噬人的深切戒惕，对美好向往沉沦于"几乎无事的悲剧"中的悲愤，对人性深不可测的惊悚喟叹，对生存的终极意义的再一次执拗叩问……

以《百年孤独》获得诺贝尔文学奖的哥伦比亚作家加西亚·马尔克斯，曾用好几年的时间实行"文学罢工"，对此我一度大惑不解：写作是天赋人权，又不是为雇主打工，如果是为表达政治抗议，那么，你罢笔不写不正中你敌人的下怀么？但是我后来理解了，这罢工其实就是他高贵的停顿，在这样自觉的心灵调整中，他把对社会、人生、宇宙、真理的认知，提升到一个更富诗意的境界，一旦中止停顿，重新启动语言与行为的枢机，那么，所呈现出的文本与状态，肯定令人们刮目相看、肃然起敬。

像我这把年纪的人，很少去酒吧。那天一对青年朋友动员我无妨跟他们到酒吧坐一坐，他们有小车，移动方便，我就说这样吧，你们把我拉到几处有名的地段，多进几个酒吧看看，也算展拓我的视野吧。后来他们就带我去了三处地方，前后进了七八家酒吧。每到一处，他们都热心地提醒我注意观察其装潢特色，以及总体情调，我当然也就依他们指点一一领略，但他们总觉我有点心不在焉。我们又坐进车里以后，他们说难道这么多家里头，就没有一家您愿意多坐一会儿的吗？我说比较后，觉得有一家不错，无妨再去多坐坐。他们问是哪一家？为什么我喜欢？我说出那名字，他们不解，说那家装潢很一般，情调也未见多么幽雅。我告诉他们，我每去一家，观察最仔细的是里面的客人，有的全是豪客，欢声笑语，浪谑嬉皮；有的多是恋人，甚至同志汇聚，甜蜜有余，诗意欠缺；有的多是扎堆谈交易，有的只见抑郁独酌者……而我喜欢的那一家，虽然当时只在那里坐了约 20 分钟，发现左近大都是两三人小桌喁喁对谈。而最妙的是，我发现好几组对谈者，都有自然的停顿，那停顿也许只有一两分钟，但他们的面容望去都格外平和，恬淡中自有一种难喻的韵味，估计他们是那家酒吧的常客，能长期吸引懂停顿的客人来聚，可见其品位在一般之上……后来那对青年朋友不辞来回奔波，又开车找到那家酒吧，我们进去在恬静的氛围里，进行有停顿的交谈，那段时光里，不知不觉地，都成为契诃夫剧里的角色了吧。

献给新冬第一片雪花的絮语

尽管有着对春草的企盼，我却愿把絮絮的心语献给新冬的第一片雪花，因为我深知北方大地唯有经过瑞雪的滋润，才更利于第一针绿芽鲜碧地萌生。

常有采访者问我：你对自己哪个作品最满意？一般取巧的回答是：对已经写出来的都不甚满意，最满意的可能是即将发表的或正写作中的。我却要坦率地说，我自己最满意的是由上海文艺出版社 1993 年第一版、2004 年第二版的长篇小说《四牌楼》。我以后可能再也写不出超过它的小说。也常有记者问我：你的小说是否属于"京味文学"？我总这样强调：我不刻意追求"京味"，尤其不刻意去展现所谓的"老北京味儿"，我的小说所展现的，从时间来说更多的是现在时；从人物来说，我总是要发现在这个空间里面出现的新的生命现象，我对这个关注得更多。我不是一个专门去写比如说"八旗子弟"、写老北京的老风俗，不是这样一个作家。这些东西作为我来说，也是很重要的生活资源、写作资源，我也加以利用。但在我的舞台的这个灯光所照亮的主要的人、主角，是一些新的生命。我现在写下这些文字，不是想总结什么写作经验，我是想梳理出自己的人生态度——我知道自己是有极限的，支撑我继续往下跋涉的不是新的制高点，而是对新生活新生命不衰的观察兴趣。

每个作家的写作有不同的资源取向。比如有的年轻作家，他可以写一个旧社会的妓女的生活；他根本没有经历过军阀混战的局面，他可以写军阀混战时期的一个悲欢离合的故事。那是他的创作自由。我的写作，我的作品里面的人物、故事基本上是与我共时空的，比如我由人民文学出版社出版的最新小说集《站冰》，里面最长的一个中篇小说叫做《泼妇鸡丁》，就是写北京四合院被拆了以后，这些居民到哪儿去了？他们到了新地方，有的属于城乡的交界处，或者说是城郊结合部的那些楼盘里面。我写那些人的生存，写外来的一些民工，包括从外地招来的一些年轻的保安，或主动或被动地来参与他们的生活。我写这些生命的一种新的活泼的状态，所以我不拘泥于一定要写北京的老传统，每个作品都要追溯到北京文化的历史层面，我不是那样的，我不断追踪新的北京的新发展，新的展拓了的生存空间和新的生命，新的生死歌哭。我不想让历史成为我灵魂的蜗壳，我总希望自己能进入"这一刻"的光影中。

我的写作资源仍很丰富。我觉得一个写作者写作资源枯竭，很可能是因为他切断了自己和这个现时空的社会生活的直接联系，只是通过书本、通过报纸、通过传媒或者通过会议、通过文件、通过听别人传达转述，去获取写作资源，那这样的话，就和真正的那种社会生活新的生长点隔绝了。我恰恰不是这样的，我现在很少参加会议，很少参加各种场面上的活动，而是直接地去和这些普通人混在一起，和这些民工，或者是外来的，比如说是这些保安，或者是一些新的居民区的居民生活在一起。所以我现在觉得，我的资源非常丰富，写都写不完。我要写的东西太多，我都不知道该舍弃哪一部分。到目前为止，我的苦处是这个。

《当代》杂志发表我的《泼妇鸡丁》的时候，有一个编者按语，大意是说，现在像我这把年纪的人，一般都——他当然有点儿幽默了——或者含饴弄权去了，或者含饴弄孙去了，不玩儿这个了。跟我同龄，或者一起在文学上起步的很多人，后来基本不写小说了，或者就是写小说，数量也是越来越少。而我从写《班主任》开始到现在，我穿越了20世纪和21世纪的交替。我到现在，还有中篇短篇出来，而且都是写的最鲜活的当代生活的，像《泼妇鸡丁》这个中篇有五万字。台湾已经出了单行本，因为是繁体字竖排，可以构成一个单行本。

《当代》就鼓励我说，像我这样的还能够含饴弄文，而且还能够写小说，还能写最新的生活，出现新的人物，而且小说在文本的追求上还有变化，读者应该还能从我的小说里读出超出小说本身的东西来。再比如台湾诗人焦桐，他自己办个出版社，把我这个《泼妇鸡丁》的小说，列入他的那个"饮食文化"的系列，他还在台湾发表了很长的一篇论文《论刘心武的饮食写作》。因为《泼妇鸡丁》这个题目是一个饮食，小说的每一节里面的每个题目也是一道饮食。饮食文学在台湾被认为是颇新潮的东西。这说明我在文本上是不断地更新的，不是固守在一个状态，不断进入新的领域进行新的探索。所以我觉得我应该是不断在超越。这样自我评价也是为了鼓励自己更加精进。我也想对读到这絮语的人说：常常肯定自己、鼓励自己吧，只要那肯定与鼓励符合事实，那就不要害怕别人抢过"你为什么不谦虚"的棍子来——把那棍子架住，并大声对他说："我肯定自己，故我存在！"

我还搞建筑评论，这是种边缘杂交文字。文学和建筑评论之间有联系，但还是有一定区别。我已经在中国建筑工业出版社出过一本《我眼中的建筑与环境》，印刷了五次。最近又由中国建材工业出版社出了一本，叫做《材质之美》。我从1995 年开始写建筑评论，到现在快 10 年了。写建筑评论不是一时心血来潮，首先是外在的强大因素触动了我。城市的迅猛发展，这就是外在的因素。北京现在盖了很多新的楼房，对每个置身其中的人都构成了一种强迫性的审美，你不看它都不行，你躲都躲不过去。盖新的多半就要先拆旧的，北京的旧四合院儿、胡同儿不断地被拆毁，开发不断地蔓延。作为一个市民来说，我有话要说。另外，我个人长期对建筑是感兴趣的。我在中学时代，经常画水彩画儿，建筑是我水彩画儿的写生对象，因为我在城市里居住嘛，不可能有很多的自然景物，基本上是建筑，首先是古建筑，比如画白塔，画故宫的宫殿，画天坛的祈年殿，画城门楼子。我对建筑的兴趣也是埋伏很久了，外在的刺激加上内在我自身的这个底子，一激发，我的建筑评论就出来了。

有采访者问我：如果纯粹从建筑布局上来说，您觉得中国哪个城市是您最喜欢的，觉得它整个儿的建筑格局是最好的？我觉得这牵涉到一个城市整个的、大的规划问题。建筑格局应该是有两层含义，中国是一个古国了，很多城市都是历史名城，是很多的历史底蕴。是说它留存下来的那个底子，还是说它新的发展？因为这个城市是在不断地更新、发展。如果纯粹从历史的遗存来看一个城市，那我当然最喜欢北京。

建筑有大概念和小概念。大概念是，一直要扩展到关于城市规划、一个城市整个的这个布局，包括它的道路都是建筑；另外，就是单栋的建筑或者单组的建筑。这是两个概念，北京在规划上有很多问题没有解决。在单栋的建筑上，失败的例子远比上海、深圳等地多。所以这两方面都使我感到焦虑。我有很多文章探讨这个问题。

采访者还常问我，就所到过的国外的城市，觉得哪个城市纯粹从建筑上来说，印象最深、最漂亮？我总毫不犹豫地回答：当然是巴黎。我也去过罗马，罗马对古迹的保存，还是做了很多工作。但罗马城在大概 300 年前，它的城市规划就不是像巴黎那么样的，让你觉得它那么十全十美。巴黎几乎到了完美的程度，罗马虽然古迹留得很多，但就整个城市的大概念来说，不如巴黎那么好。巴黎也有败笔，比如蒙巴拉斯大厦，一栋盖在市区里的美国式摩天楼。

人们特别喜欢问作家，他的写作是受了谁的影响？其实我的影响主要来自我的家族、我的父母、我的哥哥和姐姐。我生活的家庭，有非常浓郁的文艺气氛或者文学气氛，这对我是最大的影响。我走上文学道路跟这个家族影响分不开，像我母亲说起《红楼梦》来她就如数家珍。她可以告诉你，这个周瑞家的和王善保家的有什么勾连。这是一般弄"红学"者不去注意的。再比如说司棋这个角色，她的家庭背景、血缘背景等等，读得很细的啊。比如说像我的哥哥、姐姐，他们都是很早就读西方名著、读俄罗斯的古典文学、读苏联的一些现代小说，对我影响也很大。另外，我们家族，像我父母喜欢京剧，我哥哥后来就成为著名的票友。在北大他曾风靡一时，成为"梅派青衣"。还有音乐方面，这对我走上文学道路起了很大的影响。

当然，也有间接的，通过文本，或者通过一个我没见过，我没有谋面的作家的影响。如果要说作家和作品的影响，那很多。我可以举出一个例子，就是它对别人也许影响不那么大，就是我们四川籍李劼人的《死水微澜》，阅读的时候，对我来说我觉得是一种启蒙。我很惊讶，他能够通过那么生动的个人命运的这种幽微的描写，透视整个那个时代的变迁，特别是四川的"保路运动"，教民和袍哥儿之间那种不同的社会力量的激荡，等等。我的祖籍是四川，父母都是四川的，我的家族里面有的也是跟教民有关系、跟袍哥儿有关系。在长辈的叙述当中，我知道这些事情，没想到他能够那么生动地使我这么一个晚辈，获得一种对社会对人生的透视力。这个作家的这部作品对我走上文学道路，启蒙作用是很大的。

我写过一篇随笔《逆境与创作》。人们老说，一个作家的形成跟他的苦难经历有关，而我在这篇短文里面恰恰说，一个作家有太多的坎坷，倒容易抑制他的创作灵感。我觉得对一个作家来说，最重要的是要给他一个很好的创作环境。如果社会没能给他提供，那么，他就应该努力地去自己营造。

比如拿曹雪芹来说，当时社会没有给予他，大环境对他来说是险恶的，他就迁居西山脚下，疏离热闹场，只保持跟敦诚、敦敏、张宜泉这样的挚友的密切交往。他还有一些民间的朋友，如鄂比。他营造了自己一个小的人文环境。当然更重要的是还有像脂砚斋这样的合作者。所以，他才能给我们留下《红楼梦》，虽然是一个不完整的书稿，但毕竟是一个宝库。所以，不能完全埋怨说这个社会没给我一个很好的机会，或者没有给我很好的环境，人生难免坎坷，难免有逆境，自己要给自己营造一个能够安静写作的人文环境。我觉得我自己就是在营造啊。因为现在整个社会竞争很厉害，文学上竞争也很厉害，有时候就形成一个名利场，一进入这个圈子，就没完没了地有诸多热闹得不堪的事情，什么会议啦、评奖啦，还有很多排名、排行榜之类的事情，还有畅销不畅销的事情，轰动不轰动什么的，搞得挺烦的。我现在基本住在乡村，自己的小人文环境非常好。今春我的民间朋友送我两棵芍药，移栽以后成活了，开得非常灿烂。我看着芍药花，听着另一个朋友送我的光盘，肖斯塔科维奇的《弦乐四重奏》，翻着别人认为都是过时的老书，比如汝龙翻译的27册契诃夫的小说集，听音乐读书之余，就在窗外大柳树的臂弯里，坐在小椅子上构思新的文章。我就这样营造出自己的创作环境，它的特点一是草根气息，一是身心安静。我也不求再得奖，也不要入排行榜，我也不想成为热点焦点，不追求轰动畅销，更不去管什么座次头衔。我觉得非常愉快。

当然，有的作家喜欢另一种环境，那里有很多人捧他、支持他，使他总在聚光灯下闪闪发亮。那也很好。我绝不会拿自己的选择去否定人家的喜好，各人有各人的活法。我在那篇随笔里讲了歌德的例子，歌德一生没有什么坎坷，什么"行万里路、读万卷书"，他万卷书是不是读了都可疑，万里路肯定没有行，足迹最远只到过意大利。他一生没有坎坷，活到80多岁，情欲还很旺盛，还可以跟小女生恋爱。当时那个魏玛政权，也说不上多好，也说不上多坏。他跟政治家没什么矛盾，政治家对他也很客气，把他很优厚地养起来，他也接受这种客气，养尊处优。他留下的著作也很伟大啊！不少人注意到，我宣称在《红楼梦》所有人物中，我喜欢的是妙玉。这令很多人诧异。

妙玉孤僻、怪诞，很遭人讨嫌。我想，仁者见仁，智者见智。我个人的性格和妙玉有很多契合点，我有时候确实是过分地离群儿。这不是什么优点，但也很难说这是一个罪恶，是不是？这个世界应该是多元的，人的性格也应该是多元的存在，可以有各种各样的人嘛！不是说我这样的性格就特别好，或者我要求别人像我这样，我没有这个道理。可我觉得，一个人可以这样生存，如果有条件，他可以这样生存，很自尊地维持自己的一份尊严，他不随便进入别人的领域，他更不能容忍别人随便去进入他的领域。妙玉重视保持环境的洁净，更重视保持内心的洁净，也保持人际关系的洁净。她很率意，喜欢贾宝玉。并不是说要爱宝玉，但是她认为宝玉是一个"些微有知识的人"，在贾府那么多人里面，看得出宝玉比较懂事儿，这个懂事儿，不是懂一般的人情世故，她看出来，比较能有禅悟的是贾宝玉。所以贾宝玉过生日，她下贺帖。像这些地方我都很欣赏、喜欢，我觉得她这样为人处事挺有趣的。

人的一生中，出生、事业成功和死亡是很壮烈的三个场景。出生是被动的，死亡也多少带有被动性，只有事业的成功带点主动性。生死是一个很大的课题，其实生的感觉我们应该是有的，但是我们遗忘得很快，形不成记忆。死的体验，我们每一个活人现在都没法陈述。在这个生存的过程当中，使自己获得价值，也就是事业上成功，这是一件很大的事情。我觉得所谓成功，这个价值除了用金钱和名誉来衡量，还有更重要的两个标准。一个标准是：他个人的尊严是否得到保证，这是很重要的；另一个标准是：他是否对他人有益，是否多少哪怕对他以外的第二个人有过一些好处。金钱、名誉和这两点，都是他创造的价值。我觉得这些对人生都是很重要的。

我业余爱好是画画，我从初中时候就开始画，现在还有几幅是中学时代的作品。我一般画水彩写生。我现在经常到我农村书房附近的温榆河边、多少还带有一点野生态的空间里面，去画水彩写生画儿，这是我目前很大的一个乐趣。另外，就是听音乐，西洋古典音乐是我比较偏爱的。

还有一个爱好，就是和爱人去逛商场。我以为，逛商场是人生当中不可放弃的、尤其是有配偶的人决不可放弃的一大快乐。而且，男士，不光是我一个，我当然是一个典型，逛商场的时候，我觉得我最多的一个动作是偷偷地看镜子、照镜子，这很奇怪。我发现别的男士也有这个毛病。女士吧，她在挑化妆品的时候照镜子，她对商场里面的那个公用的镜子并不很重视。可是我呢，每到有大镜子的地方，总忍不住要看看自己。这是一种什么心理？我在这儿把它作为一块儿未开垦的处女地，提供给心理学者去研究。但是我发现我这个问题了，不后悔，也不改。

也常有采访者问我，是否关注比我再低一辈儿的作家的创作？我不能都关注，我也没有关注的义务，但是我应该承认我是关注其中我感兴趣的。比如像小说家邱华栋，我就很喜欢他，我觉得他潜力惊人，是一个能取得大成就的作家。还有搞散文的散文家祝勇，我也很喜欢他。他们都生于上世纪60年代后期，目前正处于创作喷发期。我有时约他们吃饭。我的私人饭局不少。很多人说，王小波是一个很了不起的作家，但很可惜，他们说这个话的时候，王小波已经死了。而我是约王小波吃饭的，谁都不约他，所有请柬到不了他的案头。文坛的种种"名人"饭局都没有他。我主动跟他联系，我想尽办法联系，约他来，在我家楼下的小饭馆儿吃饭。我们两个在饭馆儿里面吃到服务员都不耐烦，因为服务员们晚上要在那儿搭椅子睡觉。轰我们俩走,我们俩还在聊。非常可惜的是,我有一次又约他的时候,他说中午刚有人约过他,是他的"发小"约他,喝醉了酒,来不了。晚上没有来。几天以后,就得到了他猝死的消息。我非常悲痛。

有的采访者尖锐地问道:看到文坛涌现出很多的后起之秀,你有没有过哪怕瞬间的心理不平衡?有没有"廉颇老矣"的感觉?我回答:为什么要不平衡?一个社会你不让后辈超过自己还得了呀。如果说同辈超过自己,自己有嫉妒心还差不多,后辈超过你,你妒忌起来,那这个社会要毁灭的,这个社会没有前途,万万不能这样做。后辈一定要超过前辈,前辈要主动为后辈的超越创造条件,这是我们的民族一定要坚持的一个 ABC。

马来西亚的《星洲日报》集团,启动了一个"世界华文文学大奖",他们说,设这个奖的目的就是要抗争"诺贝尔文学奖"的不公。我也被聘为评委。于是,也就有采访者我说出对"诺贝尔文学奖"的看法。

"诺贝尔文学奖"坚持的时间比较久。一个东西存在比较久了以后,就会引起人们的重视,就像一个老字号,它总比新开张的商店吸引人,所以它影响力是大的,这个要承认。当中因为"一战"、"二战"停顿了几届,但是始终坚持下来了,这是一个取得威望的原因。第二个原因是,这个奖金越滚越多,一得奖就要发大财。各个地方的出版社也不会放过这个商机,它成为一个商机了,就是立刻去买版权。因为人们都要来读,要先睹为快,一读为快,所以就使得它影响很大,包括我们国家,虽然我们国家已经宣布了,说"诺贝尔文学奖"2000 年给了高行健是大失水准,丧失了权威性,但现在每一年的"诺贝尔文学奖",我们的新华社总要郑重地报道,各地报纸总要登满消息,说明它的影响是一种客观存在的,这要承认事实。所以我也是这样来看待它的,它是影响很大的一个奖项。但是"诺贝尔文学奖"不是世界文学最高奖,人家自己也没这么说,咱们也不要这么看,文学是不能搞"奥林匹克运动"的,"诺贝尔文学奖"不是世界的文学"奥林匹克运动会",不能自认为"诺贝尔文学奖"给了谁,谁就是世界上最伟大的作家,不能有这样的看法。他就是一个幸运儿,被看重了,得奖了,像中了一张数额很大的彩票,一下子作品被翻译成很多种文字，一下子就载入史册。历史是有选择的，历史记载不可能把每个人都记载上。它只记载频率最高的、响动最大的。"诺贝尔文学奖"就是一个响动比较大的奖，那要被记载下来，这是毫无疑义的，也是合理的。但是，并不一定他就是最伟大的、最好的。而且有一个说法我是同意的，有一个西方人讲，"诺贝尔文学奖"的评委只是一些瑞典人，那是意识很狭窄的一种评奖。有人说"诺贝尔文学奖"是"西方文学界的奖"，不对，它并不是一些西方的文学评论权威组成一个评委团来评这个奖，不是，就是瑞典文学院一个机构在那里评。那个机构我去访问过，是非常小的一个机构，那个机构每天按时上班的就一个人，一个秘书，还有另外一个，其实只能算半个，我问过那位秘书，他说，对，那个是半班儿，来半天，挣半份儿工资，另外半份儿到别的地儿去打工，到别的地儿去再挣去，那好像是个财会人员。

我1992年去瑞典访问过，被邀聆听过那年得主沃尔科特的受奖演说，而且还跟他有个简短交谈。那次是瑞典文学院，就是"诺贝尔文学奖"的评定机构请我去的，所以我见识过。也就那么十几个瑞典人在那儿评，所以他们也都不把自己看得那么神圣。查资料的话就知道，诺贝尔去世前留下一笔钱来设奖的时候，这个人是很滑稽的，他因为从小数学不好，数学老师老骂他，他恨数学老师，所以诺贝尔奖没有数学奖，不设数学奖。它是个很个性化的奖，对文学又说什么要理想主义，这也是个很宽泛的说法。当时的瑞典文学院是拒绝这个活儿的，他们说什么诺贝尔，一个发明炸药发了财的人，你让我们来评奖，凭什么给你评奖？门儿都没有，不领这活儿。后来经过劝说，第一拨儿的那些评委才勉勉强强接揽这活儿，才评的。哪想到后来有这么大的影响啊。现在的18个评委里面有几个人也不参加评奖活动，有的是因为年纪大了，有病，有的是觉得评奖就是胡闹。当然也有的是对一个他推崇的作家老得不了奖很气愤，觉得不对头，罢工不参与评奖了。18个评委本身就闹内讧。

现在整个世界，整个人类，最缺乏的就是宽容。为什么那么尖锐对立？为什么总剑拔弩张？为什么焦虑成为最普遍的心理状态？为什么谈判中总不愿意适度地让步？我并不是在宣扬遁世自保，我心怀热切的社会关怀，而且是普世性的大关怀，我的企盼是：通过理性的、柔和的、渐进的方式，来化解人类之间的仇恨、猜忌与争斗，我主张把容易导致极端化思路与行为的激情，解构为以兼容忍让的柔情，润物细无声地提升世界与人类。

　　能够宽容，自己有福，他人有福，人类有福。

中国美食

中国的末代皇帝爱新觉罗·溥仪在《我的前半生》一书中这样描述他如何吃饭，一声"传膳！"便有一个犹如送嫁妆的行列出现，从御膳房朝他居住的养心殿迤逦而进。几十个太监抬着大小七张膳桌，捧着几十个绘有金龙的朱漆盒，浩浩荡荡地进入殿中后，便在他的御座前摆出几十种菜肴，还有火锅……中国结束帝制后，御膳房的珍食美味得以通过北京北海公园里一家叫做仿膳的饭庄承继了下来，现在一般中国人和外国游客，都可以到仿膳品尝海红鱼翅、怀胎鳜鱼、蛤蟆鲍鱼、荷花莲蓬鸡等宫廷大菜，豌豆黄、芸豆卷等精致小吃，以及王朝末年擅权半个世纪的慈禧太后格外青睐的肉末火烧。

中国美食不仅仅是满足食欲的一些个烹制品。它首先是享有富足生活的价值象征。这一象征意往往凌驾在进食者个人或群体的实际吞咽能力与消化能力之上。皇帝的尊贵，也首先体现在他每次餐席上食品数量的繁多。据溥仪回忆，当他只有五岁时，御膳房每一天便必须为他消耗二十七斤猪肉和八只鸡鸭。一个月便要费去白银一万五千两左右。慈禧晚年食量很小，每餐仍要在长长的餐桌上给她铺陈出上百个盘、碟、碗的菜肴点心，据说其实她每回只不过就近品尝几样而已。那时毕竟没有优良的冷冻设备用以保鲜，因此离她最远的某些提前烹制的菜点已经腐烂变质，是用来滥竽充数的。这种越多越好的餐饮习俗一直延伸到民间，延续到今天。中国人喜欢围坐在一张阔大的圆桌周边共餐。大圆桌上摆放的菜肴汤点越多，便越显得"有面子"。餐后剩下许多菜肴，直到今天仍被许多中国人认为是正常的，甚或是一件颇值得自豪的事情。倘是在餐馆里用餐，席散用盒子将剩余的菜肴带回家去，仍被不少中国人认为是不好意思的行为。这种首先以巨大的供应量令人惊心动魄的餐饮模式当推"满汉全席"，北京仿膳饭庄现在仍接受预订，进餐者需要坚持三个整天，用六次进餐的方式，尝到一百三十四道热菜和四十八道冷荤及各种点心。这对老饕而言，也应视为一次探险壮举。

当然，随着社会文明的进展，一味地追求多的饮食作风业已开始变化。但中国先哲孔夫子那"食不厌精，脍不厌细"的八字方针，至今在众多的中国人的心目中却岿然不动。对食品精美的追求，一是体现在寻觅和享用珍稀的东西上。中国当代典籍中所开列的八珍包括了龙肝、凤髓、豹胎、鲤尾、鸮炙、狸唇、熊掌、酥酪。现在鲤尾和酥酪已不算珍稀，眼下时兴的山珍海味主要是燕窝、鱼翅、鲍鱼、猴头菌、发菜……以及龙虾、石斑鱼、膏蟹等生猛海鲜。为了一饱口福，有些人不惜吃珍稀的野生动物，比如只产于东北少数地方的飞龙（一种珍禽），产于长江流域的大鲵（娃娃鱼），产于南方的穿山甲、果子狸、大蟒蛇等等。不过，中国美食的真正妙谛，还是用很普通的原料，通过极不普通的烹饪方式，变为绝美的佳肴。这是中国传统烹饪艺术中最值得赞美与发扬的一个方面。诞生于二百多年前的中国古典小说《红楼梦》中，写到贵族之家的餐桌上有一道菜叫做"茄鲞"，其制作方法是：把新摘的茄子削了皮，只要茄肉，切成碎丁子，用鸡油炸了，再用鸡脯子肉和香菌、新笋、蘑菇、五香豆腐干、各色干果子，都切成丁子，用鸡汤煨干，再用香油一收，外加酒糟调制的油一拌，盛在瓷坛子里封严，要吃的时候拿出来，用炒的鸡腿子肉一拌，便成美味。这道菜虽然只用了茄子、鸡等并不名贵的原料，然而其堪称高级的烹饪艺术，产生出了"此菜只应天上有，人间哪得几回尝"的强烈效果。在中国漫长的烹饪艺术发展史上，这种以普通材料产生出美味佳肴的艺术创造构成了人们口福的主流。

中国烹饪艺术讲究色、香、味。请注意：中国人把"色"，即视觉上的享受排在第一位。"色"不仅指颜色，更是指菜肴汤点的形态。中国人是把菜肴汤点当做绘画与雕塑来对待的。一个大冷盘端上了桌，你可能看到那恍若是一幅不仅装饰性极强，而且还能与京剧、国乐、中国古典建筑相通的一种特殊情调。在大写意的灵动中，有写实的栩栩如生；在写实的基础上，又能引发出你丰沛的联想……真是菜中有画，菜中有诗，菜中有音韵，有无限的风情！中国美食的视觉快感不难表现在单个的品种上，善于配餐的人士能使几种菜点整合为一个完整的美境。比如《红楼梦》里有一回写到了丫头芳官吃饭，那已经是很"简单"的了：一碗虾皮鸡皮汤，一碗酒酿清蒸鸭子，一碟腌的胭脂鹅脯，还有一碟四个奶油松瓤卷酥和一大碗热腾腾碧荧荧的绿畦香稻粳米饭。你看那色彩、质感、形态，情调搭配得多么好！更不要说香气氤氲和味道鲜美了！

在中国的烹饪艺术里，溶解着中国人种种传统的文化心理。西方人聚餐几乎都是用长条桌，而中国人聚餐几乎都使用大圆桌。大圆桌是一种消解个体意识、强调群解人际关系重要性的饮食工具。中国传统文化的主流是劝慰引导个体服从群体，特别是服从长辈，"大团圆"是中国从戏剧到餐饮方式中的"永恒主题"。中国的烹饪方式，往往是将各种材料加以彻底地混合与交融，完全改变了所有材料的原始面目，使不知底细的食客简直猜不出所食用的美味是用什么东西合成的。这种烹饪和饮食习惯里，也许便蕴涵着中华民族坚韧凝聚力的玄机。西方的餐具如刀、叉、勺，都是一只手只拿一个，而中国人所使用的筷子，一只手里必须要弄两根独立的小棍，用以取食进食。这种从小练就的生活本领中，也许便渗透着历经几千年而不能泯灭的"仁"的精神。"仁"是中国儒家文明的一个最简约的概括，这个汉字实际上由"二"和"人"组成，意味着一个人的存在，必得至少以与另一个人的合作为前提。中国人每日进餐的筷子舞动，实际上都是这种儒明的潜在操演方式。

醋栗的滋味

那天跟一位老相识在街上相遇，互问"哪去？"自然都不过是"遛遛弯儿"，但他跟我说了没两句话，就急着往公共报栏那边凑，我有点好奇，他家里赠报很多，何必还要到街上来读报？不免也就去那报栏浏览，这才发现是那报纸上刊发了一篇他的文章，不用问，我理解，这张报一般是不赠阅的，报亭也无零售，大概编辑通知了他这天发表，但样报要过些天才寄得到，所以他是来先睹为快。他也算著作等身的人物了，对自己新发表一篇文章仍充满了孩子游戏中胜出的喜悦，满脸幸福的皱纹，这令我始而惊奇，继而感动。

我感动，是因为忽然悟出：幸福是一。

当然，这感悟也是集中了其他若干浮上心头的旧事新例。有回一位同龄朋友打来电话，说他真是幸福极了——一本他久想找出的旧书，终于在这天从他万册藏书中"浮出水面"，仅仅为这样一件事，他就幸福到必欲给朋友打电话报喜的地步。还有一位老大姐，给我寄来一张书法，上面只有一个繁体的"飞"字，附信说她得意之极，因为终于写出了这样一个好字，要我与她分享幸福与快乐。孩子辈也曾跟我表露过为当天的一件小事而深感幸福，比如用最简捷的巧法排除了电脑的故障，在本以为必然是大堵车的时间和路径上居然一路畅通提前到达目的地，在生日那天收到平时最合不来的同事的一件自制的小工艺品，在出差的飞机上旁边恰巧是位新西兰小姐双方用英语聊天忘却疲倦……

把幸福的感觉锁定在一天里的一件事上，没有大事锁小事，连小事都没有那就锁定在美好的一瞥一闻里，的确是一种维系好心情的妙方。针对时下人们容易焦虑多半浮躁的心理状态，提供对症的心灵鸡汤，已经成为一种写作与阅读的时尚。仅从与老相识报栏附近邂逅一事，联想开去，我不也就能烹制出一锅心灵鸡汤吗？《幸福是一》难道不是绝好的题目？想想也是，倘若一天到晚总把幸福的目标设定在将来，设定得非常宏大，似乎只有在久远的未来实现了"一万"甚至于"一亿"才能产生出幸福感来，那岂不是将自己浸泡在了永难消退的沉重与愁闷之中？

常饮鸡汤，无论肠胃的还是心灵的，是小康人士的习俗。小康人士的焦虑，多出于"比上不足"，以及因还贷、人际、家庭建设、子女教育投资与期望等方面的压力，还有情感方面的不满足或不确定，提醒他们"幸福是一"，抓住每天至少一件开心事，立足此时此刻此情此景，放眼未来，满心彩霞，的确是非常香美的一锅心灵鸡汤。

但是忽然想起了安东·契诃夫的那篇《醋栗》，找来重读。契诃夫不炖鸡汤，他给予我们心灵的不是漂油星的营养液，而是在惊悚中提升的鞭策。这篇小说里写到一位当时社会里的小康人士，他有了自己温馨的小巢，有胖厨娘和大肥狗，有不小的花园，最令他得意的，是他在花园里栽下的醋栗终于有了头茬果实，"幸福是一"，他的"一"就是那醋栗，面对厨娘送到他眼前的一盘醋栗，他"笑着，对着那醋栗默默地瞧了一分钟，眼里含着一泡眼泪"，在一颗颗地往嘴里送那些果实时，不住地喟叹："啊！多好吃啊！"契诃夫通过小说里另一人物这样批判："我看见了一个幸福的人：他的心心念念的生活目标已经达到，他所需要的东西已经到手，对他的命运，对他自己都很满意。不知什么缘故，往常，我一想到人的幸福，就不免生出一种哀伤的感觉；这一回，亲眼看到了幸福的人，我竟生出一种跟绝望相近的沉重感觉。"这篇小说写于1898年。七年后圣彼得堡的工人大请愿，沙皇命令开枪镇压，史称"黑色星期日"，十九年后接连爆发"二月革命"和"十月革命"，那以后《醋栗》所写的那种小康人士该面临怎样的处境？在那连串的社会大动荡大颠覆前夕，契诃夫于1904年去世，他真是"于无声处听惊雷"，以这样的作品警示人们特别是沉迷于小我世界的"一盘醋栗"的小康人士：幸福不能只是自己的"一"，一个自己温饱或者说已经超温饱的小康人士，应该有社会关怀，他在此后的《新娘》等作品里，更为小康者指出了投向改造社会使其达到公平合理的历史潮流的人生方向。契诃夫不是革命家，他的思想也还不是激烈的革命观，但他那吁请人们突破"己一"的幸福观，而去寻求群体"万福"的人道情怀，至今仍闪烁着神圣的光芒，那是任何鸡汤的色香味都无法企及的。

感谢契诃夫，贯穿在他所有作品里的反庸俗主题，跟爱与死一样，是文学艺术的永恒主题。

我们曾经历过一段严厉压抑甚至试图消灭自我意识的年月，在那阶段的极左思潮冲击下，任何"己一"的幸福感都只能是一种罪感，似乎我在这边喝了一碗鸡汤，都会立即延缓比如说非洲那边生活在水深火热里的劳苦大众的解放日程。改革开放，奔小康，使我们从极左的桎梏中获得了身心解放，像我这篇文章开头所引述的种种"己一"幸福感，都是时代进步催生出的健康心理花朵。放心地饮用滋养身体和心灵的鸡汤吧，但应该把"幸福是一"和"幸福更是万"的意识融合起来。"幸福是万"的意思就是应当有社会关怀，自己先富了，别忘了那些还等着后富一步的人，自己小康达标了，要懂得如果小康群体只是大富和贫穷之间的一个瘦细脆弱的衔接项，那么，就会有一朝断裂的可能。构建一种把"己一"和"万福"统一起来的幸福观，也许不像呷鸡汤那么便当，却是我们都应该努力的。而在这种努力中，记住契诃夫笔下那饱含自私庸俗成分的醋栗滋味是有醒脑作用的：那些醋栗又硬又酸。

大吉鱼

老孙是个民俗研究者，经常搞"田野考察"，这回跑到我温榆斋所在村子，非拉着我一起，跟他搞"农民与鱼"的主题调查，而调查的重点，是寻找大吉鱼。

我先带他到桑儿家去。人家新盖起没多久的大房子，北房七间，高底座，大罩廊，檐脸画好漂亮，老孙虽然赞不绝口，心里所关切的，其实是另外的东西。你听他问的："你家原来有没有条案呀？条案上头总得有座镜座钟什么的吧？两边还该有成对的点心罐、帽筒、掸瓶什么的吧？什么？全处理了？哎呀呀……"桑儿得意地跟我们指点三间屋大的客厅的花式吊顶，当中那众星拱月型的大吊灯，周遭那些彩色的射灯，还有满堂新潮沙发什么的，老孙只是含混应对，仍缠着人家问："过年吃什么鱼呀？以前吃不起鱼的时候，有没有那个讲究，就是拿条木头鱼搁盘子里，给浇上酱油汁，算是年夜饭也上了鱼了，年年有余，取个吉利，记不记得呀？"桑儿大概不记得那类的事了，但他悟出了老孙的兴趣所在，就领我们到西厢房去，没等他指点，老孙先就激动起来："哎呀！躺柜啊！如今留着这样家什的农家，已经不多了啊！呵呵呵……看呀看呀，这上头还雕刻着鱼的图案呢，刀工虽然粗糙，那祈求年年有余的心情，跃然其上啊！"跟着就嘱咐桑儿一定要把那又长又笨的大躺柜保存好，桑儿却说："这边收废品的都不乐意要，说我要先给拆卸了，当板材卖，那还差不多！"

到了袁二家，老孙还在叨唠躺柜不该灭绝。我代他问袁二："你家还有没有大吉鱼？"袁二就笑："咱家又没人坐月子，熬什么鲫鱼汤呀！今年春节鱼倒是预备了不少，你知道我就爱吃鱼，所以买好了黄花、鲤鱼、大胖头，好几样吃法呢，初三你们来我这儿吃垮炖、喝二锅头！"我只好解释，想找到那种当年的木头鱼，袁二觉得好笑："那你们就跟要找土炕一样，如今村里哪还找得着？"袁二媳妇搭腔了："咋找不着？昌叔他们家不就还留了一架？"老孙听了喜出望外："有土炕就备不住有大吉鱼！"

昌叔家房子比较老旧。院里厢房租给了几家外地人，有的回家过年去了，有的却还留守，其中小胡两口子是收废品的，进门遇上，我问他们怎么还没回老家，小胡如实告知："节期各家处理东西，尤其小区里头，油水很大，我们舍不得放弃。"老孙问他收废品时，有没有人卖他木头鱼，他说有呀，顺手就找出来一个念经的大木鱼还附带长把木槌，我就只好笑着给他解释一遍，小胡说"哎呀，我老家有那个，我小时候，年夜饭上摆过，虽说不能吃，大人小孩都要往上敲儿筷子！"

昌叔家正房东屋真的还有炕，不是纯土坯的，包得有很好的灰砖。昌叔正倚着被褥摆看报纸，见我们去了忙往炕上让，老孙上炕一盘腿，就连连赞好，说想不通为什么这么好的东西要把它淘汰掉？昌叔没等老孙问旧，就跟我们议新，敲着报纸说："2600年的老规矩，给破啦！好呀！"原来他对2006年起免除农业税这事特别看重。老孙请他讲讲农民过年时候对鱼的感情，他却还是议新："二十几年前我们村周围还有那么多河汊池塘，稻田一望不见边，后来办乡镇企业，把水给污染了，企业全停了，又搞小区开发，村西那么好的水塘，干了，成了垃圾填埋场……哎，步伐不小，问题不少！"昌叔三十年前是大队干部，思路谈吐自有其特点，侃侃而谈道："坏处要许说坏，好处必须说好。村里有人说，农业税是个小数目，别的负担可在变成大数目，我就跟他们说，事情总得一件件办，免农业税，是今年咱们年夜饭的一条大鱼，开春大吉，对不对？"

领着老孙串西家，访东家，到底他眼皮儿有专攻，我去过多次也没在意的一些民俗旧物，他一眼相中：花轿帘子（现在成了老人住屋的门帘）、水井镇兽（现在竟被随便弃置在狗窝里）、拉弓射箭的扳指（在东厢房废弃的杂物箱里）、旧屋带雌花的瓦当（成了院中花池的镶边）……有的人家痛快地送给他，有的主人就大方地跟他开价。转悠到天黑上灯，他手上那张问卷的空白也差不多全填满了，我不知道他是怎么设计出那些问题来的，其中最让我觉得有趣问题是"如果生活里没有鱼，你觉得怎么样？""如果现在年夜饭还放一条木制大吉鱼，你会有什么反应？"而最有意思的回答，我也选出两条来："没鱼盼有鱼，有鱼不求贼大。"（老郭头答，66岁）"我家要有大吉鱼，出国留学带着去！"（冯开放答，17岁）

刺猬进村

就着炸饹馇———一种北京郊区农民最喜爱的豆面皮卷胡萝卜丝、香菜烹炸出的零食———喝着小酒，跟村友三儿侃山。

三儿是开大农机的驾驶员。说起前几个月秋播，大拖拉机挂着播种机，从这边大田，越过一道土坎，转移到那边大田时，豁开了坎上枯草窠子底下一个刺猬窝，跟在播种机后头的两位农友不由得欢呼，说是要拿泥糊上烧了吃，三儿就停机跳下地，走过去细看。大刺猬已经被一位农友捧在手里，整个儿成了水雷的模样；三儿低头一找，三个粉嘟嘟的小刺猬还在草窠里迷迷瞪瞪哆嗦。三儿就问他们："落忍吗？"那农友也就把母刺猬扔回了草窠里。

三儿说起这档事，我对他大加表扬。但再往下聊，就知道他跟我的想法还并不完全相同。三儿并不是一个动物保护主义者。三儿今年要满46了。他这茬人，多少还存有从老一辈村民那儿听来的旧说传闻，当然，占主导地位的，还是时代进步赋予的新说新知。他往往把旧闻新知混在一起跟我神侃，听来也就很助酒兴。

三儿说他父母那一辈往上，有"四大门"一说。狐狸是头一门，《聊斋》故事及其延伸出的村语村言，发展出了一个最新故事。说是机场油库高墙外隔离带的野草丛里，谁也没瞧见过狐狸，可是绕墙巡查的油库保安，不止一个小伙子，分明看见穿着电视剧里古装裙衣的美丽姑娘，忽然出现在前面不远的地方，喊话也不回应，等你大步赶过去，美人一转身，忽然没了影，而风吹草动，鼻子眼里就吸进了臊味儿。蛇是第二门，《白蛇传》的流传，使许多人对蛇完全没有了恶感，据说头几年有位养猪专业户半夜里哇哇大叫，惊动邻居纷纷披衣来助，手电筒一阵乱晃，最后聚焦他所指点的猪栏，确有一只小猪崽没了，他就喘着气，结结巴巴诉说亲眼所见，那蛇头正吞小猪，他吓得退避老远，稍微定了神，去取大铁锹，谁知那离猪栏十多米远的杂物棚外，赫然摆动着一样东西，仔细一看，竟是蛇尾巴！大家帮他寻找那巨蟒，不但并无踪影，就是可疑的洞口，也找不出来；后来也没有再次光顾，那专业户重述那夜经历，再无恐怖遗憾，倒仿佛是中过一次大奖。第三门是黄鼠狼，这家伙的身影比较容易遇上，三儿有一阵在自家院里设一大笼饲养肉鸽，跟黄鼠狼短兵相接过，鸽子已被黄鼠狼咬残，但黄鼠狼却难逮住；三儿说起黄鼠狼并无很浓的恶感，说是他妈在世说过，雪天一只黄鼠狼竟躺在他家屋门外，他妈细看，敢情是腿受伤了，就给它涂了红药水，还拿布给包扎上，又拿些东西给它吃，也没让它挪窝，第二天再开门，它没了；从那以后，他家的粮囤，怎么往外舀粮食，怪了，第二天去看，还跟头天一样多！

那么第四门，就是刺猬。刺猬在村里村外就太常见了。三儿告诉我，刺猬三季基本上生活在田野里，冬初，会在某个月黑夜，成群成队地进村，分别寻觅藏身之处，过去多半是钻到柴禾堆里，现在柴禾堆少了，就在村街或院落的树根底下掘洞栖身。我说刺猬那是冬眠吧。三儿说刺猬是半冬眠，他常在冬天夜里，看见刺猬悄悄地在村民倒的、等待第二天被拉走的垃圾里，拣残羹剩饭吃。他说刺猬不能像八哥那样学人说话，却专会模仿老头咳嗽。他爹跟他讲过，古时候有个青年，他爹病了，咳嗽得厉害，他妈让他去买药，他揣着银子出去，就有坏小子勾引他去赌博，可是在赌博的地方，总听见老人咳嗽，他就坐不住，就还要去买药，他出了那赌博的屋子，坏小子还出来拽他，没想到院里也有老头咳嗽的声音，他就坚决去药房，来回一路上，都有那样的声音，敦促他把药买回去。所以，第四门刺猬，在他们那一带，又有个"孝子催"的绰号。我说按你爹那故事的逻辑，应该是"催孝子"吧，三儿说他决没记错，就是"孝子催"。

喝完小酒，三儿要送我回温榆斋，我说没醉，自己溜达回去，他说今年是个暖冬，刺猬在田野里待得久，它们进村兴许晚，说不定今儿个晚上，咱们爷俩恰能遇上一些个刺猬进村。我顿时兴奋起来，就跟他一边轻移脚步一边睁大眼睛往路面上细瞧。结果他把我送到书房门口，也没看见一只刺猬的身影。

　　夜很静。我都躺进被窝了。忽然，我听见窗外分明有老头咳嗽的声音。心里暖洋洋的。民间淳朴的传说，剔除非科学的成分，里面蕴涵的天理人情，值得细细体味啊！

生芽豆

温榆斋外面的世界越来越像一锅乱炖。乡村与城市、本地人与外地人、传统与新潮、自得与不满……杂错纠结，却也有滋有味，足够我品尝消化一番。

说是农村，村边却开发出楼群成阵的居民小区；说是城市化了，从超市拐弯几十米，就是僻静的村屋村巷。

春日午后，游弋在那些氤氲出香椿气息、飘散着旋转榆钱的村巷，是我的一大享受。

这天，我优哉游哉，漫步村中，忽听那边有特殊的游商叫卖声。在叫卖什么呢？一时也听不清。北京城圈里，这类的叫卖声已经近乎绝迹。有一回我听了几十声长吆小叫，那是庙会里的一个表演节目，虽然当时兴奋鼓掌，回到城里书房绿叶居却不禁久久惆怅。幸好还有一间农村书房温榆斋，即使不出屋，有时也还能听见非模拟的游商声响——也并非都是歌唱般的吆喝，比如用铁棍划开闭嘴钢叉的嗡嗡声，甩动一串鱼鳞形铁片的哗哗声，破喇叭的吹奏声……所代言的，非得出去寻声追踪一探究竟，才能真相大白。

那么，那边游商三个音节的叫卖声，究竟是在推销什么呢？他那第一音是拖长的阳平声，第二音虽然也是平声却较短促，第三音是突然一个钝性的收束，连缀起来，非常有益惑力。

我顺声寻去。正确定了声源位置，忽然单一的吆喝声变为了嘈杂的争吵声。

怎么回事啊？我加快步伐，赶了过去。

原来是在福叔住的那个横巷里。卖东西的中年人推着个加重型自行车，他的商品装在车后座两边的大藤篓里。福叔倒没露面，福婶怒气冲冲站在自行车前指骂着。福家的左邻右舍也出来了人，对那卖东西的人大有围攻之势。有个汉子甚至去抓那自行车车把。而从巷子的那一头，急匆匆小跑着来了村里的妇联主任祁大妈，我跟她比较熟，但她从那边跑过来，我从这边走过去，双方目光有接触，她却顾不上招呼我，直接走进冲突圈里，劝解起来。

卖东西的不明白为什么受到指责围攻。也激动地乱嚷大骂。他的反抗引来更激烈的反应。插身进去先把冲突双方分开，大声说："都冷静冷静！有话好好说！"祁大妈就劝那卖东西的人先把车推出巷子。卖东西的赌气偏不挪窝，说城里的城管也管不到村里来，他究竟犯了哪条法，得罪了哪路神，凭什么不让他吆喝卖东西？他不吃这一套！我就边劝边帮他把车子推出了那条小巷子。巷子里的人还往巷子外抛来怨骂声。祁大妈去劝他们各自回家，总算平息了下来。我问那游商，你究竟吆喝的什么？他说他卖的是生芽豆。也就是新摘下的去了豆荚的鲜蚕豆。我立刻告诉他那是我最爱吃的东西。我要买。而且尽量多买。明天我正好回城里去，我不但给自己家里买，还要带些送给亲友。我回忆起母亲当年用生芽豆和酸菜、腊肉煮出的大钵汤，还有大盘的生芽豆炒柴鸡蛋，真是美味呀，想起来就流口水！他望着我，还是对刚才发生的事茫然："是呀，我卖生芽豆，碍了他们什么事呀？天下还有恨生芽豆的，稀罕！"祁大妈把巷子清空了，这才过来跟我们说话。先跟卖东西的人道歉，再细解释。听完她的解释，卖东西的先笑了。我也合不拢嘴。

原来，他那叫卖声，听去实在像"生——丫头！"偏那巷子里四户人家，都生的是丫头，福家的闺女养大了，入赘了个女婿改姓了福，现在闺女怀了孕，还不知道是男是女。你在那条巷子里高声吆喝"生丫头"，人家以为你是故意讥笑他们，对还没生下孙辈的来说，你是咒人家只能生下丫头，人家听了能不生气吗？你要再不撤退，人家掀翻你篓子，满村的人不会有几个同情你！

买了许多生芽豆以后，我在温榆斋里用保鲜膜袋分装。一边分装一边想，如今京郊农村，超生现象真的很少了，像我们这个村，三十岁上下的夫妇无论生男生女，都是一胎终止；老一辈的即使盼孙心切，生下的是闺女也都接受；虽说 B 超能扫出胎儿性别，但违规去求个早知道的现象很少发生；四五十岁奔上的父母，感叹闺女比儿子顾家的越来越多。但是，这天巷子里发生的一幕，又说明农村的传统观念仍浮动在村子上空。我爱这新旧交会、生气勃勃的村庄，胜过我爱这鲜嫩的生芽豆！

果 疼

　　远郊那条公路两边,有许多果园,门外全都竖着"欢迎采摘"的大牌子。儿子儿媳妇轮流开车,拉着我们老两口,进入那条公路放慢车速,大家边往外张望边讨论:去哪个果园呢?一家果园门口有醒目的广告:"请来采摘火龙果!"儿子说:"火龙果长在树上还是藤上啊?去看看也好呀!"儿媳妇说:"那一定得进棚里摘,爸妈还是喜欢在阳光下的露地上采摘的。"我说:"采摘之意不在果,能在苹果树下走走就好。"老伴看见一家门口大字写着"美国布朗",兴趣陡发,说:"如果里头人不多,那就摘点布朗吧。"于是儿子把车开进了敞开的大门里。

　　车子可以穿过两片果林,驶进果园深处。露出了红瓦灰砖的房子,有狗跑出来,不是狂噑,而是欢叫,紧跟着露出了果农的身影,乍看简直像个非洲黑人,露出两排白牙,指点停车的位置。那里已经停了两辆车,果园深处,有欢笑的人声。

　　"你们,头回吧?"果农问。

　　儿子说:"怎见得?"果农也不答,只是说:"有四种苹果、三样梨,还有大枣、柿子,可以混着称。"老伴就问:"不是有布朗吗?"果农说:"有哇。您摘吗?那可要贵上好些。"他分别报了价,说着递过装果子的塑料袋,又指指屋檐下靠着的一摞马扎,意思是可以随便取用,摘累了坐下歇气。

　　儿媳妇张望着,说:"比超市的贵那么多呀!"果农就说:"您米摘不是有个乐子吗?"我们就一人拿了一个塑料袋,又都取了个马扎。

果农说布朗树只有五棵，在果园深处，他领我们去。穿过许多苹果树和梨树，有时需要弯腰前进。我见一棵苹果树只有我那么高，也没张开树臂，却缀满了滚圆的红果子，就伸手去揪其中一个，没想到果农大喝一声："您别！您那样，果子他疼！"我们全愣住了。果农站到我跟前，指点着说："您得先来回瞅瞅，瞅准了那熟的，再轻轻先摸摸他，他冲您乐呢，您再这么把他摘下来……"他示范着摘下一个来，儿子说："这个又不大，也不是最红，您怎么偏说他熟了？"果农就笑说："熟不熟，看果把儿啊。"老伴评价："您这么摘果子，跟相亲似的。"果农大表扬："您心里亮堂。可不是跟搞对象似的。"我现在记录他的话，说到果子全不用"它"，只是不知道究竟写成"他"还是"她"更恰切。

终于走到布朗树下。紫红的布朗有的已经似乎快要胀破，但是我们都没轻易下手，因为懂得，首先要看果把儿。可是又怎么对果把儿下判断呢？围住果农，再听他解说，说实在的我也没太听懂，只记住他嘱咐"这样果子他就不疼了"、"那样果子可就疼坏了"的语音。儿子问他："那我们吃果子的时候，果子不更疼吗？"果农严肃地回答："那不。果子离了树，就是另外的事情了。果子疼不疼，全在下树的那一刻。疼过的果子，吃起来总欠点味道。所以头一回来我这果园采摘的，我都这么说一回。有的没听完，扭头走了，那是没缘分，走了好。二回再来的，全是懂得疼果子的。有那真比我还疼果子的，我就连钱也不收他的，晚上睡觉时候想起来，念叨给媳妇听，由她笑话，我心里头那个痛快劲儿，别提了，比喝了天宫的神酒还痛快！"

回到家里，大家围着餐桌清点采摘来的果子，老伴把布朗逐个拈起检验，拿一只对着灯光细看，跟他道歉说："真对不起，让您疼着了！"都听见了，都没笑，心里都有回音，我心里有个声音在呼应：凡世上能称得上果实的事物，从今后，都不该让他疼呀。

河畔羊群

写了篇画仙人承露盘的文章，意犹未尽，再写写在温榆河边画水彩写生的乐子。

1999 年，我在北京东郊温榆河附近的村子里，有了个安静的书房，我把它命名为温榆斋。读书、听音乐、写作之余，就是到周遭田野里画水彩画，画得最多的题材，是温榆河畔的风光。一部分画，由我的私人助手拍成了照片，成为了《刘心武侃北京》《心灵体操》等书里的插图，以增添读者阅读时的兴趣。这些画，当然只不过是一位画界外的、未经过系统专业训练的、全凭爱好信笔涂成，首先是用来自娱的东西。但也真有人喜欢。当然，我明白，喜欢的，也绝不是把我当成画家，把我的画当成专业性作品来欣赏，他们多半是在欣赏了专业的画家的作品以后，作为要在生活中享受更多种多样的情趣的一种寻求，才对我的某些画幅产生好感的，他们夸赞时几乎没有说"画得好"的，使用得比较多的语汇是"有趣"。

自己得趣，也以趣娱人。2000 年世纪之交，我把自己画的一部分水彩画照片，剪贴制作成贺年卡，寄赠国内外亲友。确实给他们带去了非现成的商品贺卡所能传递的快乐。反应非常强烈。定居美国波士顿的一位朋友甚至建议我把所有画幅带过去，要在那边给我张罗个画展。这反应太夸张了吧，台湾联经出版事业股份有限公司的发行人刘国瑞先生从台北打来电话，说我给他寄去的那幅画他真的很喜欢，问我能不能"情让"给他，让我开出个以美元为单位的价位来，我很吃惊，以为他开玩笑，他说他是认真的，他要买去挂在他书房里。

给刘国瑞先生寄去的贺卡上的那张照片，是我在温榆河畔的写生，画的是河边一排柳树下，一群白羊在草丛里悠闲地觅食。这幅画我自己很满意，构图精心，水气氤氲，色彩淡雅，情趣盎然。说实在的，我画的东西敝帚自珍，送照片乐意，送原画心疼，但是刘国瑞先生在电话那边，说到了那么个份儿上，我就回应他：卖是绝对不卖的，但是如果他真喜欢，我就送给他。

放下电话，我找出自己那幅河畔羊群的画儿，越看心里滋味越复杂。非专业的痕迹实在太明显了。刘国瑞先生主持的联经是台湾最有名的出版机构，印制发行过不少大画家的画册，他过眼的名家原作多矣，真可能看了张小照片就对我的水彩写生感兴趣吗？或者，在他那样欣赏者眼里，七分看的是拙朴情趣，三分看的是专业素质吧？这世界原该有多种多样的作画者和画幅，他对我的涂抹从宽容上升为肯定乃至欣赏，也蕴涵着某种哲理吧？

2004年刘国瑞先生来北京，我把河畔白羊的原作交到他手中，他说他正好退休，这对他是一种祝福，他将把它挂在书房，此后会有很多时间来细细欣赏。

也有一些专业画家，有的还是大名鼎鼎的，看过我的画，我真是觉得献丑，但这些人都没有对我鄙夷、生气的，都鼓励我多画，他们的自信心绝不脆弱，没有听到波士顿有人想给我办画展或台北文化出版界大佬书房里挂我的画，就认为我是越轨违规、乱来胡闹了。一位知名度极高的画家跟我说："基本功，技法，师从，承传，这当然非常重要，但绘画的本质是什么？应该是一个生命因为喜欢，而进行的一次最无拘无束的自由发挥——这其实也是一切创造性的文化活动的本质。"他这话在他离开后我立刻记在了纸上。现在读他这话，觉得表达得不够周全，如果跟他较真，大有商榷余地，但是，想起他跟我说这番话时的面部表情和肢体形态，就觉得有许多语言外的弦音，也值得一再回味。可惜我最不会画的就是人物，否则，真该把他当时那形象也记录到纸上，与他话语的文字记录，一并留存，那他的这个观点，加上尽在不言中的部分，就饱满而周全了。

胡桃夹子

年轻时就常听柴科夫斯基的芭蕾舞剧《胡桃夹子》选曲，后来有幸到剧场看到全剧演出，更觉得别有意趣。只是究竟西方人生活中使用的胡桃夹子什么模样，在他们日常生活中起多大作用，还是梦梦然。

深秋时，年轻朋友开车带我到怀柔山区野游，路过红螺寺，停下来进去随喜一番，出来逛集贸市场，有很多卖当地干果的摊档，栗子、核桃不稀奇，还有小纺锤形的胡桃和名符其形的元宝果，甚为诱人，不由得买了两兜子。

中午把车停在山脚下一处叶子变黄的树林中，铺开带去的线毯，取出各种食物饮料，几位年轻朋友和我席地愉快野餐。我想尝尝胡桃和元宝果，谁知立刻犯难：无法剥开取仁！那些胡桃外壳虽有裂口，也能用指甲剥掉一部分，但若想让那胡桃仁儿出来，却千方百计地努力，也只是抠出一点碎渣，美味袭鼻沾舌，却无法痛快品尝。元宝果就更难对付。这才意识到胡桃夹子的重要性。而一位年轻游伴也就立即跟我坦白，他们在那里购干果时，我到一边看鲜果去了，卖干果的大妈跟他们推销了一种铸铁制作的粗糙的干果夹子，人家开价十五块，他们砍价至十二块，到头来还是嫌贵，没买。

"工欲善其事，必先利其器。"胡桃夹子论起来小工具一件，似乎无足轻重，但在那个阳光灿烂的秋午，在那美丽的小树林里，我忽然是那么样地想品尝当地成功引人栽培、新近收获的胡桃和元宝果，却仅仅因为缺那么一个对应的工具，只好望壳兴叹。

偏一个年轻游伴故意从带来的音响里选出了 CD 盘里的一段《胡桃夹子》舞曲，是以摇滚调式"歪曲"的滑稽乐音，逗得大家开怀大笑。

我想起二十多年前，那时候的水果罐头，多是矮胖的阔口玻璃瓶，瓶口用铁皮严封，开封成为一件极其麻烦的事情，那时候也没有相对应的开封工具，一般是把玻璃瓶倒置，用一个薄改锥，用力塞到封口的铁皮与玻璃之间——在那之间还塞有橡皮圈，目的是保证封口后不漏气也不进气——来回移动，直到一部分封皮终于被剥离开，嗤的一声漏了气，再把罐头正过来，用力旋开那圆形封盖，才能吃到里面的糖水和果块。那时候常常发生性急的人士因为无论如何也打不开胖罐头，赌气将其掷到地下摔碎的事情。我把往事讲给年轻朋友们听，他们笑，但显然并不怎么上心，因为时代毕竟不同了，现在各种消费品的专用工具都很齐全，我们那天的失误只是忘记了购置必要的胡桃夹子。

忽然一个年轻游伴嚷了声："哈！人家送了把开果钥匙啊！"他从那兜元宝果里取出了那把钥匙形的掏仁器。有了那掏仁器，一些裂口较大的胡桃和元宝果就能撬开果壳掏出果仁了。原来卖干果的果农们也在与时俱进，尽管推销胡桃夹子未成，也还是把钥匙形的掏仁器免费放在了装果仁的塑料袋里。

傍晚我们抵达几乎是北京最北端的一处山村。头年我们曾在那里品尝过一根柴火烧出来的猪头。那里封山育林，不准伐树，但允许村民到山林里捡拾枯枝，因此柴灶在村里还随处可见，一处农家餐馆里因此有柴烧猪头的风味菜售卖。我读《金瓶梅》，注意到书里写到一位妇女的炊事绝技是能只用一根柴火烧熟整只猪头，原来以为那不过是小说家的夸张，见到尝到了真用一根柴火烧熟的猪头，才知人间真有此种炊技此种美味。阔别一年，重尝细品，当然是乐事一桩。但是，那晚我们吃到的猪头，竟口味平平，丝毫引不出头年的兴奋。细问农家餐馆老板，他如实告之：那位身怀一根柴烧一个猪头绝技的老奶奶，竟已在半年前作古，而她在世时，人们谁也没想去学她那手艺，她过世后，常有回头客开车来点柴火猪头这道菜，他也曾请村里好几位大妈大婶来试图复原老奶奶的手艺，却都达不到那个效果。我们一边喝酒吃菜一边叹息。

第二天回城的路上，我望着窗外越来越稀少的树木和越来越密集的灯火，惆怅不禁旋绕心头。今天没买胡桃夹子明天可以补买一把，但那些民间绝技一旦失传，我们如何补偿人类文明传递中的这些空白呢？

换季诗

夜深人静，在电脑上敲完一段文字，疲倦如同水浸般透过全身，于是去卧室睡觉。这才发现，被子已经换成厚的了。

睡在洁净温暖的被子里，只觉得一丝丝秋野的馨香，氤氲在鼻息中。

这才意识到，老伴又忙活了一天——进行换季的安排。清洗干净、晾晒完毕的薄衣，叠起放入衣柜深处，又将深秋冬季要穿的衣服，一一晒过，再挂在衣柜外层成为一排。还有鞋子的倒换，凉鞋一一擦拭干净，用报纸裹好，放到床底大抽屉里，换出那里面仲春时藏入的厚鞋，先放到阳台上过风。最麻烦的是床上用品的倒换，薄被子的被套要安排清洗、晾晒和保存，厚被子和薄被子的被瓤则都要晾晒一番后，薄收厚用；被子的被套呢，她晾晒最下工夫，她自己最喜欢阳光的气息，因此提前许多天，等秋阳最旺的时候，里外两面倒换着晒得透透的，她说在雪白的被窝里，满是阳光的气息，会有串串美丽的梦境。她知道我最喜欢田野的气息，所以我的被套，她是前些时特意带到乡间书房，在爬满青藤的窗外，在柳树和柿子树之间系上绳子，迎着晚玉米大田的来风，晒出特殊风味来的。

自己总觉得，作为一个退休金领取者，还能写作，还能出书，挺不错的。但往往也就在忙活自己那些个事情时，忽略了老伴的创造性劳动。

每年两次，她以多病瘦弱之躯，在我们家里，完成换季的劳作。虽然有保姆小杨的协助，但其中的大量工程，是她不舍得让别人代劳的。我知道，她是把那一系列琐碎的劳务，当做写诗来进行的。

而今年的换季诗，还没有写完。

第二天，我有意识暂且搁下自己的写作，问她，我能帮些什么忙？她笑了，表扬了我，命令说：你把那衣柜顶上的箱子搬下来吧！我脸上有些发热。那本应该是不待她说，我自己就该主动去做的。当然，我不去搬，她或许会求得小杨的帮助，但小杨其实已经不小，来时是个少女，现在已经是有丈夫儿子的少妇，发了福，登高取物已经不那么灵便。小杨闻声从厨房里跑出，抢着要搬那箱子，我和老伴都笑说我们自己也该动动，我搬下了那箱子，又主动擦拭掉那箱盖上的灰尘。

那是装儿子东西的箱子。儿子已经娶媳妇，买房买车另过。当然，我们这边还保留着儿子的床铺。还要给儿子的床铺实行换季安排。也还要略备几件儿子来时可供穿用的衣服。这是老伴最后的一首换季诗。儿子从小就喜欢熊。连小杨都笑说他是属熊的。厚被瓤早给儿子晒蓬松了，老伴找出有许多小熊图案的被套来，让我帮她拿到阳台上去晾晒。儿子在许多方面跟我不同，比如喝茶，我最喜欢喝绿茶，最不喜欢花茶的那股气息，儿子却只喜欢喝香片。我欠起脚协助老伴晾晒儿子的被套，她一再地让我"往南一点"，我开头不明白，后来一眼瞥见南边窗台上的那盆茉莉花，恍然大悟——她是想让那被套多吸收些茉莉的香气。

我在电脑上敲出了一些文字。谈论的是我自以为很重大的事情。老伴的换季诗，在这个有着许多重大事物的世界里，是否太渺小、太卑微？

有点累。且小休息一下。见老伴在衣柜前，手里捧着儿子的几件衣服，望着里面，发愣呢。轻轻走到她身后，一下子明白了。她望着的那一格，原来是专放儿子衣服的，现在空旷了许多。老伴没有发现我，我却发现她眼角溢出了泪滴。我轻轻走开。

儿子儿媳妇很恩爱，小两口对我们很孝顺。老伴的换季诗里有色彩，有图案，有气息，有音韵，有浓酽的欣慰，却也有微妙的泪水……谁能说这样的诗句，在人类生存的大义之外呢？

健康携梦人

　　二哥年届八旬，还以专家身份赴美参加活动。从美国归来，他兴奋地向我宣布：终于找到啦！他找到什么了？那满脸孩童般的笑容，标志着一个梦想的兑现。

　　二哥热爱电影艺术。他长我十五岁之多，他的青少年时代，深受中国左翼电影和美国好莱坞电影的影响，说是影迷都还不够，得说是一个影痴。他常常幻想自己成了电影导演，于是拿起一本小说就喝醉酒了一般地分起镜头来。1950 年以后，他又喜欢上了苏联电影，以及一些译制过来的西方进步电影，他还精读过乔治·萨杜尔撰写的电影史，因此，对于一些他未看到过而电影史上提到的老电影，充满了观看的憧憬。改革开放以后，他陆续收集到了心仪许久的爱森斯坦导演的《战舰波将金号》、阮玲玉主演的《神女》、黑泽明导演的《罗生门》等名片的光盘，反复观赏之，细心珍藏之，还常常跟我讨论其中的种种奥妙。我也一直帮他搜罗他始终求而未得的电影光盘，他希望拥有好莱坞黑白老片《金石盟》的光盘，我踏破铁鞋终于觅得，立刻孝敬他，谁知他看后来电话告诉我，他要的是后来当了总统的里根参演的那一部，"这鸭头不是那丫头，头上哪有桂花油"，我买的《金石盟》却是另外的一部。何挑剔若此？我不免讥讽他：干脆到电影学院教电影史去吧，我可不伺候你了！话虽如此，实际上近年来我还是忠心耿耿地为二哥觅盘，如苏联的《雁南飞》、日本的《裸岛》、瑞典的《野草莓》、法国的《禁止的游戏》、意大利的《卡比莉亚之夜》等，他收到后都视为宝贝。

现在真是资讯丰富，二哥根据电影史脉络搜集光盘，十几年来，所列索引中空白点越来越少，但有一部美国格里菲斯的《党同伐异》，一直找不到。为此，我甚至帮他去辗转询问北京的电影资料馆，又跟出音像制品的机构提出建议，但资料馆并无相关拷贝，音像机构则反问我：这样的光盘有谁会买？确实也是，格里菲斯在上世纪初的这部黑白无声影片，由四个时空差异极大的故事构成，那是他艺术雄心的产物，没想到却成了票房毒药，一般观众完全不能接受他那种时空交错的叙述策略，加上剪辑完成后还长达三四个小时，看不懂加上疲劳，导致格里菲斯被市场和俗众抛弃，他经济上破产，精神上破灭，虽然此后也还拍出了几部媚俗卖座的电影，困境稍有缓解，但一代电影枭雄，终究抱恨仙去。二哥偏对《党同伐异》抱有超常的好奇心。没想到，这回他在美国，终于淘到了《党同伐异》的光盘，带回北京，仿佛举办嘉年华会似的，在我家与我品茗共赏。

二哥圆了梦。就像二十几年前，我头一回看到了法国新浪潮代表作《四百下》，以及《广岛之恋》《去年在马利昂巴》等影片一样，梦想成真，梦里看花花丛梦醉，是精神上的大舒张，大欢娱。

自从世界上有了电影，就出现了影迷。后来又增添了电视，更膨胀起了网络。一般俗众里出现了追星族，稍雅一点的，会不仅熟知影星，还会注意到并非明星的表演艺术家，更进一步对某些导演津津乐道，甚至像二哥一样，能从史的角度，来欣赏电影艺术。我自己也是一个影迷。五十年前，我曾把苏联电影《雁南飞》女主角扮演者萨莫依诺娃的照片，斜贴在自己床头，那是从国际书店买到的《苏联银幕》原版杂志上裁下来的。和世上许许多多的追星梦想者一样，二哥和我，携梦度过我们的人生。

其实，我们的父亲，青春期里，也曾把一位电影明星作为梦中情人。到我上中学的时候，父亲早年的观影激情已经淡化到接近于零，他对二哥和我，以及其他晚辈所欣赏的那些影片，已经完全没有了兴趣，就像我现在对《蜘蛛侠》一类的"大片"难以接受一样，但是，有一天，他却难得地带我去看了一部新电影《鲁班的传说》，导演孙瑜，主演魏鹤龄，片子拍得中规中矩，评价起来也不过是还算有趣罢了，我很纳闷父亲何以要去看那样一部电影。后来还是二哥揭开了秘密：那部片子里，有一场戏，表现鲁班受母亲的启示，发明了木匠工艺里的墨线盒子；鲁母扮演者王汉伦，是二十世纪中国早期无声影片的女明星，父亲早年看过她主演的《孤儿救主记》后，大受震动，以后凡她出演的电影，一定去看，是否给她写过表达仰慕的信件，用二哥的话说是"十分可疑"。王汉伦在有声片出现后，就基本上隐退了，因为她说不来"国语"。但到五十多岁的时候，她却又昙花一现于孙瑜的片子里，没有台词，仅以面部表情和肢体语言，塑造一位慈蔼而又睿智的劳动妇女；因为父亲观影后连赞"姜是老的辣"，使得我也觉得王汉伦确实非同凡俗。前两年我购得《鲁班的传说》光盘，把王汉伦出演鲁母的片段反复看了一阵，思绪缱绻。

艺术催梦，明星诱梦，无论雅俗，人生难免携梦而行。我儿子那一辈，念念不忘的是南斯拉夫电影《瓦尔特保卫萨拉热窝》和《桥》，里面的台词至今可以脱口而出，电影配乐及其插曲随时哼唱。"80 后"、"90 后"的一辈，一般已不知谁是白杨、赵丹，更遑论王汉伦、金焰，甚至对达斯廷·霍夫曼和山口百惠也茫然无知，大多只对港台的人已中年的刘德华、张曼玉和刚出道的二十郎当岁的新星梦寐以求。梦在更新，梦在继续。人生携梦，有甚稀奇？倒是从未被文艺打动，连青春期都无绮梦的人士，堪称罕见。

但是，我们一定要做一个健康携梦人，就是一方面以梦想寄托心灵里某些无法在现实中安放的东西，一方面心里头倍儿明晰：人首先需要在现实中立足；能够成为所谓"梦中人"的，实属凤毛麟角；携梦前行却不可让梦吞噬。我童年和少年时代一直住在一个机关大院里，那本是一所带花园的豪华四合院，后院有极粗壮巍峨的古槐，槐阴下后罩房西头那家，子女众多，事业有成者不少，但那家的大哥，那时已经三十多岁了，身体看去没有毛病，却整天坐在一只大木箱上，痴痴地傻笑；据说他是在少年时代迷恋上了电影，特别迷恋影星胡蝶，收集了无数有关胡蝶的资料，全珍藏在那只木箱里；他荒废了学业，稍大几次离家出走，去寻胡蝶，等到父母感到他不是一般的荒唐，而是患上了精神病时，再带他去求医问药已经晚了；

但他的病态是安静型的，对他人没有侵犯性，后来也不再离家乱转，每天除了吃饭、睡觉，就是坐在那只大木箱上傻笑，据他母亲说，他是觉得自己已经跟胡蝶成婚，在幻想中过上了美满的夫妻生活。当时的时代潮流是绝不允许年轻人坐在家里吃闲饭的，所以街道上安排他到纸盒厂当工人，他母亲送他去上班那天，从前院我家窗前经过，当时我和父亲都看见了，父亲感叹了一句："唉，让梦毁了啊！"父亲的感叹，是我第一次受到"应该做一个健康携梦人"的思想启迪。

值得庆幸的是，我们家的成员，我的亲友们，以及社会上的绝大多数人，都是健康携梦人。父亲虽然没有什么卓越的功勋，但是你如果去查阅五十几年前的《人民海关》杂志，会看到他发表的关于海关业务方面的论文；他晚年在解放军外语学院的教学成绩，更有许多学员口碑为证。二哥几十年来一直是某方面的技术专家，他热爱电影却一生不可能直接参与电影的创作，这更彰显出他生命状态的丰富与浪漫。人在社会中先找到并确立自己可奉献社会，并从社会获得安身立命的职业，再从容携浪漫梦想跋涉于人生途程，才算活得有意义，活得有趣。

做一个健康携梦人，主要是自我控制。身边亲友的适时提醒，也是防止因梦成患的重要因素。社会舆论导向，非常重要，时下某些传媒对文艺梦、追星梦的无节制渲染，只顾吸引眼球换取经济效益，而忘却了对青少年心性健康发育所担负的社会责任，挑逗有余，规劝不足，是应当加以检讨并切实改进的。

格里菲斯《党同伐异》里关于古巴比伦陷落的场面，拍得是那样地气势恢弘、层次丰富、摇曳多姿，那时绝无电脑制作等特技手段，甚至连与远处联络的对讲机也还没有发明出来，基本上就靠搭景在自然光下实拍，真难想象他是怎么指挥那几百人的大场面的，又怎么会到头来呈现于观众眼前的镜头里，前景、中景、后景、远景里人与物的运动那么样地既复杂又和谐？看着那些片段，我这样想：我们的人生，是否也应该是如此多层次、远景深而又杂乱中得协调、运动中保平衡呢？

麻雀圆舞曲

冬阳下，南窗台落下两只麻雀，剔毛、振翅、跳跃，不由想起了一首钢琴曲《麻雀圆舞曲》。那作曲者，当年还只是一位高中生，参加北京市第一届中学生文艺汇演，自己弹奏此曲，大受欢迎，获奖回校，春风得意。事在半个多世纪以前了。获奖者我记得姓周，我得称他为师兄，因为我考入北京 21 中读初一的时候，他已经高三了。还记得校园黄昏，他在音乐教室里弹奏那旋律活泼谐谑的《麻雀圆舞曲》时，我们一群低年级学生站在门边窗外，艳羡地聆听的情景。

一阕《麻雀圆舞曲》，使我对麻雀增添了许多的喜爱，而且由雀及鹊，及鸦，以至一切飞禽。但是，没过几年，到我在 65 中上高中的时候，麻雀就被正式宣布为与苍蝇、蚊子、老鼠并列的"四害"之一了。于是为剿灭麻雀，也开展了声势浩大的群众运动。记得那一天是北京全市总动员，从下午两点到五点持续与麻雀开战，其中最重要的一种办法就是不间断地发出一浪更比一浪凶的尖锐噪声，使麻雀惊飞却又无法落足，最后在惶恐无奈和筋疲力尽中坠地身亡。我们学校师生分配的战斗地点是在故宫城墙之上，当然还有许多别的学校的师生参战，战斗的"武器"则主要是从家里带来的搪瓷盆等可发响的东西。记得先是筒子河外围的居民有组织地放起炮仗，把树冠草丛里的麻雀惊飞，然后我们城墙上的总指挥吹响哨子，那也就是冲锋号令，我们学生们就在城墙上猛敲起手中响器，看到班上积极分子毫不吝惜自家脸盆，倒攥改锥举起狂敲，我不禁暗暗为自己的犹豫惭愧，赶紧跟进，一边跳跃着狂敲，一边跟着大声呐喊。

那些岁月里的群众运动，没有人能够逃避，也大都被鼓动起万丈豪情，不理解也积极跟进，生怕落后，努力争先。近读燕祥兄反思当年诗与政治关系的长文（《西湖》杂志 2007 年第 1 期），他引用了那时写下的诗句："瞧瞧我们捉麻雀的模范，老不服老，小不服小，小树林再也听不见吱喳叫，锛得儿木，锛得儿木，那是啄木鸟。"头一句可谓"革命现实主义"，非常真实，记得我们一位数学老师心脏有宿疾，最怕波动性强噪声，但他也气喘吁吁地不甘落后，拼命敲一面铜锣。但第二句就只是诗人当时的"革命浪漫主义"了。记得那天我们开头也看不出什么效果，后来渐渐看到一些紊乱飞动的黑影，忽然有同学欢呼——真有坚持不了飞动的鸟儿坠地了！但离我最近的一只落地后还没有死绝的鸟儿，我记得清清楚楚，并非麻雀，而是喜鹊，当时心里也为之飘过一个问号，但在震耳欲聋的战斗声中，也就立即提醒自己"不得右倾"——那天战斗结束后，师生们把坠落在城墙上的死鸟收集起来，麻雀确实很多，但花喜鹊、灰喜鹊、乌鸦也相当不少，还分明有啄木鸟和一些叫不出名儿的鸟类夹杂其中。

岁月又往前流淌了一段，麻雀总算从"四害"名单里删除了。但以麻雀为正面元素，比如《麻雀圆舞曲》那样的文艺作品，仍难重现。七年前我在温榆河与小中河之间的一个村子里辟了间"温榆斋"书房，才从村友那里，知道更多麻雀与人类之间那微妙难解的互动关系。有时候必须驱赶；有时候却切盼麻雀和别的鸟儿大批地落到地里——特别是在夏收后粗翻过准备秋播之前，要请麻雀们来带头啄食虫蛹。麻雀在北京郊区的昵称是"家雀（读巧）"，家雀欢喧是吉兆，"连家雀都没一只"则是大贫。有回我病卧温榆斋，巴巴地望着窗台，希望能有家雀偶来，却望眼欲穿，惟有心影。这几年大田日益萎缩，田野写生去问哪里有稻草人，村友全笑我痴：还用那个？天上飞机，地上汽车，噪声让人都想迁走，有翅膀的谁还喜欢来？

但毕竟也还偶尔能听到麻雀吱喳，看见麻雀欢舞，于是有个期盼：说不定哪天打开电视，会忽然听主持人宣布："现在请周某某给大家弹奏他自己谱写的《麻雀圆舞曲》！"于是，当那旋律响起，我此前全部的人生滋味，就会在胸臆中翻腾不息。

铁糖阿伯

一口气从网上定购了七本书，送书来的小伙子戴个眼镜，原来是个大学生，我请他坐，主动跟他聊天。他说勤工俭学的主要手段是家教，但插空也跑外卖，送过比萨饼和猫粮猫砂。我给他倒杯热茶，又递他一块包玻璃纸的精制米花糖，他道谢接过，发出一声感叹："铁糖啊！"

我不免问他怎么把米花糖叫做铁糖？他说：铁糖就是他的故乡，就是他的亲人。

原来，他家乡在皖南。他们那里每到腊月，家庭主妇就会先用大木桶蒸出很多米饭，熟米饭放在大笸箩里，把板结的饭团细心捏散，冻几天后，放在太阳底下晒干，最后笸箩里就全是微微膨胀的有些透明的米粒，这些特殊的大米会被放在米袋里，等候铁糖阿伯的到来。

一般是在祭灶前十多天，村口传来摇拨浪鼓的声音，孩子们闻声就会往家门外跑，跳着颠连步，朝摇拨浪鼓的那几个大人奔去，大声喊："先到我家！我家！"

来的一般是三个男人。一位背着一只大铁锅，一位背着筛子和模子，第三位背着一袋沙子和一捆工具。

他们是来制作铁糖的。

率先请到他们的那家的孩子，会非常得意，在门外向别的孩子炫耀："我妈备的米细，我家的糖稀好香，还有大罐白糖，好多好多的花生米和芝麻仁！"

他们到了邀请的人家，就支上锅，先把那家备的米和沙子混在一起炒，那家多半备好了足够的干棉花秸，燃起的火很红很亮，棉花秸噼啪响，大锅铲响叮当，炒够火候，就把米粒和沙子倒在筛子上，筛子摇呀摇，那些变黑的热沙子，很快全都漏下，于是最激动人心的时刻来到了——糖稀入锅搅匀，炒米均匀撒入糖稀，还有白糖、花生和芝麻，一股热腾腾的香气，就会弥漫在这家屋里，氤氲到屋外，孩子们瞪圆了眼睛，看下一步——起锅了，黏稠的米花糖浆倾入了木模，不待完全冷却，已被师傅用刀划成了许许多多小方块——铁糖制成啦！几个孩子争着吃鲜，几个孩子急着呼唤："该去我家啦！快呀！"

送书来的大学生告诉我，他的父亲，每到腊月，就会带着两个徒弟，背着家伙，走乡串户，去制作铁糖。那是他几十年的重要副业。制作铁糖的时间虽然就是腊月里二十多天，挣的钱却接近全年种稻子棉花总收入的一半。

他的父亲在家乡，是名声很大的铁糖阿伯。

因为所制作出的米花糖手感像铁块般硬，所以那里的孩子都管它叫铁糖。但铁糖放到嘴里却很酥脆。往往是，农家母亲会请铁糖阿伯制作出几十斤来，搁在米袋或瓦缸里，当做孩子的零食，足够那家的孩子吃上几个月乃至半年。大人也吃，农村汉子喝酒，有时会拿来下酒。

他父母在他之前，生下过两个女孩。两个姐姐长大后，相继嫁了出去，婆家都不富裕，两个姐夫都是憨厚的农民，一直留在乡里种田，到了腊月，就跟着岳父，一个背锅，一个背沙子和工具，摇着拨浪鼓，走乡串户，去制作铁糖。

父母，两个姐姐，加上姐夫，都把上大学的希望，寄托在他的身上。他上高中，上大学的费用，可以说，大部分是父亲制作铁糖挣钱供给的，两个姐夫还经常放弃自己应从岳父那里得的工资，比如说，在得知他必须购买自用电脑的时候。

他说，我递给他的米花糖，是食品厂生产的，米粒大概是先过了油，那味道，他吃不惯。他是吃家乡炒米铁糖长大的，他笑问我：他身上是否有土制米花糖的特殊气味？

我问他父亲身体还好？他说没有什么病，只是脊背弯了。他说这几年他们家乡经济发展很快，镇上有了超市，巧克力等新式糖果流行到了村里，每年邀请铁糖阿伯去家里制作铁糖的主妇都在减少，今年已经不再走家串户，只在中心村租一处地方，设固定点，让需要加工的主顾带着炒米、糖稀等物品来，制作完了带回，生意不旺，收入也就不多。

大学生告辞，我往外送，正好两人从楼窗望见下面，人行道上有伙刚来到城市的农民，扛着铺盖卷，他就说："里头真像有我两个姐夫——铁糖阿哥。他们说了，也打算进城来挣钱呢。"

他走后，我许久都没翻他送来的书。他让我读到了意外的书页。

琼花谜

十岁时随父母去北海公园，见一个石碣刻着"琼岛春荫"，不知"琼"字如何发音，更不知那是什么意思，父亲就告诉我"琼"音与"穷"同，是美玉的意思，"琼岛春荫"就是形容北海那水波环绕的有白塔的岛屿，有如天然美玉，每逢春天就绿树成荫，是难得的好景。后来走进那弧形长廊，望见北面宽阔的水面，我大叫："好大的湖啊！"父亲就告诉我，城外颐和园的昆明湖更大，南方杭州的西湖还要大，母亲就补充说，南方扬州还有个瘦西湖，也非常美丽。

成年以后，我游了杭州的"胖西湖"，也去了扬州的瘦西湖，在扬州，知道有一种特别的树，开出的花叫琼花。以往几次去，都只见到琼花树，有一次还见到树上绿叶中点缀着红色的果实，却从未见到开放着的琼花。琼花究竟如何美妙，始终是个谜。2007 年暮春，出版社组织我到金陵地区签售《刘心武揭秘古本〈红楼梦〉》，苏州、扬州两地让我选去一地，我选择了扬州，其中一个因素，就是希望还能看到尚未凋谢的琼花。

《红楼梦》里的林黛玉虽然原籍苏州，其父担任巡盐御史时，衙门却在扬州，因此她是扬州水土所养育的。书里用芙蓉花（荷花）喻黛玉，"莫怨东风当自嗟"，其实荷花的花期还是比较长，琼花开时灿烂，却更经不起东风吹拂，花期只有一周多。曹雪芹为何不以琼花喻黛玉呢？我想琼花罕见，不普及，以琼花比喻，读者难以产生联想，恐怕是一个原因。

同属金陵地区，气候无差，杭外、苏州、南京都曾有人移栽过琼花，却总是难以成活，"维扬一株花，四海无同类"，这是为什么？需要植物学家给予解答。

这次到扬州，依然错过了琼花的花期。这倒也罢了。令我不解的是，琼花已确定为扬州市花，它又专适合于扬州水土，那为什么现在的扬州还不广植琼花树呢？怎么这次来了，问起来，寻觅到，还只是琼花观和瘦西湖边等几处地方的那不多的琼花树呢？为什么不在扬州市开辟一条两侧全是琼花树的大道呢？

直到现在，我仍只是从照片上欣赏到谜一样的琼花。琼花确实神奇。它并无姹紫嫣红的夺目色彩，只是一派玉白，也并无香气，但它的花型非常独特，是由八个五瓣的花冠攒聚为一朵大花的，当心则呈蝴蝶状，淡黄，抽出长长的花蕊，因此它又有"聚八仙"的别名。传说中，当年隋炀帝凿运河一定要从扬州贯通，目的就是为了一睹琼花的奇妙，但当他乘着锦帆绸纤的豪华龙船来了，却偏降一阵冰雹，打尽满树琼花，他也无法以后再看，因为紧跟着他就亡国了，用北京话说就"嗝儿屁，着凉，大海棠"了。隋炀帝看琼花的传说不吉利，却无碍于我们中国外国的好人们到扬州观琼花。琼花实在需要保护，需要扩展，需要普及。

这次到扬州，闹出条"刘心武被房地产开发商忽悠"的新闻，确有此事，负责与出版社联络的当地新华书店的某人士难辞其咎，他确实是以欺骗的手段，把我和出版社的人士诓到了一个售楼处，使我莫名其妙地参与了一场"推广秀"，我从那里出来以后，进入汽车时，一来因为还想看清高处的楼盘广告以明真相，二来毕竟年纪大了动作慢，腿脚尚未收入车内，那位诓我们的人士却觉得终于"大功告成"，怕我"节外生枝"，想赶紧将我"欢送"，就重重地关闭车门，当即把我脚掌轧伤。那楼盘虽然当天就把我的照片和所谓我对他们楼盘的"三大特色"的言论挂到了网页上，并滚动开去，好在出版社方面立即向有关方面提出抗议与交涉，到了南京，《扬子晚报》迅速公布了事件真相，几天后那楼盘网页撤下了侵犯我权益的照片和文字。事后不断有人问我：你怎么会糊涂一时？我坦言：诓骗者说把记者见面会安排在古运河边的一处会所，在那里能够一览运河风光，我顿生奇想，以为在那里纵使见不到琼花，看几眼枝叶纷披的琼树也好啊！可见我的琼花情结，是致使我上当的重要因素。

虽然在扬州遭人忽悠,我却对扬州仍充满欣赏之情。我执拗地向扬州建言:成立栽培攻关小组,突破琼树难以推广的障碍,十年之内,让扬州春日处处琼花争奇斗艳,我将忘却这次的偶然不快,重游扬州,在琼花丛中徜徉流连!

养从抚起

　　抚养、抚育，是我们时常挂在嘴上的语汇，但不少为人父母的，却只知养育，对抚字毫无自觉理解，更谈不到落实在行动上。

　　抚，就是抚摩，摩挲，说白了，就是肌肤间亲密而温柔的触摸。有的父母，特别是父亲，因为忙碌，因为认知上的缺陷与感情上的粗糙，虽然也偶尔会在抱婴儿时，跟孩子有些肌肤接触，但从未自觉地把抚摩孩子当做一项必修的功课，以表达自己的爱意，并向孩子传递一种无法用语言或其他方式表达的血缘信息。

　　一个生命，从呱呱坠地后，就应该得到父母的爱抚。这种爱抚应该既是出自天性的本能，更应该演化为一种意识里的自觉。在婴儿期，这种爱抚尤为要紧。对婴儿的爱抚应该及于全身，爱抚的工具主要是手，也兼其他，如以唇亲吻，甚至父亲以下巴上的须茬轻轻地搓揉。有人或许以为，婴儿期的事情到后来孩子并无记忆，这种抚爱的意义或许只是起到按摩活血的效果，能多少促成孩子皮肤的健康发育而已，其实不然；婴儿期的这种爱抚会在孩子心性发育的过程里，形成一种潜在的良性积淀，受益的绝不仅是孩子的皮肤身体，其心灵会得到难以言传的滋养，温柔，善良，不忍之心，拒绝残暴，善于爱人与妥当地接受爱，这些人性中的良性成分会因得到抚爱而被开发出来。

　　随着孩子的逐步成长，父母对孩子的抚摩区，应该也逐步缩小。在学龄前阶段，将孩子搂在怀里，抚摩其头部、颈部、胳膊和小手，偶尔亲吻其脸蛋，都是必要的。一般来说，这种抚爱应该伴随着亲密的谈话，或给孩子讲故事、讲道理时，很自然地进行。到孩子上学以后，父母对其抚爱的区域会进一步减少，小学低年级时，摩挲头顶还可，到四年级以后，孩子逐渐有了独立意识，父母对其的抚爱，就应该逐步演化为象征性的，如夜晚为其掖紧被子，白天为其整理衣领等等。

从婴儿期到学龄前未曾得到父母（包括祖辈或其他亲人）抚爱的生命，成长起来以后，会患一种皮肤饥渴症，这更是一种心理疾患，这种人往往会比较内向，木讷，冷酷，阴鸷，在与他人的接触中会产生心理障碍，更难以融入社群，更易陷入自卑、抑郁、狂躁、失常。中国和外国都有一些案例，作案者平时并不太引人注意，或只是觉得其人脱群、怪癖，甚至还会觉得其人猥琐、懦弱，直到其人突然爆发出凶残的行为，才意识到那原是一枚"定时炸弹"。对这样的突发性案例的分析，往往会在种种具体的诱因背后，发现一个深层的因素，那就是其人从幼年起就缺失父母亲人之爱，特别是从未被父母亲人有意识地爱抚过。

强调在幼年时父母亲人应给予孩子爱抚，把爱抚作为养育中一个最重要的因素，毫不过分。那么，倘若一个生命从幼年起就没能得到爱抚，那么，当他已经长大成人，还能否获得补偿呢？第一，再怎么补偿，也填不满从幼年成长起来过程里的那一缺失；第二，毕竟也还是可以补偿，他自己可以通过与好友、恋人的倾诉，争取到从与挚友的握手拍臂、勾肩搭背，到与恋人的依偎拥抱、抚摩亲吻，那样一些补偿；而一旦意识到我们身边某个内向、阴冷的"怪人"需要此类补偿时，主动给予其关爱，诱发其人的倾诉，适当地给予其人一些肢体的温暖，也是去除人际间的"定时炸弹"，促成社会和谐安定的善行善举。

人类的文明演进，应该也体现在每一个人情感与行为的精致化上。一位男士跟我坦言，他的恋爱婚姻经历里，似乎一切应该有的都有，但后来以离异失落告终，原来不知原因究竟何在，现在彻悟——他已往实在是个粗人，他能爱，却不懂抚，他对待恋人妻子就是支配、做爱，缺少从抚摩、欣赏渐入高潮的精致表达过程，后来有了孩子，也是如此，只知出钱供养，不懂搂抱、抚摩，去浸润性地享受亲情。

他决定痛改前非，争取在新的生活篇章里，以自觉性带动，把自己从一个粗人变成一个能在感情与行为上精致化的人。我为他祝福。

抚字很重要。其义也深，其行却易，全在你是否有自觉性。男女之间，爱从抚起；养育后代，更要落实到抚字上。

果香满溢夜光杯

"你又把我的《夜光杯》乱放到哪儿去啦？"

这是老伴习惯性的埋怨。我只得乖乖地满屋子去给她找。心里总不怎么服气：怎么《夜光杯》就成了她的呀？明明是《新民晚报》副刊部赠订给我，方便约稿才有的啊。赠阅我的报刊每年总有许多种，就报纸副刊而言，老伴对《夜光杯》确实情有独钟。我每天从楼下取回一大摞报刊，先清理一遍，《新民晚报》的《夜光杯》总是要想着抽取出来，不管她那时在什么地方，且把《夜光杯》去放到她的床头柜上。

我很快找到了她要的那《夜光杯》——是她自己搁在阳台窗台花盆边的。递给她，她自己检讨："老了老了，我这个记性啊！"那天她本来倚在沙发上看，后来猫咪把阳台上花盆推翻在地，她闻声出去收拾了一番，去往阳台时手里还捏着报纸，收拾完又进屋抱起猫咪责备兼安慰地唧咕一番，傍晚时又想看《夜光杯》，就把"乱放"的罪责强安到了我头上。

她看《夜光杯》，有时忽然笑出声来。我让她告诉我是觉得谁的什么文章那么有趣，她要么不理睬，要么故意说："反正比你的'一句话小说'精彩！""一句话小说"是我十多年前在《夜光杯》上开的专栏，实验用一句话写出一个有人物有情节有喻意的小小说，那时候手机还很笨重，也没有短信传输功能，我那文本实验却很像现在的"短信小说"，记得当时台湾《联合报》副刊还转登过一组，并发起过相应的征文。这也算我跟《夜光杯》的一段特殊缘分了。

老伴会把《夜光杯》上她喜欢的文章剪贴在她的一个本子上，有时则会留下整个版面，以备有兴致时重温。她不喜欢我去翻看她的剪贴本，但我知道，她所剪贴的，一类是情趣盎然的生活随笔，一类是钩沉探佚的历史小品。

上个月孩子们开车，送我们到远郊果园里采摘。采摘之意不在果。我们在果林里深呼吸，远望山景，近嗅果香。儿子儿媳妇摘完苹果又去摘大枣，我和老伴迎着阳光，用小马扎坐在果林旁，我带了画具，要水彩写生果林一隅，她呢，掏出老花镜，从布兜里拿出带来的《夜光杯》阅读。我说："这报纸字太小。那么多报纸都放大字号了，偏这报字号上守旧。"她却不以为然："这叫坚持传统风格。"又引我们共同的朋友苏姨为例：不嫌这报字号小，说是看惯了这样字号，若改大了倒生分了；苏姨每天要猜《夜光杯》上的谜语，从中获得许多乐趣。老伴说："人家编辑不容易啊，天天一个新谜语，多少年啦，几千个谜语了吧？别看每天就占那么一星半点地方，得费多少心思！"我说："这副刊编得也算是'大珠小珠落玉盘'了，有意味深远的大珠，也有轻松浅近的小珠，确实丰富多彩。"老伴说："你这样说就对啦。人家不是约你写篇祝贺报纸开办 60 周年的文章嘛，拿《夜光杯》来说，别弄些个文字游戏，什么'杯杯是精酿美酒'呀什么的，依我看，有的文章是酒，有的却是鲜榨汁，像我这样不贪酒，更爱喝鲜榨汁的人，可能更多。"我边开画边说："我正愁不知从哪儿说起呢，你这话倒启发了我。其实，酒和果汁固然好，新鲜果子也很可爱呀！现在什么都讲究原生态嘛！"她就点着报纸说："现在鲜果种类也真丰富，刚才我采摘了美国布朗，呐，这儿就有旅居美国的作者的美文……"阳光下，果香满溢，沁入我们胸臆。

挂牌之议

差不多八十年了。香港竟有依然如故的所在。从魔幻般急速变化的皇后大道中往山上走，穿过荷里活道，似乎也就是逆行于时间隧道，忽见古老的文武庙，尽显中华传统文化的风骨，再往上攀，又见仿佛生了锈的红砖西洋式建筑，那是基督教青年会的礼堂，默默地展示着在这片土地上东西方交融的超百年历史。

不算文物古迹，不是"遗址"，是一直沿用到今天的教会礼堂。走进去，陈旧，清洁而并不规整，约五分之一空间担负着仓储功能，堆放些纸箱，另五分之三的空间里摆放着些长条桌，桌边对坐着一些人士，正静静地劳作，细观察，做的是很简单的事——把一张打印好的信纸折叠好，再放进已经打印好地址的信封里。那些劳作者年纪大约从二十上下到五十左右，男女都有，是些残障、智障的人士。再五分之一的空间，就是高于地面一米多的讲台。

基督教青年会的这栋建筑经历过漫长的英治时期，过渡到了"一国两制"的新时期，这里面关爱社会弱势族群的"善事照旧"，比起"股照炒、马照跑、舞照跳"等"特区特色"来说，更让我心里充溢着欣悦。

贴近那讲台，不禁仰望，仿佛望见，并且听见——鲁迅先生 1927 年 2 月 18 日、19 日两次站在那里演讲。18 日演讲的题目是《无声的中国》，19 日是《老调子已经唱完》。两个题目过了八十年，灌进心里还热辣辣的，说惊心动魄仍不过头。

两篇演讲现在都很容易从《鲁迅全集》里查到。当时听众踊跃，却难懂先生的绍兴官话，好在许广平恰是广东人，一段段准确流利地翻译为粤语，又有热心人速记，事后认真整理，再经先生亲自订正，当年咳唾珠玉，现在依然在纸上熠熠闪光。

经历过"此时无声胜有声""于无声处听惊雷"的历史阶段，如今的中国，应该说是众声喧哗，"大珠小珠落玉盘"，既有柔声细语，也有大声疾呼，但是，重温先生之论，就感觉，一方面，我们的话语空间仍须去除多余藩篱、加以展拓包容，另一方面，还需通过增强科学理性与百家争鸣，逐步凝聚出能体现新品格的民族文化声韵，令我们族群的多数，以及世界凡平等待我之他族，从喧哗中不是得出混乱的印象，而是感受到丰富中的和谐。

据当时记录整理先生讲稿的人士回忆，《无声的中国》由香港《华侨日报》刊发了，但同时送去的《老调子已经唱完》却"因故没有刊出"。什么缘故？香港文学史研究专家小思（卢玮銮女士）认为"大概谈得太敏感，报馆不想登"。确实，就是今天，"老调子已经唱完"这样一句演讲词听来也仍然会令某些人士觉得刺耳，何况用来做题目，而且，就那么一口气激昂地展开着这样一个论点。我个人2006年7月21日上午10点许站在当年鲁迅先生演讲的讲台下面，仿佛听到他宣示这句话的声音，忽然非常激动。这里面当然有个人的际遇之感。2005年中央电视台《百家讲坛》邀我录制播放了《揭秘〈红楼梦〉》的系列节目，并出版了两本同名的书，我并不认为自己就正确，也无意抢"红学"权威及其机构学会的"生意"，不过只是离开"老调子"，试唱自编新曲，聊供世人参考罢了，怎么他们就会恼怒到那样的程度？鲁迅先生曾说有些人对"非我族类"者恨不能"打杀了煮吃"，原来读到那样的话忍俊不禁，现在却绝对笑不起来。

是的，老调子已经唱完，我们处在一个崭新的历史阶段，应该提倡新思路，唱出新曲调。

那天参观完，同行人士有的就提出来，应该在这栋建筑外墙上挂一镌字铜牌，标明鲁迅先生曾在此演讲过。但香港还没有这样的文化习俗。举凡蔡元培、许地山、萧红、戴望舒……曾在香港从事文化活动的文化名人，与其相关的建筑、园地，目前还都没有挂牌。法国巴黎挂牌的建筑那就太多了，而且可以买到一种专门标明文化名人遗迹供游客"按图索骥"的交通图。按照鲁迅先生倡导的"拿来主义"，不仅是香港，中国各处都应该挂起尊重文化的铜牌，并普及"文学地图"，兴起"文学之旅"。

手电筒朝内

1923 年 7 月 19 日，鲁迅回到八道湾家中，弟弟周作人铁青着脸，递给他一封绝交信。那一年鲁迅 42 岁，周作人 38 岁。随后鲁迅带着母亲和妻子朱安迁出另住。1924 年 6 月 11 日鲁迅回八道湾取书籍什物，周作人夫妇竟趋前辱骂，周作人甚至还向鲁迅抛掷金属钝物。1925 年 10 月 21 日，鲁迅写出短篇小说《弟兄》。

《弟兄》的故事是这样的：公益局办事员张沛君弟弟张靖甫突然患病，沛君为之延医问药，开始被庸医诊断为猩红热，有生命之虞，沛君因此内心饱受煎熬，因为如果靖甫撒手人寰，则其两个子女的抚养责任就落在了哥哥沛君身上，而沛君自己有三个子女，以办事员的收入，无法供应五个孩子的学费，可怎么办呢？沛君为此恶梦联翩，梦中靖甫病亡，他咬牙让弟弟的两个孩子继续上学，而自己的孩子只能一个上学，儿子荷生闹着要上学，被他扇耳光打出血来……恶梦醒来是清晨，经高明西医确诊，靖甫原来只不过是出麻疹，不仅绝无性命之忧，更很快痊愈。于是生活归于平静，沛君被同事以古语"兄弟怡怡"、"鹡鸰在原"加以赞扬。

如果这是一篇取材于他人，或者纯粹虚构的小说，倒也罢了。但细查鲁迅生平，就不难知道，鲁迅 1912 年到北京，1917 年周作人也来北京，兄弟同住在绍兴会馆，同年 5 月 8 日至 6 月 3 日，周作人以 32 岁的年龄出麻疹，开始也吓人一跳，后来有惊无险。周作人虽然以后成为教授，收入颇丰，但他出麻疹前后，却全靠哥哥照应扶持。显然，《弟兄》这篇小说，从人物到事件，均有原型可寻。当然，从真实生活到小说文本，已经有了许多必要的变化，不能去对号入座，但这个文本中饱含着作者切实的生命体验，当无疑义。

按说鲁迅与周作人兄弟反目，周作人夫妇还那样恶毒地对待他，后来也一直没有和解，他如果采用以往弟兄间的生活素材进行小说创作，落点应该是批判对方心灵的阴暗面才顺理成章。但这篇写在弟弟朝他詈骂并掷钝物一年多后的小说里，成年才出麻疹的弟弟，却是一个淳朴憨厚的艺术形象，而所设置的身份与生活状态都有几分与作者相似的哥哥——鲁迅曾任教育部佥事，小说里的哥哥沛生是公益局的办事员；鲁迅与周作人一度同住会馆，小说里的弟兄则同住公寓——却被诛心，整篇小说通过细腻的心理描写所揭示的，是哥哥在坚持道德行为时，面对金钱压力，内心里的私心涌动与痛苦挣扎。

高举投枪匕首，朝旧传统恶势力决绝地战斗，这样的鲁迅，我们是最熟悉的。当然，我们打小就从课堂上听过老师对《一件小事》的讲解，早就知道面对着劳苦大众，鲁迅先生敢于审视自己那作为知识分子的灵魂。但我们以往似乎一直忽略了《弟兄》里那自我审视、深度忏悔与努力救赎自我灵魂的文墨。五四运动后甚至连一些军阀口头上也承认"劳工神圣"，但真正能面对社会地位同等的弟兄，向自己内心去挖掘人性的弱点，除鲁迅外，又有几人呢？

在新的历史阶段新的社会环境中重读《弟兄》，会有新的领悟。金钱问题现在成为一个讨论起来不必脸红的问题，亲骨肉之间，因为金钱而反目、决裂、仇恨，甚至酿成血案的事情，传媒上不知已有多少报道与评论。但《弟兄》讲的却并不是一个兄弟因金钱而阋墙的故事，恰恰相反，故事里的弟兄之间充溢着温馨的手足之情，激烈的冲突只在哥哥内心深处，鲁迅仿佛用一只发出强光的手电筒，照出了中产阶级正人君子心灵深处蛰伏的"小"，从而引出我们的深思。

《红楼梦》里有句话：丈八的灯台，照见人家，照不见自家。鲁迅先生却既如灯塔照亮着社会前进之途，又不惜以自己为原型，塑造出沛君这样一个艺术形象，手电筒朝内照。《弟兄》仅有3500字左右，细读细思则意味深长。如果国人都能从这篇小说里汲取精神营养，从而更好地在商品社会里既重视金钱更重视品德情操，则我们的社会，必将更易于达到和谐。

萧红的神秘魅力

1980 年到 1986 年，我在北京市文联当了六年专业作家。那时候还不兴将专业作家"折合"为行政级，没有什么一级、二级之分。但作家们开会，必分为两组，而且要错开时间。开头我懵懵懂懂不知何以为此，一次我们那组开会，一贯给我忠厚温和印象的骆宾基老前辈，在一位发言者平淡的话语中，忽然满脸溅朱地大声插入一句："端木是个坏人！"大家愕然，发言者才知自己不该偶然提到端木蕻良，我事后听林斤澜大哥指点，才知道事情原委。

萧军、端木蕻良、骆宾基三位东北籍作家，都深爱同籍的萧红，他们老辈子的感情纠葛，我们晚辈不好去问。萧红 1942 年 2 月病逝于香港，享年不过三十一岁。萧军是把萧红从困顿中解救出来的生死恋人，到上海后又一起深得鲁迅喜爱——甚至可以是溺爱，但他们终于因性格冲突分手，萧红后来跟端木结合，又一起流亡到香港，两人在香港各自写出了最重要的作品，尤其萧红，出手了堪称经典的《呼兰河传》，但日军突占香港，在一片混乱中，病笃的萧红几经转移，最后在临时作为医院的圣提士反女子学校的小楼里奄奄一息，按多年来一直苦苦追求萧红的骆宾基的说法，端木是在最关键的时刻遗弃了萧红，萧红在绝望中遂接受了骆的求爱，表示愿和他结婚；但端木其实是筹措医药费去了，并且在"失踪"若干时间后，又带钱赶回到了萧红病床边，萧红撒手人寰后，他们两人一起操持了火化，并联袂将骨灰埋葬在了浅水湾丽都花园海滨，不过端木自己准备了一只花瓶，装入了一部分萧红骨灰，后来去埋在了圣提士反女子学校花园凤凰木下。那以后三位男士都分别娶妻生子。我在他们晚年得以接近他们，发现他们家里别的方面差异很大，有一点却绝对相同——萧红的照片，大大小小，出现各处，三位妻子对此绝无意见，子女们也都安然接受。端木1996年去世后，陪伴他年头远超过萧红的妻子钟耀群，还认真执行他的遗嘱，将端木的一半骨灰，拿到香港圣提士反女子学校与萧红"仙会"。

三位跟萧红全有过铭心刻骨爱情的男士，直到晚年也不能和谐，萧军较为潇洒，跟那两位大体上还能以礼相待；骆宾基不能见到端木，提起来搞不好就激动得浑身发抖；端木呢，他十分儒雅，但有时为躲避骆宾基，拄着拐杖加快步伐，也难免现出尴尬。其实，三位老辈子在我眼中，都属性情中人，都很可爱。他们之间那点是非，在我看来无是无非，只不过我一直觉得实在神秘：怎么萧红竟有那么大的魅力，能把这三位都绝非庸常之辈的男士，即使历经了那么多的政治社会风云，甚至在穿越炼狱后，仍能丝毫不减对她的挚爱，甚至可以说是崇拜？而且，这份如同对待女神般的真爱，还能渗透到他们后来的家庭，究竟秘密何在？

林斤澜大哥告诉我，一次闲聊他偶然说冰心是二十世纪中国最杰出的女作家，没想到骆老又激动起来："那么，萧红呢？啊？"我曾对端木老说，他的《鹚鹭湖的忧郁》真好，他蔼然认真地指导我："《呼兰河传》才真好，要细读。"萧军老则对我说过："你写城市，写街，这街那街，没人写得过《商市街》！"

他们三位毕竟亲近过萧红。在美国，见到葛浩文，那可是地道洋人，他年纪跟我差不多，哪里见萧红去？他家里竟也挂摆着不止一张萧红的像，他翻译萧红的小说，还写了本《萧红新传》，又多次去往萧红故乡，踏访萧红生命轨迹所至，到了萧红墓地，简直如同进了圣殿，满心崇敬，一腔爱意。噫，萧红萧红，你魅力一至于此，当代女作家，几人修得到？

端木先生的眼神

我向一位年轻人推荐端木蕻良的短篇小说《鹨鹭湖的忧郁》，他问："是翻译过来的日本小说吗？"我告诉他端木先生是中国作家，他又问："中国作家怎么取了个日本名字？"我再告诉他，端木蕻良这个笔名的含意是"端正竖立的红高粱"，端木先生是抗日战争时期，流亡的东北作家群里的一员，他们的意识、创作都是非常本土化的。年轻人读了《鹨鹭湖的忧郁》以后，有些惊异地跟我说："原来他写过这么好的小说。"

不少好的文字，被时髦的畅销文字遮蔽到几乎不存在的地步。我自己近来也有畅销的文字，能畅销，我高兴，但就我自己而言，畅销的文字也把其实颇好的文字遮蔽住了，这又让我很伤感。我觉得自己最好的长篇小说是《四牌楼》，但它却没有畅销。"你是不是写不出小说了才研究《红楼梦》？"这是我遇到的最多的问题。其实我年年在发表小说，2004 年有一部中篇小说集《站冰》由人民文学出版社出版，那以后我新写的中短篇小说又可以编个集子，准备明年出版。但是，我的小说没轰动，构不成传媒的热点，因此许多人就根本不知道我有那样的新作发表。

什么是幸福？在我看来，幸福就是能把为社会服务和自己的爱好结合起来。我在 1980 年到 1986 年，曾被北京市文联接纳为专业作家，得以和许多前辈作家"一口锅里吃饭"，端木先生就是"同锅"的老作家之一。那时候端木先生已经七十上下，经历过连续多年的蹉跎劫波，终于迎来改革开放的新时期，得以安心写自己喜欢写的东西，文联让专业作家报创作计划，他报的是长篇小说《曹雪芹》，他早已开笔，但构思恢弘，工程艰巨，他一定是感觉到时间紧迫，所以抓得很紧。那年头一方面新潮涌动，一方面极左僵化的幽灵仍颇活跃，端木先生的创作选题，我听到过两种私下非议，一是觉得"并无新意"，一是认为"脱离现实"，但对他那一辈的老作家，从上到下都听任其便。我那时候报的选题是"表现北京市民生活的长篇小说"，申请联系的体验生活的单位是隆福寺百货商场，就多少经历了一点曲折，出于对我的关心爱护，有领导就觉得为什么不到工厂、农村和部队去体验生活，特别是那时候南方正有自卫反击战，年轻轻的，似乎应该主动到前线去，我就说写什么题材，至少需要两个基点，一是能够跟自己以往的生活体验衔接，一是自己喜欢去写，后来对我选题不甚满意的领导也想开了，表示：城市题材也是需要的啊。那以后我去隆福寺百货商场体验了一阵，再后来就写出了《钟鼓楼》。《钟鼓楼》出版后，我给端木先生一本请他指正，他题赠了一本《曹雪芹》上部给我，那正是我所期盼的。

虽然端木先生比我大三十岁，完全是两代人，但读他的《曹雪芹》，心却被共同爱好拉得很近。那时候就有人跟我说："端木他写完《曹雪芹》，就打算续《红楼梦》呢！"我跟端木先生统共没说过几句话，其中一次是当面问他："您还打算续《红楼梦》？"他只微微一笑，没答言，但他那一瞬的眼神，实在传达出了太多的意蕴。现在回味起来，他似乎在对我说：是的，因为喜欢；不要刨根问底，那是我个人的事；还只是一种意向，因为手头的工作还没有做完；别大惊小怪，世界上的写作原该多种多样；并无取代谁的意思，只不过是想通过这种方式抒发自己对曹雪芹的理解……

最近我有一本新书《刘心武揭秘古本〈红楼梦〉》由人民出版社出版，这是一本对周汝昌先生根据十一种古本汇校的求真本《红楼梦》的一个评点本，我认同周老关于曹雪芹写完了《红楼梦》、全书是 108 回的判断，在我新书的最后一部分把关于曹雪芹的后 28 回内容的探佚成果通过回目、梗概呈现了出来，这不是续写，也没有在书里宣布我要着手续写，没想到有人向媒体乱报料：刘心武要续写《红楼梦》啦！结果这条假新闻引出轩然大波。

于是又想起了故去十年的端木先生，想起了二十几年前那一瞬他的眼神。但愿我这篇关于端木先生眼神的短文，能让人们在假新闻广为流布的情况下，对我的真实状态有所理解。

张中行先生二三事

头一回见到张中行先生，是上世纪九十年代初，在一次婚礼上。他当主婚人。记得他戴一顶法兰西帽，妙语如珠，还伴之以丰富的肢体语言。我颇吃惊。我原来把他想象成一个沉静缄默的人。也许他确有那一面，那甚至是他更经常的一面，但我没机会见到他的沉静，我跟他头一回谋面，他就把其活泼挥洒的一面展现得淋漓尽致。

那天新郎特别把我介绍给他。他跟我很认真地握手。我跟无数人握过手。我往往就握得很不认真，轻轻一碰，就算礼到。人家也多半是触到为止。但那天张中行先生跟我握手，让我现在想起来还仿佛刚刚发生，他也不是那种夸张地用力捏的方式，他是把自己的手温很准确地传递给你，并且似乎也很在乎接受你的手温，握手时双眼蕴含着真诚的笑意，直望住你的眼睛。那天他的眼睛让我觉得格外有神采。

张中行先生眼睛细小。他的单眼皮，我很早就听说过。"四人帮"垮台后，原北京人民艺术剧院的党委书记赵起扬同志，跟我们一些新冒出的业余作者过从甚密，我有次跟他闲聊，说起当年北京电影制片厂向北京人民艺术剧院借于是之去演余永泽一角，老赵就摇头。我开头很奇怪。我说于是之演得很好呀！老赵就说，那哪是演电影，舞台痕迹太重！我抬杠，说《青春之歌》是直接拍电影，怎么会有舞台痕迹？而根据舞台剧拍的电影《龙须沟》，于是之不是显示出摆脱舞台痕迹，进入电影语言的超常功力吗？电影里的程疯子比舞台上的更显得血肉丰满啊！老赵就跟我说，当年他们真不该非找于是之去演啊，他们首先看上的还不是他的艺术功力，而是他那个细高身条单眼皮儿！我这才知道，余永泽的生活原型，其外形跟于是之相似。老赵的看法是对的，就是你从生活原型出发去塑造一个艺术形象，特别是这样的题材这样的一个角色，何必非得去追求形似呢？在那样一个时代那样的社会氛围下，你这样拍出来电影满世界放，该给那仍需在那样环境里生存的原型，包括他的家人。多大的精神压力啊！老赵说他当时没有办法不同意于是之去演，但电影拍成看的时候，余永泽一露面他就感到别扭。

终于在那一天，见到张中行先生了，于是之般的细高身条，细长的眼睛，但是，我们握手，四目相对，他分明是双眼皮啊！

我的疑惑很快被解除，新郎再一次过来招呼我时，告诉我："知道吗？老爷子新拉的双眼皮儿！"

那一年张中行先生已经年过八十。他去拉了双眼皮儿。这是一个爱美的人，热爱生活并且善于享受生活的人，那享受绝不是体现在追求奢侈显摆阔气上，而是不放过那些能使自己快乐，更能令别人快乐的，也许是琐屑的，但是特别有趣味的小事情、小细节上。

我们相识以后，他陆续给我寄来签名盖章的书：《负暄琐话》《禅外说禅》《顺生论》……慢读细品，真是打心眼里膺服、赞叹。

有一回一家报社，请我和张中行先生去北海公园仿膳小聚。只有一桌，客人就我们两个。我真有些受宠若惊。那是盛夏，张中行先生短袖绸衫，满面红光。我那时在报纸副刊开了个《红楼边角》专栏，发表些赏红随笔，其中有一篇专谈大观园的帐幔帘子，因为刚刊登出来，话题就由那展开，张中行先生侃侃而谈，举凡《红楼梦》里的器物饮食，服饰发型，随手拈来，全能解释，并且还生发出一些趣言妙论，可惜当时没能记住，事后也未回忆笔录，咳唾坏玉，竟随风而散，现在想起，真后悔不迭。记得我们还讨论了《红楼梦》里为什么写女性基本上不涉及脚的问题。美国的唐德刚教授探讨过这一问题，提出了值得重视的观点，但是他断言《红楼梦》全书完全没有写到女人缠足，是不准确的，书里写尤三姐的时候，就是因为读了其文字，喜欢得不行，从而想方设法要去认识，想跟人家多聊聊。借一个婚礼认识张中行先生以后，我一直想能有更多的机会接近他。可惜由于张中行先生身体日渐衰弱，不得不闭门谢客，近些年我再没能一睹风采，聆听其幽默妙语。

张中行先生驾鹤西去了，但书架上还有他题赠的书。我要再细细品读。张中行先生一生存疑，边缘生存，提倡顺生，没细读他文字的人，有的就误以为他消极，其实完全不是这样。存疑就是坚守良知，正是因为对"文革"存疑，当"革命造反派"的"外调人员"找到张中行先生，让他揭发杨沫的时候，他才能那样安详地告诉对方，那时候杨沫是真诚地去参加革命的。边缘生存，并不一定就是对抗中心，社会应该是一种多元的和谐共存，中心的人做中心该做的事，边缘的人所做的边缘的事，也是社会所需要，或者至少是应该包容的。顺生，不是苟活，成为"闷人"，而是应该像张中行先生那样，充满情趣地生活。张中行先生留给我们的不仅有著作，还有他的人格遗产。

行为遗产

香港仔位于港岛背后,以前有朋友请我到那里的宫殿式的"珍宝舫"去吃过海鲜。没想到那边的山麓还有个华人永远坟场。坟场的好位置是些望族圈起的几代人的墓葬。其余的坟头墓石杂错得令人眼花。在小思女士指引下,沿弯曲石阶,登到半山腰,见到了蔡元培先贤墓。

按我的想法,蔡先生的墓,该在北京大学未名湖畔。那湖畔是不拒墓葬的,一位美国记者的墓就郑重地安置在那里。但蔡先贤的墓却远在香港。我 2006 年 7 月看到的青黑色镌字碑,朴素无华,但还算庄严。大字刻出"蔡孑民先生之墓",小字则是"蔡孑民先生墓表",细读碑文,才知系 1978 年北京大学的香港、台湾同学会重建勒石。看到一张那以前的照片,简陋的白石墓碑,上面只有标出墓主的七个红字而已。不过蔡先贤 1937 年避战乱旅居香港,1940 年 3 月 10 日在港病逝时,全港学校及商店下半旗致哀,后来在南华体育场举行公祭,有上万香港市民参加,需知那时香港乃英国殖民地,官方当然不会下通知乃至提供方便,下半旗及涌向公祭场所完全是自愿自发的。这说明起码在那个时候,中国人里就是一般的世俗男女,亦知道蔡先生是个圣贤,他的书可能没读过,他的人格力量却是都不同程度地感受到的。

中国传统文化人的写作,除了直接诉诸笔墨的写作外,还有行为写作。蔡先贤遗留给我们后人的文化遗产里,其行为写作部分的价值,更大于他的文字写作。

1917年先生出任北京大学校长，他那"囊括大典、网罗众家、思想自由、兼容并包"的办学方针，不仅有文字可考，更有说不尽的实践例证。他是《红楼梦》研究的开创者之一。他通过索隐，想证明曹雪芹撰《石头记》的目的，是悼明之亡、揭清之失，这在当时的文化语境里，是与民族振兴民主革命的进步潮流相融通的，尽管后来胡适通过考证，揭示出《红楼梦》的写实本质，认同者趋多，而他以为曹雪芹的文本里多是影射的索隐研究，认同者变得越来越少，但这并不等于说他的研究就一无是处了。那种认定"红学"发展就只能是考证否定索隐，思想性艺术性研究否定"烦琐考证"……的线性发展模式，我以为是一种僵化思维，其实各种研究方式、角度、侧重都应该让其有自由发挥的空间，在争鸣中去消长其认同的多寡，而不能由自命绝对正确的"权威"去裁决宣判。当然，蔡先贤在学术上的建树，也是"学术行为"或者说"学术襟怀"，比其具体的学术著作更具价值。我在自己的《揭秘〈红楼梦〉》讲座和著作里，引用了蔡先贤"多歧为贵，不取苟同"的学术宣言，其实他不仅这样说，更身体力行，把这一精神贯穿在其一生的文化活动中。

胡适深受蔡元培器重，两人学术见解分驰但友情常在。胡适1948年从北平东单旷地匆忙登机飞台，随身只带两部书，其中一部是甲戌本《石头记》，可见视为珍宝，但他此前慷慨地将此宝书邮寄借给了当时还没有出道的青年人周汝昌，周和其兄未经他同意就录了个副本，他知道后不但不生气，还认为是应该的，周是在气氛已经万分紧张的情况下，才把书还到胡宅的。如今周汝昌已被国内外许多人视为"红学"泰斗，但他为了鼓励我的研究，近年来以仅一只眼0.01的视力，亲笔给我写来数十封信，提供独家资料供我参。老一辈文化人看重文字写作更看重行为写作，这种文化行为也就是一种文化品格，这种品格实在应该代代相传！

小思不迁

香港的一些早期定型的译名用字憨直,比如渣打银行,并不刻意选用"扎达"(扎扎实实可以达到)一类谐音取吉的字样。在港岛西区半山,有所圣提士反女子中学,也没有把"提士反"文雅化,比如译作"缇施梵"什么的,这倒很符合鲁迅先生反对把托尔斯泰夫人另译作托尔丝苔的主张。

圣提士反女子中学有大片花园,老树蓊郁,灌木花丛围合,幽雅绮丽。十几年前一夜大风,吹倒了园坡上一株高大的凤凰木,至今残桩还凸显于茂草中。据说,萧红的一部分骨灰,就埋葬在那树根下。萧红是谁? 至今学校大门外并没有挂牌,一般人哪里知道,这校园里还有关于一位中国现代文学史上杰出女作家的浪漫故事。

1997 年,一位赴澳大利亚探女儿的白发女士,在几位朋友陪同下,被允进入学校花园,觅到了那株大凤凰木的残桩,她将自己带来的亡夫的一半骨灰,撒向那埋有萧红骨灰的树根,不曾想忽来一阵旋风,将她撒出的骨灰吹得如霰如雾,瞬间已消失在花园的各个角落。一个女人,不远千里,跑来把自己亡夫的骨灰撒给另一个女人,这事在校园里传开后,令许多女生惊异,这不仅是因为她们年岁还小,更是因为她们难知前因后果。据说有些女生,从此就有点怕进那花园,没有历史感与命运感的支撑,很难感受那真挚情感生发出的一派凄美与眷念。

于是,就有一个首先向下一代,讲述香港文化史的任务。暂时还没有任何机构来承担这一任务，民间人士里，挺身而出了一位女士，就是香港中文大学的教授卢玮銮女士，她主动挑起了搜集、梳理、考察、弘扬香港文学发展史的担子。

我结识卢女士，已达二十年。她用小思的笔名写散文。十几年前，她题赠了自己一本散文集给我，书名是两个大字《不迁》。那书出版前后，香港中产阶级市民外迁成风。个体生命有迁徙的自由。小思强调不迁，并没有干预评议他人迁移的意思，她曾跟我讲述，四十年前，有激进分子在铜锣湾百货公司安放炸弹，那天她恰好路过，见到紧急处置现场的警察和许多神情惶恐的市民，她说，就在那一刻，她心底浮出一个明确的意识，那就是：我是中国香港人，我爱脚下这片土地，无论如何，不可以在这里使用暴力来解决问题！

小思是我认识的香港文化人里，为数不多的本地生本地长的一位。2006 年 7 月我赴港参加书展活动，其中一项，就是随小思进行文学散步，从鲁迅先生 1927 年应邀进行两场演讲的基督教青年会礼堂、戴望舒居住过的林泉居和被日本侵略者关押的域多利监狱、许地山教过课的香港大学……一直寻访到岛背后华人永久墓场里的蔡元培墓。

有人说香港是"文化沙漠"，但我跟在小思矮小瘦弱的背影后面，仅仅进行了一上午的田野考察，就由衷地感叹："我没有看到沙漠，看到的是厚重的文化积淀！"

小思虽然已经退休，却比任教时还忙。她说，香港现在是中国言论最开放、出版最自由的地方，而且香港有自己的文学发展轨迹，有大可发掘的文学旅游资源。不迁，是一份挚爱，更是一份责任。

小思发文章、出书、作报告，还亲自出马引领人们进行香港文学之旅。她有多少文学故事可讲啊！仅仅关于萧红，就可以讲她如何在香港写成了经典之作《呼兰河传》，她和萧军、端木蕻良、骆宾基三位男作家之间复杂的感情关系，在日本占领香港的一片混乱中，她如何一度住进当时改作医院的圣提士反女校，病故后端木如何把她一半骨灰埋葬在浅水湾一半埋葬在校园，而端木在北京去世前，嘱咐妻子钟耀群一定要把自己一半骨灰送往那株凤凰木下，与萧红"仙会"……这些故事里融会着历史、人情、人性，是文学的灵感发生处，也是文学赖以流传的精魂。小思不迁，她就是香港的一株凤凰木，绽放出一片艳丽的文化云霞。

马季拿我抖包袱

大约二十年前，我遇到人生中的一次大挫折。因为不清楚深层因素，格外惶惑灰心。那时候我是全国青年联合会的委员，还被选为了常委。青联逢年过节总要搞联欢活动，那次照例给我发来请柬。几位热心的常委，还有青联的工作人员，纷纷给我来电话，他们估计我不想参加联欢，就好言相劝，动员我好歹去聚一聚、乐一乐、散散心。盛情难却，我勉强赴会。

那天我迟一步进入联欢会现场。人们围坐茶话。花团锦簇，笑语喧哗。闷闷不乐的，大概只有我一个人。

演出区里，一个个精彩节目接连不断。我也无心欣赏。不知不觉中，马季、赵炎上场，说开了相声。那应该是个已经表演过多次的段子，我就恍惚曾从电台广播里听到过。马季长我八岁，我还是少年时，他已经崭露头角。他那甜中带酸的柑橘嗓音，还有那总是使劲眨巴眼的经典表情，迷倒、笑倒过无数我的前辈、同辈和晚辈。但我只是他的相声艺术的一个普通欣赏者，我们没有过任何私人交往。

那天马季和赵炎说的那个段子，你逗我捧的，哏花朵朵，虽然许多人原来听过，但好段子总愿一听再听。有时候，表演者的某个应有的瞬间还没到位，激赏者甚至会急不可耐地抢着道出。说到当中一箍节，赵炎问出一句，马季随即抖出一个包袱，那本是许多人所熟悉，也热切期待的一个大哏，马季张口前，有个别听众甚至都替他冒出半句来了，但万没想到，那天马季大声抖出的包袱却是："那不就是刘心武嘛！"

马季改词了！不知道他事先知会了赵炎没有。整个段子具有一定的讽刺性，但在那一箍节那一问一答里，答话所抖的包袱，放在前后语境里，却是一种正面的宣示。也就是说，在当时那种情况下，马季那样抖包袱，等于说："刘心武是个好人呀！"

我当然被那突如其来的声波惊得一震。满场的人都听得清清楚楚，都知道我在现场，都意识到马季是临场抓哏，而他在那个箍节里把我拿来当包袱抖出，却又显得非常自然，仿佛稿本里就是那么写的，赵炎接包袱，也仿佛从来都是那么演出，水到渠成，天衣无缝。人们稍愣了两秒，就爆发出一阵开心的欢笑和热烈的掌声。当时我没有笑，也没顾得鼓掌。只是感觉到有股热力，从耳入心，又由心泵到全身每一部位。

现在我很后悔。那天直到散去，我都没有到马季跟前，跟他照个面、握个手、道声谢。

那是我最后一次在现场见到马季。后来我只是在电视上经常看到他。

我不知道马季本人后来是否还记得，那一年那一月那一天那一晚那一刻，他曾即兴抓哏，用他的表演艺术，去支撑过一个当时相当脆弱的生灵。

挫折是人生最好的教师。它可以使你顿悟。在我人生的大挫折中，有人从背后狠踹我几脚，令我惊异的是，他倒并不真认为我是坏人，只是想以那样的方式证明他是超级好人，以获取多多的奖赏。后来他并未谋求到所希求的，又竭力辩白并未踹人。这当然是极个别的存在。但锦上添花者多，雪中送炭者少，却是世相之常态。我也曾在挫折中灰心到极点，当然，我逐渐变得坚强。这里面有我自己凭借自尊、自信、自省、自我调整的艰辛努力，更有许多人士给予我的善意、宽容与激励，比如当年那些一再邀我参与联欢的人士，我都一一铭记在心；更难忘怀的是马季，在他来说，也许那只不过是他多姿多彩的人生中的惯性行为，在我来说，却是生命途程中的宝贵甘露。

总觉得，马季和自己都还不算老，我虽不善社交，近十多年更从不参与联欢活动，但毕竟与马季同在一城，邂逅的机会迟早会有，那时对他忆及这段往事，道出久存的谢意，也许如同献出窖藏佳酿，更能令我们在回味中微醺。却不料忽然传来马季骤然仙去的消息。

马季在天上笑，使劲眨巴眼。他俯看人世，会看到芥豆般的我吗？我写出这篇短文，愿看到的人士，更加深一层对马季人性美的认知。

大老叽

五十几年前，有诗人写诗，赞美从自己住处窗口望出去，烟囱如树林，烟朵如黑牡丹，意在歌颂热气腾腾的工业建设在城市里掀起了高潮。

五十年过去，各个城市里的工厂已经分期分批搬迁到远郊，北京市区里留存的少数烟囱是冬季烧暖气的，现在从我书房的东窗望出去，就能看到还有那样的高烟囱在冒烟，不过冒出的绝非"黑牡丹"，所谓"黑牡丹"是燃烧不充分的表征，既浪费能源，更造成污染。

我这书房东窗外，视野非常宽阔，整个北京城东部的天际轮廓线，一览无余。特别爽眼的，是可以看到著名的雍和宫。雍和宫里最北边的那座万福阁，三重飞檐，造型奇特，每当晴天傍晚，夕阳照向它，我从窗里一望，金碧辉煌，恍若霞铸虹托的天宫飞落，总是激动不已。

近些年来，北京城大兴土木，倒是不盖工厂没有烟囱耸起了，但是，一些造型上了无创意的楼房，不断地拔地而起，于是，雍和宫那富有鲜明民族特色的瑰丽建筑群，渐渐被它东部各种形态的洋式高楼抢了眼，它自身的轮廓线已失去天空的衬托，背景变成参差高楼形成的、基本上是灰色的、天际轮廓线混乱的一道屏风，这种无意中形成的对比，使雍和宫看过去，成了钢筋混凝土和玻璃幕墙强势建筑群中的一个弱小的琉璃盆景。

北京的城市规划，是有限高规定的。雍和宫在二环以内，周边的新建筑，是不允许超 50 米的，但是它离二环已经很近，越过几百米的二环，那边的限高度就放宽了，可以盖 70 米高的建筑。这样，现在从我书房东窗望出去，就可以看到很高的大老叼。

大老叼，这是北京市民的叫法，它正式的写法应该是大吊车，更严格地说，则是塔式轨道悬臂起重机，是到目前为止盖楼房不可或缺的一种建筑机械。

老实说，二十几年前，在城里看到大老叼，特别是正运作着的大老叼，眼爽心热，非常激动，啊，盖高楼呢！如果写诗，那就会像五十年前的诗人歌颂烟囱林和"黑牡丹"一样，毫无保留地为大老叼唱出赞语。但是，现在看见大老叼，可就是另一种心境了，首先对之警戒：怎么，又拆一片胡同四合院，又要盖楼了吗？盖多高的楼？什么模样？有必要吗？符合限高规定吗？

北京城在膨胀，由于每一个环路外的限高度都在放宽，而又很少有开发商自动放弃那高度，因此，环绕北京的楼群正在形成一道"盆沿"，古北京，北京旧城，包括雍和宫等古建筑群，还有划为保护区的几十片胡同四合院，就都成了"盆底"，北京这座"大盆"如果再这样发展下去，会成为怎样的一个"盆景"呢？

平心而论，在维护古城风貌方面，北京市政府确实也花了大力气，做了不少好事、实事，像菖蒲河公园、皇城根遗址公园、明城墙遗址公园……等的规划修建，都值得称道。但是城市发展中的问题实在还很多，有的还很尖锐，比如让雍和宫"陷落"在一片贴近它的楼区里，就是令人焦虑的现象之一。

建筑物是否雄伟，高度不是最主要的元素。雍和宫建筑群的高潮是最北边的万福阁，它只有 25 米高，但是通过造型设计上的匠心，除了主体楼阁三层飞檐营造出宏伟气势，还从主阁上部伸出悬空走廊，连通到东西两侧的永康阁和延绥阁，仿佛金鹏展翅，这就使它气度更加雄奇。主阁里供奉一尊由整株白檀香木雕成的迈达拉大佛，地下 8 米地上 18 米，进门仰望极有震撼力。这样的古建筑必须在周边辟出起码外延一百米的旷地，才能显示出其雄伟气势瑰丽风韵。

遗憾的是，现在紧贴着雍和宫就是洋式新楼。而从我书房东窗外望，雍和宫东面正在运行的大老叼，数一数竟有 9 个，最高的大概已经高过了 80 米，不知经它参与建出的大高楼，是怎样的造型？即使是非常有创意的设计吧，我也总觉得，它是选错了地方。

这类的情形不止出现在北京。就像当年的烟囱林和"黑牡丹"一样，现在的大老吲和高楼群，如果一度引出过诗意，那么，可以宣布：诗意已经转化为了忧虑，那就是：我们究竟应该如何保存和延续我们城市的内在机理？

异味问题

这是最近发生的事：一家美国顶尖级的金融机构，租用了北京一座新建成的商用大厦的一整层，进驻以后，很快向物业管理部门提出投诉：洗手间有异味。物业方面对那一层的每个洗手间都加强了管理，不仅要求清洁工随时打扫，也增加了除臭剂、芳香剂的用量，还特别放置了最能吸收异味的绿色盆栽，可是，美国公司方面仍然认为气息不合格。

大厦的物业管理部门尽管客客气气地跟美国公司打交道，但背地里不免认为是吹毛求疵。那大厦是请外国著名建筑设计所设计的，造价极高，仅就大堂的气派来说，美国类似的大厦很难与其比肩，所使用的建筑材料和内装修部件，绝大多数也都是从西方国家进口的，总而言之，包括那些洗手间在内，简直就是从美国搬到中国来的，怎么会有问题呢？

美国公司做事极其认真，为此跟物业管理部门组成了一个调查小组，以"打破沙锅璺（问）到底"的精神，一环一环地进行检验，最后发现，问题出在管道上，一是所使用的污水管道制作工艺上欠精致，一是安装时在衔接点上不够准确，这就造成无论如何冲水，总有很少的一些污水滞留在管道的某些微凹处，那些滞留的污水只能通过蒸发的方式，将自己干燥，而所蒸发出的气息，也就必然从恭桶地漏泄出，那是你用多少除臭剂也消除不了的，而增大芳香剂的使用，更只能使那混合而成的气息变得更加怪异。

要彻底解决洗手间异味问题，就只能是换掉原来的管道，并且重新进行精确安装。物业方面认为，答案既然是这样，租用方恐怕也就只好将就一下了。私下里，有物业管理人员说俏皮话：洋鬼子鼻子大，所以那么敏感，就我们自己而言，这样的洗手间，简直就是个香窝窝了！

最后出面来跟物业交涉的，不是大鼻子洋鬼子，是华裔美籍的经理人员，他说，对洗手间的这种要求，是西方社会生活文化中的最基本的构成部分，从建筑角度来说，给排水问题，尤其是排污问题，比天还大，任你那建筑外观如何堂皇、内部如何华美，排污问题解决不好，那就绝对是败笔。物业管理部门的人士说，大厦已经建成，把污水管道全部重来，经济上是绝大损失，技术上也非常艰难，难道您们的不能容忍，就达到了如此程度吗？回答是：一点也不能容忍。异味问题不仅是个气息问题，也是个健康保证的大问题，说到头是个人权问题；我们公司已经将全部设备安装在这里，特别是电脑系统和不间断电源系统，再迁移会耽误业务，因此，现在的方案是：拆换所有的排污管道，全部费用，由美国公司方面承担，大厦物业则负责全部工程的进展，为保证这次的排污管道置换达标美国公司还特别雇来专门的工程师，指导施工和随时检验。

这绝非天方夜谭。那大厦的洗手间排污管道系统就真地那么进行着改造，直到我写这篇文章时，仍未最后竣工验收。

我自认是个极其爱国爱族的人。但我们这个国度里，我们这个民族的社会生活习俗里，一些差劲的地方，实在不能去爱。不重视排污系统的设置，就是一种不能姑息的陋习恶俗。二十年前，我就专门写过关于中国厕所的文章，那时候已经有装潢得十分富丽堂皇的高级餐馆，摆满桌子的丰盛美味，可以令任何一个发达国家的国宴相形见绌，但是，食客内急，餐馆内却并不设洗手间，需要出去到街上的公共厕所方便，而那时的公共厕所的景象，凡过来人想必都记忆犹新，我就深深喟叹——我们这个民族为什么在口腔享受上那么样地不厌精细，而在肛门享受上却那么样地因陋就简？当然，我们的国家、民族在不断进步，现在凡像点样的餐馆都有洗手间，豪华餐馆更有带洗手间的包间，但非常遗憾的是，按上面那样的标准衡量，多数仍是难免异味，而一些很讲究体面的国人，对那样的异味，仍并不在意。现在全世界的飞机场里的洗手间，几乎全是一个模式：敞开式转弯遮蔽的大出入口（以利带拉箱的旅客进出），自动感应的冲水装置与洗手装置……中国现在各处建造的机场照搬不误，好的设计无妨照搬，但是，若干中国机场的这种"全球一体化式洗手间"，不管清洁工怎么及时打扫，也不管怎么多放除臭剂和芳香剂，就还是存在异味！我想，那恐怕也还是管道工艺和安装上的问题——总有些微凹之处滞留残余污水，以蒸发方式在洗手间室内氤氲。

那天收到一本印制得非常漂亮的杂志，里面有一整幅出血彩照，是南方一处山林中的村寨，看去真恍若仙境，令我无限神往。但是比我年轻三十岁的小姜却告诉我，他前些时候去过那个地方，是骄阳下开车去的，离村子还有一公里左右，就有一股不雅的气息扑面而来，进入村里，则异味更浓。什么原因？就是整个村子没有废水污水处理系统，家庭生活的废水，几乎一律是用泼洒到地上靠阳光蒸发的方式耗散。那村子看上去很美，闻起来很臭。村民们的生活这些年有了很大改善，通了电，公路穿村，许多人家看上了电视，吃肉不再算奢华的饭食，但是，却还没有产生改善排污方式的变革意识。

就是在北京，一些集贸市场，一些夏季的大排档，也是没有排污系统或虽有而极不完善，把废水污水泼洒在马路或地面靠蒸发耗散，仍是一种不以为是多大问题的生活方式。

且不说农村的建设问题，拿城市建设来说，不要以为起高楼、追富丽，或者搞前卫、玩怪异就是"与国际接轨"，甚至就算"世界领先"了，说句大实话，与其在"面子"上下本钱费工夫，不如先把排污系统弄完善达指标。我去过美国那样的地方，一片旷地，任何房子没有，但是人家告诉我那是非常重要的城市建筑——因为那旷地下面修造了非常完善的给排水系统，当然还有供电、供气系统，其中最容易被我们忽视而人家又最为看重的，则是废水污水排散处理系统；那地方向公众开放后我又去过，整齐地排列着若干住宅式大汽车，那些车宅里厨房、卫生间一应俱全，而所停放的位置，有可临时接通的上下水道相应，绝对看不到有人把废水污水泼向地面以求蒸发耗散的景象。

　　什么时候国人普遍意识到排污系统的事情比天大，什么时候我们无论哪里的卫生间里都彻底消除了异味，我们的城乡建设才算真正达到了人类普适性的文明层次。

大角瓜

　　室内装饰，各人趣味不同。二十几年前，我很喜欢在室内摆放种种旅游带回的小摆件，意在望之可回味旅途中的美滋美味，现在回想起来，实在有些堆砌。那时一位名画家来我书房小坐，环顾后说："我拿点东西来给你摆放吧。"我听出那是对我室内装饰的含蓄批评，当然也表达出一种真诚的善意。

　　去别人家做客，有一次见主人家中满壁名家字画，主人说，平时绝不悉数挂出，甚至全部收起，只挂些非名家的一般字画以作装饰。那是懂得收藏的人士。一次在国外赴"派对"，主人是一位热爱中国文化的人士，同赴"派对"的有几位同胞，其中一位拿起那主人摆放的一具造型优美的瓷器，仔细端详后告诉我："是真货，明代青花。"还立即报出了一个行家的估价，令我对西方主人和同胞客人都非常钦慕。家中摆设，当然是一种符码，精心地摆设，则构成一个符码系统，这系统传递出的信息里，除了审美品位，当然可以还有身份与财富的显示，这很正常，我绝不能撇清高，因为自己无条件提升自己室内装饰符码的"含位量"与"含金量"，就去讥讽甚至抨击别人在室内布置上的全方位的高追求。

　　我爱我家。我家我做主。正所谓"关起门来当皇帝"。"守着多大的碗吃多大的饭"。"可着脑袋做帽子"。城内居所，我把它叫做"绿叶居"。经过一番重新装修后，因为心境的新状态，其面貌也有了很大的变化。我现在很少在家中待客，一般社交活动都约在外面咖啡馆或茶寮。但偶尔也会在家接待某些人士。一位熟人乍进后表示不解："你原来那些摆设都哪儿去了？怎么成了四白落地？"环顾一番之后又说："如今西方风行简约主义，你是不是又想得风气之先？"

那位熟人在我客厅里，发现一只大角瓜，俯身去摸以前，这样揶揄我："原来你是'弱水三千，只取一瓢饮'啊——别的摆设全收起，单拿这玩意儿骇人眼目！是什么玉料雕的？不是玉也是瑛石，这么大的个儿，价值不菲吧？"抚摩细观后叹道："真是农作物呢！把它斜放在壁挂式等离子电视机旁，相映成趣啊！"

我说："接接地气嘛。"

大约十年前，我在京郊农村置了一个书房，取名"温榆斋"。"温榆斋"附近还有农田，有湿地，不仅真有田野的气息会沁入书房，更结交了几位村友，感受到淳朴的人际温暖。村友中，最人高马大的是耿鞭儿，鞭儿自然是个绰号，他原来是村里的车把式，随着他们村的变迁，牲口拉的大车被彻底淘汰，车把式也不再成其为一种职业，耿鞭儿眼下在村旁的商品楼区改做水暖工。他前年挥泪别骡马大车的事情，好长时间都是人们的谈资。四年前还偶尔有人来请他用骡马大车拉东西，三年前就完全闲置了，他固执地养着那骡那马，没东西可拉，就自己驾着大车去村外道路上转悠，俨然一道奇特的风景。前年有人牵线，百里外还使用骡马大车的村子里，来了个跟他同龄的中年汉子，把他的骡马大车整个儿买走了，人家赶着骡马大车走的时候，据说那骡马不时回头望他，他痴痴地望着牲口大车远去，人家都拐弯没影儿了，他忽然用两根手指弹去腮上的泪珠，脖子上几根筋暴起老高，粗声高喊："你得善待！"

耿鞭儿只留下了长长的、梢上缠着红绒线的竹鞭儿，就斜挂在他家客厅的正墙上，形成一个非常夺目的装饰品。

不要以为耿鞭儿是个守旧的人。他家头几年翻盖的大房子，正房七间以大落地玻璃门窗封住阔大的前廊，里头的装修也是吊顶射灯什么的，家具也是沙发席梦思床全盘现代化，家用电器一应俱全，包括开通宽带的新款电脑——那是给孩子们置的，他的儿子去年已经考上大学，在机场地勤配餐的闺女能唱英文流行曲。但是新派的儿女绝对尊重父亲的那根赶大车的长鞭。我和耿鞭儿坐在那根鞭子下面的沙发上，聊过许多旧事新闻。

　　活在当下，莫忘从前。人在高楼，需接地气。耿鞭儿在我"温榆斋"里，看到过大桶的鬼姜花，知道我之所爱，于是，有一天，当我回到城里"绿叶居"，正整理书稿时，他飘然而至，汗津津的，手里拎着个好鼓的蛇皮包，他用粗壮的胳膊扇大的手掌，从里面取出一样东西，咧嘴宣称："包你喜欢！"

　　这就是大角瓜的来历。

海棠有香

宗璞大姐来电话，说写成一篇《感谢高鹗》，已经嘱咐她的助手发送到了我的电子邮箱里。她的文章交《随笔》杂志刊出，愿让我先睹为快。打开邮箱一口气读完，文如其人，坚持己见，却又温婉通达，是她与我讨论《红楼梦》一贯的语气。

我与大姐交往多年，共鸣处极多，但在欣赏《红楼梦》上，对高鹗续书意见分驰，我说"糟"，她说"好"，争论不止一次。近些年大姐视力大损，看人全成印象派绘画，开头那影像还接近"点彩派"，到后来影影绰绰彻底抽象，但她听力尚好，我的《揭秘〈红楼梦〉》，她听得认真，意见也就极其丰富，每次通电话一一道来，使我有池塘生春草之感。

在高续的评价上宗璞大姐虽然跟我意见南辕北辙，但她有一个最基本的文化立场，那就是学术问题只能争鸣而不能由什么机构什么权威来宣布正、误，提供"标准答案"，尤其是社会科学领域的问题，又尤其是文学艺术领域，更尤其是讨论《红楼梦》，只能是在持续的争鸣中，由参与争鸣的各方，共同来推进认知，去逐步接近真相与真理。宗璞大姐一方面很自信——相信自己的直觉，也相信自己的思考结果，轻易不会放弃自己的结论；另一方面她又很不自信——不自信真理独在自己手里，愿意倾听跟自己不同的意见，愿意平等讨论，并在讨论中调整自己的思路，修正自己的观点。大姐这次发送过来她的文章，不是"先礼后兵"，而是平等切磋。她以一贯亲切活泼的语气在电话那边建议："咱们来场讨论，树立个风范，好吗？"

我理解，她是想给社会增加点"和而不同"的例子，让大家更明白：和谐的内核应该是平等、对话与包容。

给王蒙发去电子邮件，马上回复了。大姐、蒙兄和我，对高续的看法各不相同。大姐"感谢高鹗"，前提是高鹗乃一续书者，蒙兄则觉得120回应系一人所写，高鹗大约只是后40回文稿的整理者。我呢，在新书《揭秘古本〈红楼梦〉》中，强调曹雪芹本是写完了《红楼梦》的，全书不是120回而是108回，高鹗的续书完全违背曹雪芹原稿的意思。我把大姐"平等讨论树立风范"的想法通过电邮告诉蒙兄，建议我们三人将来就高续问题发表通信，他欣然同意。在《红楼梦》问题上的分歧不但不会令我们反目，反倒会增进我们的旧谊，人生一大乐趣，就是履行"世法平等"，像大观园里的诗社一样，"各有主意，自管说出来大家平章"！

其实，《红楼梦》作者究竟何人，至今仍有歧见，比如土墨热先生就认为是洪升，赐寄我皇皇大著，我兴趣盎然地捧读后，虽然到目前仍难认同，但觉得他的见解很有价值，他的一些论据和逻辑链，我曾兴致勃勃地跟亲友复述，一位熟人未免惊讶："你这不是为敌人宣传吗？"我一愣，难道跟自己观点不同的人，就该视为敌人、仇家吗？我跟他解释，自己信奉蔡元培先贤那"多歧为贵、不取苟同"的学术主张，虽然提出了独家见解，也颇能自圆其说，但绝不自认真理独掌，很愿博览各家之说，从中汲取营养，以增见识扩思路，一旦遇到不得不服膺的高论，则甘愿放弃己见，愉快认同。

张爱玲说人生有三恨：一恨鲥鱼多刺，二恨海棠无香，三恨《红楼梦》未完。这是她铭心刻骨的生命体验。但生命具有多样性，感受更各不相同。我少年时代居室窗外，就有一大株西府海棠，逢春花枝甚至伸进窗内，我就总感受到满院满屋氤氲着海棠花的特殊气息，那确实不同于一般意义上的花香，但就嗅觉的审美感受来说，不是海棠香是什么呢？海棠有香，这是我与张爱玲不同的观点。我与宗璞大姐、王蒙兄对高续的感觉不同，各自陈述，都供参考，不敢说对红学能有多大推进，但能进一步引发、提升大家的"红趣"，也就正如海棠花满枝绽放，不枉春天之约了。

野薄荷

佛寺旁院，是旅店最幽静的部分。团体包房，喜欢在寺外阳坡的新楼里；一般散客，也多嫌古老僧舍改造的客房有潮气。我却觉得那古院巨松、瓦房游廊别具魅力，选择了其中一间东厢房，住进去整理书稿。除了周末，那院里住客寥落，有时候就只有我一位。

院里不仅有三株冲天油松，正房前的两棵西府海棠枝叶垂地，令人联想到古代的青庐——初秋当然无花可赏，但点缀着玉黄色小果的茂密绿叶，风姿不让春葩。南墙两侧则是几丛翠竹。南墙外还有个套院，小小石桥跨过小小眼镜湖，湖里睡莲开紫花，有小小的锦鲤在绿波下摆尾游弋。湖边有多种树木，最显眼的是高高的柿树，结出的高庄柿子太多，啪嗒，会眼见着金黄的柿子落地，我认为是树枝不耐负重故意抖落。

摆弄电脑里文稿累了，到院里散步，是最惬意的时光。翘起大尾巴的黑松鼠像表演杂技，瞬间就从油松枝上游梭到竹丛又跃向另一株油松高处，速度赛过刘翔。总有野鸽子咕咕叫，觉得就在身边，但寻觅其身影洵非易事，倒是黑白花和灰蓝色的喜鹊极其大方，时时在身边低飞，还喳喳不停，仿佛在讥笑我是"抠门儿大仙"，居然不给他们准备零食，我也曾抛撒些面包屑，它们根本不感兴趣，可我又哪里能给他们找到比院里自然存在的虫子更香的东西呢？

住到第三天，一大觉醒来，忽然窗外人声刺耳——说不上是喧哗，实在令人怪讶。且不洗漱，出门观望，大惑不解——七、八个师傅在蹲着铲地皮。那院子铺敷了十字形带花边的石砌通道，通道切割出的有树木竹丛的地面，原来生长着自然地衣，大体是蛇莓和野薄荷，望去如茵，嗅有淡香，铲掉它们作甚？干活的师傅们外地口音，边干活边聊他们的家常，领工的是本地人，沏瓶热茶坐在石桌边的石墩上，耐心地跟我解释，说是旅店新的规划，树下绿地一律要改成统一的冬不枯草皮。

地表绿化也非要公式化吗？那新楼外面的绿地铺冬不枯草皮，与不锈钢的抽象派雕塑倒是般配，这幽僻古院，就任蛇莓野薄荷春绿冬枯有何不可呢？我正喟叹间，师傅们铲下的植物已经堆成一垛，而运进来的以工业化方式批量生产的草皮，也一卷卷地堆成了垛，他们是流水作业，这边铲那边铺，里外院的绿地改造，一天就完工了。

我从未及运走当做垃圾扔掉的杂草里，挑出了几茎还颇完好的野薄荷，布满细绒毛的多齿叶片，还有茎端那爆裂为无数鳞片的淡蓝泛粉的小小柱形花，仿佛都在微微喘息。我从卫生间取出一只本来为住客漱口准备的玻璃杯，插上那野薄荷，搁在了电脑边。

又过了两天，敲着电脑，一瞥之中，忽然奇怪，那野薄荷怎么竟不枯萎呢？细观察，发现眼前的、已经不是那天拾来的——恍然大悟，敢情是收拾客房的服务员代为插入的！

旅店客房大体实行背靠背服务，一般都是我出院去新楼餐厅吃饭时，回来屋子就清理好了。那天我故意回来得早些，于是遇上了服务员。其实初入住也见过，交谈过几句，知道这小院是两个人轮值，白天是女服务员，晚上是男服务员。我问还没清理完房间的女服务员："野薄荷是您每天为我换的吗？"她点头。又问："院里的都铲掉了呀，您从那儿来的呢？"她答："外院墙角太湖石边还有不少，他们网开一面。"我跟她道谢，这才看清她的面貌，眼睛细长，牙齿不齐，难称美丽，但嘴角的微笑很真诚。我跟她说："我是不赞成铲掉自然地衣的。何必全弄成一个样子呢？"她就说："是呀。有差别才有意思啊！"顺便指指给我换上的两只外表一样的热水瓶："这只到明天早上还热，那只到晚上就温了，它们性格不同，您要热要温，可以区别对待。"不多的话语，令我对她刮目相看。

她每天为我电脑旁的玻璃杯里换野薄荷——这应该算一项额外的服务，我觉得她似乎知道我是谁，但她绝不问我什么，我呢，心里泛起许多揣测：她也许具有大学本科学历，却偏选择了这样一个工作，甚或是为了忘却什么重塑什么，但我也坚持绝不向她打探。

预定住一个月，到二十天的时候因故撤离，退房前我去她所在的那间悬挂着"服务台"牌子的屋里，想跟她一总地道个谢，她不在，我却惊讶地发现，柜台上扣放着一本显然是她抽空就读几页的书——普鲁斯特的《追忆逝水年华》。

回到家里，打开电脑，有股野薄荷的气息，刷新着我的思维。

新手茧

说起当年下乡劳动拔麦子，有的年轻人不信：就算没有使用农业机械，至少该拿镰刀割啊，怎么能徒手拔呢？当年我参加下乡抢收，就是连镰刀也不发，大家伙一起用手拔。拔麦子比用镰刀割更讲究技巧，不会拔的弄得手掌流血腿脚跟跄，事倍功半。会拔的嗖嗖嗖一路突进，连根拔起带甩土捆扎麻利脆。但不管笨也罢灵也罢，麦收归城，手掌指根下都会磨出茧花花。那时候体力劳动绝对高尚于脑力劳动，手上无茧丢人现眼。

三十年不再参加重体力劳动，家务劳动也大都电气化了，指根下老茧渐渐退尽。但二十年前，我右手中指左侧，出现一个豌豆般的茧子，那是所谓笔耕的产物。也曾举起那带豌豆茧的指头细观过，自我表扬，也自我揶揄——"当不了特务啊！"此话怎讲？原来上世纪五十年代末六十年代初，从苏联引进来一个文学品种——"反特小说"，自己年轻，好生喜欢！先是大量看翻译过来的，后来我们国家自己也出那样的小说，记得有部小说里，写一个女特务混到干部家里当保姆，自称文盲，开始很得信任，但后来就被侦察员识破，因为发现她右手中指左侧有个圆茧子！现在想来，那算得多么高明的推理？当年却为作者设置的这一细节大为叹服。手指上部的圆茧子是知识分子，特别是作家的标志，这标志从未必光彩，转化为引为自豪的一种象征。"知识分子属于劳动人民的一部分"，这样的话让如今年轻人听起来跟绕口令一样，改革开放初期却着实让我这样的"旧学校培养的学生"——这又是一个"典故"，不解释也罢——激动得眼睛潮湿。时过境迁，不要说年轻一代往往难以理解三十来年前的某些事态，就是我自己，作为过来人，想起当年在北京工人体育馆里举行的诗歌朗诵会也会发愣——那时候就是"清颂"，绝无音乐伴奏，更不可能穿插歌星演唱加上伴舞，哎哎，如聆仙曲啊！记得一个诗句被朗诵者动情地锐声喊出，哗，全场沸腾，听的人是真正地热血澎湃啊，我也不例外，巴掌都拍痛了！年轻人会问，那是一句什么诗啊？告诉你吧，是这样的一句——"政策，必须落实！"——信不信由你，真是这么一句。这诗句也成老茧，消退得了无痕迹。

十五年前我也"换笔"，就是改用电脑写作。开头也没在意，后来觉得右手中指上部有些痒痒，细看，原来是那被真笔磨出的茧子在作怪，用左手去撕，居然撕下一大块，再后来觉得痒痒就用牙去啃，然后用拇指去揉，这么一来二去的，天长日久，跟掌上那些拔麦子磨出的茧子一样，竟很难再看出痕迹。

有时会在城里工地，跟外来民工接触，或在农村田野，与村友小聚，就发现他们的掌上，仍有厚厚的茧子。他们手上的厚茧，是社会分工的标志，对此人们心平气和，但他们那厚茧是否换来了足够的尊严与社会保障呢？想及此，如果依然心平气和，那就是整个心都成茧子了。

用电脑写作，好处太多，唯一的为难处，就是偶有来要"作品手迹"的，无法满足，实在非要，碍于情面，只得"重操旧业"，拿起真笔来划拉，但右手中指已无鼓茧，总觉笔尖不那么听使唤，照着打印稿或印刷品抄写，真有对镜拔除白发的沧桑之感。

前些天下楼遛弯，老伴跟我牵手，忽然甩开惊呼："你有新茧子啦！"她指点，我细看，再摩挲，果不其然——是在右手掌底部右侧，跟腕部衔接的地方，不算明显，却是"茧花初现"——啊，恍然大悟：是长期使用电脑鼠标，磨出来的！

摩挲着自己掌上的新茧子，心情大畅。这些年来，坚持种四棵树：小说树、随笔树、建筑评论树、《红楼梦》研究树，不敢说这些树结出的果子有多优良，但除非偶尔病倒，或短期外出旅游，天天敲电脑，日日有收获，自己分明属于辛勤的劳动者，是个不争的事实。接地气、动脑筋、写文章，已经成为我几十年如一日的生活习惯。生命不息，劳动不止。旧茧消退，新茧又出。茧花啊！你是创造力仍健的标志，也是心灵充实而快乐的证明！

动物园里观植物

半个多世纪前，有一个少年，随学校组织的春游队伍进入了西郊动物园，看猴看熊，看虎看象……好高兴啊！但是，不知怎么的，他发觉自己走丢了！周围全是生面孔。惶急中，他小跑着找同学、老师，却越来越孤独。他是朝西跑去。那时的动物园，展出动物的区域比现在小太多。西部基本是些野景，有溪流湿地，有高大的乔木、翁翳的灌木，还有自然生长的野草野花……他无形中放慢了脚步，仿佛进入了一个仙境，不再惶恐，满心欢喜。就在那里，他看见了一排钻天杨，树干笔直，层层树枝全都紧贴着树干往上钻，整个树型活像巨大的毛笔，树叶就仿佛是笔毛上刚蘸的绿墨，润莹莹的要滴落下来……

北京本来多柳多槐也多杨，那时候他家所在的那个大四合院西边，就有一排大杨树，早春时分，杨树枝上就缀满"毛毛虫"——其实是杨树的花穗，花穗落地，捡起来，塞到小布袋里，塞得敦敦实实，然后缝牢布袋，成为一个有些软还会变形的六面体，那就是跟院里孩子们玩"拽包儿"游戏的工具，当然，"拽包儿"一般是女孩子们扎堆玩，男孩子多半玩的是弹玻璃球、拍"洋画儿"，但那少年偏喜欢跟女孩子们玩"拽包儿"，还一起跳"猴皮筋"——扯远了，还说杨树，四合院里、胡同里、街道旁、学校操场边的杨树，都是些枝杈大大咧咧、叶片吵吵闹闹的品种，可是那天那少年在动物园看见的，却是别处很少见到的钻天杨，那奋力钻天的树型，使他小小的灵魂，受到震撼，得到启示……

他在被钻天杨吸引时,还并不知道那树的名称,是回到家里,问起父亲,父亲告诉他的。父亲还把动物园的沿革娓娓道来,他这才知道,那片地方,原来叫作"三贝子花园",清代皇帝给皇族男子封爵,有亲王、郡王、贝勒、贝子四等,那地方曾归一位排行第三的贝子所有。跟正儿八经的贵族园林相比,这花园里建筑不多,人工雕琢的处所也少,野景为主,野趣迷人。晚清时此地先成为"农事实验场",引进了一些外国植物,钻天杨原产地是美国,想必就是那时候引种的。后来,又在其东部成立了"万牲园",从国外买进了一批动物,乘海轮先运到塘沽,再运进北京。新中国成立以后,动物园增添了许多珍奇动物,但大体还保持着"东动西植"的格局。

那次春游以后,语文老师让大家写篇游记,他没有写看动物的感想,写的是看钻天杨后受到的启发鼓舞。发作文那天,他惴惴不安,老师会把他的作文当成"跑题"的反面典型吗?出乎他的意料,语文老师在表扬了好几篇写看动物写得好的作文以后,最后也念了他的作文,而且说了这样的话:"有两种'出格',一种是破坏性的,于人于己都不好;另一种是'建设性出格',或者,虽然还谈不到是一定建设出了什么新东西,但是,起码是一种好心好意的实验,我们可以叫他作'实验性出格',这是应该被鼓励的……"他至今感念那位语文老师的指点与鼓励,他到动物园里最深刻的感受却是看到了特别的植物,他那"出格"的个性,能永葆是建设性或者实验性的吗?

在这座拥有世界一流的动物园的都会里,少年已经穿越沧桑岁月,成为一位老人。前些天他和老伴一起,重游那承载着他们太多生命记忆的地方,他们把逛动物园的乐趣,更多地放在了观植物上。好多的柿子树,殷红的叶片落在绿草上,金黄的柿子缀满枝;金银木那凤尾般的枝冠上,结出红珊瑚般的小果实;那株枝条披拂的高柳,一定望见过慈禧太后前往畅观楼的轿舆仪仗;那巨塔般的墨蓝色雪松,在沉思着什么?……啊,钻天杨,它们还在!只是更粗壮、钻得更高了。他就跟老伴说,见到这钻天杨,就又一次意识到:学无止境,思无终点。他查阅了相关资料,知道乾隆中期,这地方被叫作环溪别墅,那位"三贝子"死后,这片花园一度为富察明义拥有，这位字我斋的明义，看到过一部来源于曹雪芹的《红楼梦》，写下二十首题咏，收入到自己编就的《绿烟琐窗集》里，非常值得研究。

退休了，无工作任务了，但不忘当年语文老师的鼓励，在阅读古典名著的过程里，产生一些新憬悟，公之于众，分享心得，共同讨论。当年那个顽皮的少年，如今在钻天杨面前，庆幸自己仍有一颗不老的心。

心财至贵

整理旧照片，其中一部分是一九八七年第一次访美时拍摄的。那时候刚拥有"傻瓜机"，又置身在感觉无比新奇的"西洋景"里，所以拍得特别多，几年前也曾挑出一部分进行扫描，存放到了电脑里，不过挑出的几乎全是"外景"，意在通过典型的美国风光增强那次访问的异国记忆。室内与别人的合影少部分插在了相册里，多数放在一个牛皮纸口袋里。这次着重整理的，就是牛皮纸口袋里的那些，其中一张原本没怎么特别留意的，这回忽然让我眼热，凝视良久。

那张室内照，我居中间，两边各一位先生。人像颇大，显露出的背景不多，但我还是很容易回忆起来，那是在当时《华侨日报》总编辑谭先生家中。当时他家位于百老汇街南段的一座高楼里，他在家里为我到访安排了一个大型的"派对"。那种格局的公寓，那时候我才第一次见识，它一端是敞开式厨房，然后是开放式餐厅，再往下是用沙发围成的第一会客区，然后是敞开式书房及第二会客区，最后是一架三角钢琴占据的演奏区，这些连起来大约有三百平米空间的各活动区域之间，绝无墙壁隔断，两面都是高大的落地玻璃窗，将那曼哈顿的万丈红尘展露无余。后来他请我到他家小住数日，才发现书房一侧有个通道，穿过去，才是他们的卧室、儿童间和客房。

谭总编家里那宽敞的空间，邀几十位来宾参加"派对"并无拥挤感。餐桌上摆满酒水小点以及热菜主食，宾客自取，随意组合，或坐或立，谈笑风生，从傍晚一直持续到夜深，最后窗外满是流光溢彩的霓虹灯，以及远近摩天楼的万窗灯火。

那天我是主客，参加"派对"的洋人不多，满眼同胞，当然，有的已经加入美国籍，有的来自内地，有的来自台湾，有的来自香港，其中大部分是文化人。一九八七年那一年开初，我惹了事，王蒙在他自传第二部《大块文章》里有所叙述，可参看，这里不多说。我惹的事我承担，这本来是个局部的问题，没想到一时搞得很大，以至海外反应强烈，甚至对中国究竟还能不能坚持改革开放有所担心。在美同胞自然也都关切，到了下半年，形势明朗起来，中国改革开放的方向并无改变，《华侨日报》向我发出邀请，有关部门批准成行，到了纽约。在哥伦比亚大学进行第一场演讲，我的题目是《十年辛苦不寻常》，以一九七七年发表短篇小说《班主任》始，个人在文学创作和文学编辑过程里的体会，现身说法，告诉大家。无论如何，中国改革开放的大方向不会改变。那天的"派对"，就在哥大演讲的当晚举办。气氛很热烈。许多来宾约我合影，我把"傻瓜机"交给谭总编，他拍了许多。

如今我凝视的那张照片，左边那位分明是音乐家谭盾，右边那位，无疑是画家陈逸飞。谭盾那时候正在纽约攻音乐博士学位，他的一些刻意将中国古典文化元素融入西方曲式的创新之作已经问世，并且已经获得了国际奖项。陈逸飞那时已经开始以中西合璧的画风在美国获得非同一般的知音。但是，我要承认，当时我对他们知之甚少，虽然后来他们名气越来越大。我也记得他们曾参加过那次"派对"，但我对是否与他们合过影，始终不曾有深刻印象。恰巧这回整理旧相片前，电视台刚播出一台有谭盾参加的节目，因此翻检到那张旧照片，就觉得怎么如此眼熟啊？帮我一起整理的年轻朋友说："呀！双名人啊！"他指出那边一位是陈逸飞，陈逸飞前岁英年早逝，对他的报导尤多，他的相貌我已熟悉，对照二十年前合拍的照片，就是此人！望着照片，我感慨万端。

在电视节目里主持人问谭盾："你最珍视的财产是什么？"他回答说："想象力。"二十年过去，谭盾脱去青涩，精壮成熟。想象力是一笔取之不尽、用之不竭的心财啊！陈逸飞的想象力不仅体现在静止的油画，还体现在自编自导的电影里。可惜他未拍完《理发师》就仙去。人最宝贵的财产确实是心财。当年这两位杰出的艺术家挨过来与我合影，他们心里想的是什么？翻阅着那天所有的合影，觉得人虽各异，情却相通，就是他们都愿意以一种言语以外的善意，来支持一个定居北京、参与改革开放进程的写作者和文学编辑。通过祝福我来祝福亲爱的祖国，再不要折腾来折腾去，把强国的步子迈得更坚决更稳妥。摩挲着旧照片，一股热流贯通全身：善意，革新，坚持，这是我们共同的心财啊！

从抖腿到凝神

我小时候绝非神童而是顽童。四五岁的时候，在重庆，父母常带我和兄姊去看厉家班的京剧。厉家班是抗日战争时期陪都最出色的戏班。"重庆谈判"的时候，毛泽东和蒋介石并坐观赏过厉家班的演出。但那时候我看不懂京剧，在哐哐哐的锣鼓声中，坐在大人膝上，兴奋莫名而已。八岁时随父母到了北京，新中国有了新剧场和新式演出。有趣的是，父母都很适应京剧的新式台风，我却偏冥顽不灵。有回他们带我去看戏，我在座位上扭股糖似的不安生，哼哼唧唧地无理取闹："我要看茶壶嘛！怎么老没茶壶嘛！"原来旧式京剧演出，主要演员唱完一段或数段，就会有一位穿长衫的人端着一个小茶壶，出来喂歇气的演员饮茶润喉，行话叫"饮场"。虽说京剧是大写意的虚拟手法，但"饮场"毕竟破坏了剧情的连贯，而且，你想想，无论是即将碰碑的杨继业，还是带枷发配路上的苏三，观众正同情他们的悲惨遭遇，却忽然一段唱完有人来给他们喂茶，如此享受，作何解释？除了"饮场"，旧时还有"检场"，比如《三堂会审》，苏三跪下前会有穿长衫的人来为她放下软垫，终于唱完站起来后那人又会出来取走那个软垫。我小哥很早就是票友，攻梅派青衣，他在家里自排《三堂会审》，我就总盼着当"检场"的给他放椅垫，后来他很不耐烦，翘起右手食指"嘟"地一声将我斥退。

看京剧，起初我只爱看三种剧目。一种是开打的，《三岔口》那种"冷打"不甚喜欢，最喜欢的是锣鼓喧天中满台扎靠背旗摆翎的武生花面，耍着大刀斧钺双锤双铜，激战得不亦乐乎，而且当中还一定穿插许多小兵的筋斗连翻，每当锣鼓顿止，台上诸战将凛然定格亮相，我也会和大人内行一样使劲鼓掌。第二种是旦角戏，但《武家坡》那种青衫贫相的旦角不懂得欣赏；《贵妃醉酒》那样的宫妆又觉得累赘；最喜欢的是《凤还巢》里程雪娥那类的装扮，头上许多饰物在灯光下闪烁如星，更有那衣衫上绣出的大朵牡丹或七彩珍禽艳丽夺目，如有这样的"阿姨"（刚到北京还不习惯使用"阿姨"一词）贯穿全出，则剧情已在其次，小小的心，完全被其华光异彩所迷惑。第三种是剧情层次分明的"整戏"，如《三打祝家庄》，有悬念，有跌宕，小孩子也能看得明白。

十来岁的时候，跟家长去看戏，大体上坐得住了，但如果是沉闷的折子戏，前后剧情不明，只有一个衣衫素净的老旦或老生在台上咿咿呀呀许久，我不耐烦，不由得左腿便连续抖动，母亲一般总坐在我左边，她就会眼睛盯住台上，右手默默地按住我的左腿，或者更轻拍几下，以示制止，有一回我仍顽固地抖腿，她忍不住侧过头来，轻声责备："幺幺，不可以！"那时的剧场基本上都是铁木结合的连体椅，我的抖动，使附近坐席上的观众也感觉到了，妨碍他们静心赏戏。记得那回观戏到家，父母跟我郑重地讲了一番道理，大意是无论看得懂看不懂，要尊重演员的演出和同场观赏的人士，而且，艺术这个东西，你以一份虔诚的尊重进入，久而久之，原来不知其味，渐渐可以品出醇厚的美味。在父母兄姊的指点带动下，我不但逐渐改掉了在剧场里抖腿的臭毛病，像边看边吃零食呀，非把没喝完的汽水带回座位、一不留神把搁在脚下的瓶子碰倒滚动吭当当响呀，没到半场休息就非要挤出大半排去如厕呀，等等行为也都逐渐克服。到十三四岁的时候，以欣赏京剧来说，我算得上基本入门了。像老旦戏《傅氏发配》、麒派老生戏《徐策跑城》，场面并不华美热闹而心理冲突细腻复杂的《二堂舍子》等我都能凝神观赏、品出味道了。

现在影视网络文化发达，像在露天或体育馆里举办的歌星大型演唱会，我也将其划入此类视听文化的范畴，古典意义上的剧场演出，相对式微，京剧和其他戏曲都不够景气，连"大剧场话剧"也比较萧条，"小剧场话剧"虽然活跃却又"星火"难以"燎原",倒是音乐会和芭蕾舞等品种较为热络。但以我身临现场的感受,总难获得一个"虔诚尊重"的欣赏氛围,不管演出前怎样广播提醒,演出时总有手机彩铃声响起、闪光灯明灭;有的年轻恋人是观赏为次欢聚为主;或演出间进进出出,零食不断;或座席上姿态坐派不雅;有的年轻父母望子女成龙成凤,却又不会教育指点,台上音乐偶像献艺,台下幼龙雏凤比抖腿还要嬉皮。

愿以母亲留下的一句话勉励自己,并供大家参考:要像爱惜每一篇字纸一样,珍惜这辈子亲眼看到的每一场演出。

找不同

那天从城里书房绿叶居去往农村书房温榆斋。到了温榆斋门口才发现忘带开门钥匙，只好再返回城里。轮换在两处书房里活动，已有八年之久，忘带开门钥匙却是头一遭。难道我已成了一个"恍惚的人"？

《恍惚的人》是一本小说的书名，作者是日本女作家有吉佐和子。这本小说在"文革"后期作为"内部参考读物"在中国翻译出版。当时译介它，是认为内容具有揭露资本主义社会老人尴尬处境的进步意义。后来粉碎了"四人帮"，出版社将其正式发行，被当时如饥似渴地扑向外国文学的读者们飞快购尽，于是加印几次，达到很大的一个印数。我那时读这部小说，最深刻的印象是作者冷静的写实功力，有一个细节，写冬日老人来不及入厕失禁，在廊檐下往雪地里尿出一串"冒号"。说它是揭露资本主义社会对老人的冷漠，当然是一种解读，但作者其实是透过老人题材，写人性，探讨生老病死这一永恒的主题。花无百日红，人有衰老时，未老者如何对待老者？老者如何面对自己？任何体制的社会都存在着这样的课题。"恍惚的人"需要在夕阳箫鼓里有尊严地默默燃尽生命最后的光焰。

一九八一年，我参加三人组成的中国作家代表团，应日本文艺春秋社邀请赴日访问，在东京见到了《恍惚的人》的作者有吉佐和子，她是一个带男相的妇人，而且做派也很有点中国古代梁山好汉的气概，她和我们代表团长杜宣是老相识，知道杜宣在"文革"中吃了苦头，见杜宣那天腕上无手表，当即抹下自己腕上的一块高档手表，让杜宣戴上。她说话直来直去，听说《恍惚的人》中译本印数已达十万册，我们本来以为她会高兴，没想到她板起脸问："谁让你们印那么多的？"竟然生起气来。从那一天起，我算知道了他们那边的文化，和我们这边文化的一大不同，就是雅文化包括纯文学和俗文化，包括畅销书，这是两个不同的文化领域。虽然二者也有交汇融合的部分，好比两个各有圆心的大圆边缘互割，形成一处暧昧的"叶子瓣"区域。但两个大圆那"叶子瓣"区域外的广大部分，是互不相干的。有吉佐和子是一个纯文学作家，她写的书拥有一个固定的读者群，出版她的书的机构绝不会亏本，她当然也能获得不菲的版税，过着尊严的小康生活，但她不是畅销书作家，一听说把她的书印得那么多，她本能地觉得不对头，认为是给她错定了位，有违她的美学追求。当然我们赶忙给她解释，中国人口那么多，十万册的印数其实并不算很多，当时重印了法国大仲马的《基督山伯爵》，印刷的册数就要多许多。这已经是二十六年前的事了。日本文化方面大体是量的增加大于整体结构的变化，而我们这边的变化，可真大得令人眼花缭乱，甚至可以说是瞠目结舌，不仅是量在激增，结构性的改变与不断的转型，更惹人注目。

有吉佐和子和杜宣已经相继过世。他们都值得我忆念。跟他们接触不多，但觉得他们都是始终没有恍惚的人。所谓没有恍惚，指的既是生理上没有痴呆，更是心智上对自己有明确的定位。

人到老年，生理上的病变导致恍惚，以至痴呆，有时候是无法抗拒的命运之诡。生理上的种种退化是可以通过积极预防和锻炼来减缓的，而心理上的疾患更是能够以清醒的自我定位来加以排除的。我对自己说，偶尔忘带钥匙算不得什么大事，但倘若经常地忘记自己的位置斤两，浮躁抑郁起来，那可真是自我催命了。

这两年，很偶然地到《百家讲坛》录制了关于《红楼梦》的系列节目，又连续出了四本相关的书，反响强烈，书也畅销，但我自己很清醒，我不是"红学家"，也不是"畅销书作家"，"畅销书作家"需要本本书都畅销。我自己看重的长篇小说《四牌楼》和特殊文本的《树与林同在》《私人照相簿》这两年都重印了，数量都不大，引不起争论，吸引不了多少眼球，而且，我从一九八六年后半年起，编制也不在专业作家系列，我现在就是一个爱画风景写生画自娱的退休金领取者。"野老与人争席罢，海鸥何事更相疑？"

每天《晚报》到手，必要翻到有找不同漫画的那一版，无论是有八处还是九处不同，我总能一一找全。我很快乐。在仔细看图的过程里，相同处令我想到人己相通，而不同处激励我保持个性。全与人同不是好的人生。有几处与众不同之处，才不枉在世一场。我也许还会再有忘带门钥匙的失误，但我不会有失却自我的迷茫。

谢幕与终曲

　　至今回想起母亲，在剧场演出结束后，那样重视演员谢幕的表现，还不禁感动。

　　她不仅会随着大家一起鼓掌，微笑地仰望着走到台沿谢幕的演员，还总是嘴里喃喃有词，发出些感叹赞扬，仿佛人家会听得见似的。她总属于把掌声坚持到最后，直到幕布合拢再不掀开，才意犹未尽地离场的那批铁杆戏迷之一。不等回到家中，在公共汽车上，她就会抿着嘴笑，跟家里人宣布："今天谢幕六次啊。真精彩呀。"或者说："别看今天谢幕才三回。其实也很了不起。"她很少有对演出不满意的时候，当然，那也是因为剧目是我们自己选择的。父亲只爱看京剧，母亲除了京剧，其他剧种比如评剧、曲剧、河北梆子也都喜欢，而且也很爱看话剧，我小时候跟母亲进剧场观剧的次数最多。

　　母亲重视演员谢幕，当然首先是对演员有一份浓酽的尊重。她说过嘛，应该像爱惜每一篇字纸那样，珍惜每一回观看到的演出。但那也绝不仅仅是一种理性支配下的礼貌。母亲有感悟艺术的天性。记得十几岁的时候跟她去看中国青年艺术剧院演出的契诃夫名剧《万尼亚舅舅》，孙维世导演的，金山主演。那出戏展现的生活和人物不仅离我那样一个中国少年极其遥远，其实与一直并没有走出过国门的母亲也很隔膜。但是幕布一拉开，记得第一幕布景是十九世纪俄罗斯外省农庄花园一隅，穿西服的绅士和穿拖地长裙的淑女慢条斯理地在台上活动着，从树荫下的长餐桌上银闪闪的大茶炊里接茶喝，说着一些很平淡的话，我开始真有些"猪八戒吃人参果不知其味"，不知不觉左腿抖动起来，母亲感觉到了，用右手轻按我左腿膝盖，轻声在我耳边说："看他们多不顺心啊！"母亲这一句提示，竟让我一下子捕捉到了此剧的情调，我像母亲一样专注地观看，渐渐从那些似乎平淡的对话里，听出了味道，小小的心于是琢磨起来：景色那么美，穿的、吃的、住的那么好，可是这些人为什么那么不快活？……当然，整出戏演完，我也不能说真看懂了什么。演员谢幕的时候，母亲照例感动地久久鼓掌，我也跟着鼓掌。回家的有轨电车上，我跟母亲说："这戏好。"母亲问："好在哪里？"我就说："万尼亚舅舅跟他侄女儿索尼娅说：你的头发真美。索尼娅说：一个人长得不美的时候，人们就会安慰她，你的头发美……"母亲微笑了，笑得像缓缓开放出一朵花，说："能记住这么几句台词，也不枉你看了这么一出戏，他们也不枉演了这么一场啊。"

戏如人生，人生如戏，这话太老了。其实还可以说些"年轻话"——戏吸引人恰是因为不尽如人生，而人生的诡谲其实远非任何戏剧可比。现在回想起母亲带我看戏的种种情景，忽然憬悟：观戏的最大意义和乐趣，是在人生中镶嵌进一些"美丽的停顿"。

母亲带我看了戏，也熏陶出了我的文明习惯。母亲仙去二十年了。现在我进剧场不多了。但一旦去剧场观剧，我总是提前进场，中途绝不"抽签"。我最见不得那些未到幕落就站起来撤退的看客，我总是以真诚的鼓掌和仰望来对待演员谢幕，离开剧场回家的途中，我会回味那些最打动我的片断。

西方古典歌剧正式开幕前，往往会有好几分钟的序曲。多数西方电影的最后，是一边放映详尽的演职员表字幕，一边响起终曲，有时终曲会是一首很长的歌，像好莱坞大片《泰坦尼克号》的主题曲，就不是穿插在情节流动当中，而是放在最后字幕走动时，由席琳·迪翁深情唱出。许多中国观众还不习惯在电影院里静坐到全部字幕走完，欣赏完终曲再离座，有的影院甚至也不待拷贝彻底走完便停止放映；一些人士在家里看光盘，就更不耐烦听电影的终曲了。记得三年前我在巴黎蓬皮杜文化中心看一部法国电影，故事结束后黑底子的字幕走了大概有五六分钟，但只有少数观众离场，多数人都静坐在座位上欣赏那伴随着字幕的终曲。我置身在异国他乡的那种情景中，忽然想起了母亲，想起了她虔诚地对待演员谢幕，我更加铭心刻骨地意识到：沉浸于艺术，是我们人生之旅中"美丽的停顿"。

二　勇

那是去年春节前，村友三儿跟我说，村里老秦家有一副二勇。我不信。那玩意儿能经历半个多世纪的世道沧桑，保留到如今？

所谓二勇，是一种布制傀儡。它上半截是两个摔跤手面对面扯臂的形象，苗苗实实的。下半截呢，没被耍弄时就是空空的一条肥裤子。半个世纪前，我还是个少年，随父母从重庆来到北京，很快融入了新的民俗氛围，在东庙（隆福寺）和西庙（护国寺）的庙会里，都看到过民间艺人表演"二勇摔跤"。那表演的爷们自己穿一条跟傀儡的裤子一模一样的肥裆裤，彻底地弯下腰，把自己的两只胳臂套进傀儡的裤子，把头部隐藏起来，这样，那二勇就成为了两个揪扯在一起的摔跤壮汉。表演者变换种种技巧，自己的双腿和双臂巧妙地移动、磕绊乃至踢出躲闪，使观看者觉得就是有两位勇士在专心地搏斗。那傀儡的上半部虽然看上去就是假人，但是因为下半部的灵活运动，不断地颤抖摆动，也就以假乱真，让看客在真真假假的谐谑表演中获得极大的乐趣。表演完了，艺人从傀儡的裤子里褪出上半身来，一定是满头大汗，两条粗壮的胳臂青筋暴起。在他转着圈抱拳作揖的时候，会有一多半看客转身离去，但也一定会有一些看客往搁放在地上的傀儡身上扔钱。我那时也就把妈妈给我的零花钱，拿出二百扔下去——我说的是旧币，相当于现在的二分钱。现在的年轻人会哑然失笑吧？你那么抠门！但我记得很清楚，那时候在庙会里吃一碗炸丸子——过油的素丸子用滚水煮了撒上些椒盐，撒一勺稀释的芝麻酱，再撒上点香菜叶——很香啊，二百块钱一碗。

其实，那种一人演出呈现两人景象的傀儡戏，也不都是"二勇摔跤"。我后来还看到过几种类似的表演，比如"猪八戒背媳妇"，再比如"瞎子背疯"。——那傀儡的上半截是一个瞎子背着一个"疯婆子"的造型，所谓"疯婆子"，并不是得了精神分裂症的妇人，而是"疯瘫"（其实更正确写法应该是"风瘫"）即高位截瘫的妇人，为了表示其下肢瘫痪，还特意制作出了一双别在丈夫腰后的萎缩得不成比例的坏腿。和"二勇摔跤"不同的是，"猪八戒背媳妇"和"瞎子背疯"的表演者虽然也入套藏脸，但底下不是四条腿，多半用自己的腿脚表演丈夫的腿脚，而以自己的双臂表演媳妇的双臂。"背疯"把"疯婆子"乱指挥、瞎丈夫步步错的"洋相"呈现得淋漓尽致，有的观众笑得前仰后合，但我很不喜欢。这类民俗性质的表演，有精华，有糟粕，"瞎子背疯"拿残障人开涮，格调不健康。多年前，我写过《丑媒婆可以休矣》一文。现在我仍坚持自己的看法，就是我们现在组织民俗表演，比如跑旱船，应该删除那男扮女妆、唇边点着大黑痣、举着长杆烟袋锅、模仿三寸金莲移动艰难、摇摆扭捏的丑媒婆一角。

话说三儿带我到了老秦家，他家房子虽然改建过，正房里有一间居然还保留着砖炕，北墙根还保留着一个大躺柜，莫非那大躺柜里存着二勇？老秦见我急切地询问，觉得好笑，那算啥稀奇玩意？早该扔了！带我到东厢房堆杂物那间屋，从旮旯里揪出一样陈旧得不行的东西来，正是傀儡二勇！那两位勇士的造型，是辫子盘在头上，呀！该是晚清的遗物吧？老秦告诉我，那是他祖爷爷留下的，他爷爷还玩过。为什么能一直留下来？因为在讲究阶级成分的时候，他家成分好，没人来他家翻查，他们也几次打算扔掉，但总没彻底清理堆房，也就一直保存了下来。老秦说你喜欢这没用的东西你尽管拿走。我想起城里的一位朋友专爱搜集民俗旧物，就决定哪天带他来拜访老秦，收购了去。

但是，后来我忙来忙去，没顾上张罗这事。今年秋天带着我那位朋友来到我乡村书房温榆斋所在的村子，也没麻烦三儿，直奔老秦家。唉，你猜怎么着？老秦不在家，他媳妇告诉我们，那二勇已经被她拆了，铺在狗窝里了，那狗可是拉布拉多名贵品种，繁殖好了会有人一千两千地拿钱来买！

　　我十分沮丧。倒是我那朋友频频劝解我。他说"二勇摔跤"挺有哲理内涵的。细想也真是，人生、社会，说是双方争斗，其实往往是自己跟自己较劲。要想跟人和谐，先得自己协调好自己。

备好麻秸待踩岁

那天老友马君来我乡村书房温榆斋，一落座就高谈阔论。马君是个民俗研究者，他有一个观点我颇赞同，就是不能把所有民俗都博物馆化，有些民俗，应该在我们的生活里保持下去，比如踩岁。他认为以往的内涵就十分丰富，现在还可以注入更多的意义，推陈出新，成为除夕的一大亮点。

五十七年前，随父母初到北京，我还赶上过踩岁。那时我家住在一个大型四合院里，那是机关宿舍，虽然分住了很多家，却俨然一个团结和睦的大家庭。除夕夜，院里的孩子们从大人那里得到压岁钱以后，都纷纷跑到胡同里乃至胡同外的街市上，买到自己喜欢的耍货零食。记得我买的是可以在地上拖着走的兔儿灯和什锦冰糖葫芦。有的小伙伴买的是木制关公刀和糖瓜儿，或者是手提猴戏傀儡和体积十分夸张的棉花糖……年饭后已经放过几阵炮仗、礼花，子时将临又掀起一番放炮放花的高潮。但真到零点来临，则大人们纷纷嘱咐孩子们暂停放炮，全院的人们都集中到院落前边，从院子的二道门——一座精致的垂花门——到斜对着它的大门口，地上满铺着芝麻秸，大人小孩一齐踩岁。那芝麻秸被踩碎的破裂声尽管远不如炮仗响亮，但噼噼剥剥的十分有趣，而且与大人们"岁岁平安"的笑语和孩子们跳跃拍掌的欢声交织在一起，构成非常浓酽的过年喜气。

压岁完了踩岁，踩岁完了跟大人一起在家里守岁。那时候没有电视，连收音机也并不普及，但听大人讲各种掌故，对于我们小孩子来说，胜过看电影、翻小人书。屋顶挂下萧何不停地追韩信的走马灯，地板上停着被蜡烛照得雪白透亮的兔儿灯，记得母亲就坐在灯之间，告诉我踩岁其实应该写成"踩祟"，就是把坏东西踩掉轰走。她说，你们那么喜欢过年，知道"年"是什么吗？原来"年"就是个"祟"，是个没头没脸的大怪物，每过十二个月它就要跑来一次，必须把它撵跑，放炮仗的目的在于此；踩麻秸的目的也在于此；把它撵跑了，也就"过年"了。听了这样的解说，小小的心里，全然没有对"年"的恐惧，反而呆想：这"年"可别跑远了啊，它常来多好啊，我们随时可以"过年"，也不用再上学了，压岁钱领了可以再领。原来攒一套梁山好汉的"洋画儿"（即夹在香烟盒里的烟画）得费一整年的时间，每月过年那就很快能攒齐了！但是父亲偏乐呵呵地走过来纠正母亲，说把"年"当成怪物对待，那说法至少在明清以后就不时兴了；为什么要踩麻秸？一来芝麻开花节节高。花果熟裂抖出芝麻以后，那些"小铃铛"又让人联想起小元宝，而且芝麻秸不是圆形而是带棱的，风干后踩起来声音特别脆响，所以有"岁岁平安"的含义。二来麻秸挺直，一般总有一米多长，象征"长命百岁"。人们一边踩岁，也就一边祈祝自己一年更比一年好，能够长远地丰衣足食，"脆脆生生"地过好日子。

马君听了我的回忆，拊掌喟叹，说那是建国之初吧？他的父母当时也为新民主主义的实现而欢欣鼓舞啊。记得那时候看国产电影，片头是工农兵的雕像在明快的乐曲中缓缓旋转，他哼出那乐曲的头几个音节，我随着延续。那乐曲就叫《新民主主义进行曲》，贺绿汀谱曲。在那样的氛围里踩岁，人们心中都怀着无限的憧憬啊。我们聊得正欢，村友三儿从厨房出来——他来给我送自家树上的柿子，刚把那些大柿子摆放在我厨房窗台上——听见话茬就问：什么是新民主主义啊？我和马君就齐声让他去读毛泽东的宏文《新民主主义论》。三儿一脸不解，马君就说，其实，那意思就跟中国特色的社会主义差不多。马君叹息：可惜后来走了弯路，还"大破四旧"，连踩岁的好民俗也给破没了。三儿四十郎也当岁，改革开放初期正是少年郎，他说一九八〇年春节的时候，他爷爷还活着，他家踩过岁，他还有印象，那时候他家房子还没翻盖，睡炕，踩完的麻秸正好放进灶眼里，燃起来又是一片"岁岁平安"的吉祥之音。

我说真想踩岁，只是如今哪儿找芝麻秸去呢？三儿说他们村原来没少种芝麻秸，他爷爷说早年还用大车把芝麻秸和松柏枝、野蒿子运到城里当年货卖。我当年参与的踩岁活动的那些芝麻秸，应该就是院里大人们合伙从三儿爷爷那样的农民手里买来的。马君就问三儿还能不能从村里找到芝麻秸？三儿挠耳朵说，今天开发明天开发，咱们村还剩多少地？花椒树砍光了，没人种芝麻了。也许远处的村里还有人种芝麻。

但是春节前我来到温榆斋，忽见门侧整整齐齐码着一摞芝麻秸。不消猜，一定是三儿想方设法给我找来的。今年除夕我可以约马君来一起踩岁了！望着那摞麻秸，我想，踩岁的意义，起码于我，是提醒自己什么事都急不得，大步跨进什么、跑步进入什么，结果欲速则不达，任何方面的"大跃进"都不可取。不追求夸张虚饰的"大满贯"，拭心灵，除戾气，实打实地稳步朝前推进，尽可能把失误减少到最低，在平安、平和乃至平常、平淡中享受生活，也许，便自己有福，并能融汇进大家共同的福祉之中吧！

舞龙尾

在农村书房温榆斋，我问村友三儿他们村过年为什么不舞龙？他说二十几年前舞过，后来兴许是电视呀、网络呀什么的越来越发达，又没有人张罗，所以没人玩了。他建议我去十几里以外的一个度假村看舞龙，我知道，那里只要游客多，就必有舞龙表演，也不光是舞龙，还有舞狮、跑旱船、踩高跷、抬花轿等许多名堂。他们村里有的村民就被招聘去，在那里上班，舞龙什么的成为一种计时挣钱谋生的手段。三儿作为机务队开大农机的驾驶员，眼下用武之地越来越少，许多农田被征用、被开发了，他那营生也成了"夕阳行业"。他说那个度假村也曾来他们村招人，同龄人有的去了，挣的不算少，也动员他去加入舞龙队，他说他去看过几次，不羡慕，不动心，就还是开大农机。

但三儿回忆起二十几年前参加舞龙，却极为兴奋，声量也高了，脸膛也亮了。他说那时候舞龙根本就不为赚钱，村里有自动挑头的，包括他在内的一批男子汉自愿参加，大家凑钱买布，买铁丝，以及其他必备的材料，自己制作长龙，一些娘儿们也兴高采烈地参加进来，用布头拼成龙鳞细心贴上。完工那天，先在村街上拉直了展示，几乎全村的人都来围观，由村里德高望重的老辈人，拿着海笔给龙点睛。笔一点，锣鼓齐鸣，炮仗冲天，欢声一片。

他记得，龙头是由村里最强壮的一位大叔掌执，然后一顺全是壮汉和精豆子般的小伙排列在后，每人掌执一段。他呢，当时刚二十出头，被安排在龙尾的位置。

他说你可别小瞧了这舞龙尾的，龙头前还有个举着大海珠的，龙头追叼海珠，那当然是大家伙最喜欢观看的。但龙身子的曲折舞动，还有龙尾的摆动，也必须配合得天衣无缝，才能让观看的人觉得真是蛟龙出海逛到咱们村来啦！

三儿说得我好馋。真想一睹那村中舞龙的盛况啊！

我跟三儿说，舞龙这民俗起源得特别早，有个说法，大家都耳熟能详，就是我们中华民族是龙的传人。蛟龙生于大海，而我们中华大地的水域，黄河也好长江也好，甚至于我们眼前的潮白河、温榆河，在我们先民的心目中，都是与海相通的，一个猛子扎下去，不管是哪条河哪片湖，最后都可以游到龙宫啊……可见水与我们民族生长的关系太密切了！舞龙，应该就是搬出龙王爷来，朝天求雨啊！

三儿对我这一番感慨，毫无共鸣。他说北京郊区，特别是他们这一片地方，从来都是不怕旱，倒是特别怕涝，从老辈子算起，村民就从来都没有求雨的心情，他们舞龙，没有丝毫祈雨的动机。

啊！那我就细问，你那回舞龙尾，究竟是那一年？是不是欢庆改革开放新阶段？是不是因为新的农村政策允许农民离土？是不是刚刚享受到初步富裕的甜头？……三儿不解地望着我，憨憨地说："刘叔，你跟我聊这些个事，咋总是想掏腾出那么多的大意义来呢？！"

总愿意从一件事情里掏腾出意义，确实是我经常性的思维习惯。回想去年初夏去俄罗斯，先看见克里姆林宫圣母升天大教堂里勇士格奥尔基刺杀凶龙的古画，后来到了新建成没多久的胜利广场，那中心的大雕塑，也是勇士持剑把凶龙斩成几截的造型，就更觉刺眼。当然，他们心目中的所谓凶龙，跟我们民族所幻想的龙，在形象上还有所不同。冷静下来一想，真不该钻牛角尖。美国又在大选，所谓驴象之争，美国民主党居然把驴当成自己的美好象征，而对于一般中国人来说，不要说拿驴比喻政党绝对是污蔑，说谁是驴那肯定是谩骂。一个村有一个村的风俗，一个店有一个店的招牌，各村各店无妨各保其固有传统，而又尊重对方，和谐相处。

三儿说，那回舞龙，对他来说，就是特别高兴。没有人注意到他在舞龙尾，他紧跟着舞前一段的哥儿们，步法潇洒，腰肢灵活，跃进时觉得自己身子开成一朵大花，暂停时不住扭动双臂表示龙尾欢摆，更觉得自己这朵花在结成一个大果子！

啊！生命中那纯净的高兴，与概念化的意义无关，与收入支出无关，与美食烟酒无关，与情爱和性爱无关，就是生命自身的花果在欢腾！

愿三儿和我，能在生活的新进程里，获得如他那回舞龙尾般的最单纯的快乐！

喜喉咙

　　在一个大型超市里遇到一位满头白发的富态老人，他跟我打招呼，我竟想不起他是谁，正觉尴尬，他忽然吆喝："一九八楼六○二，电话！"呀，敢情是他！我喜出望外，一把握住他的手，呼唤他："喜喉咙！你好呀！"

　　真是喜相逢！二十九年前，我从城里一处十平米的小平房，搬到城外一个新建的楼区，住进了有厨房、厕所的两居室单元。那是改革开放给予我的第一轮重大受益。住进去的头三年，家里没电话，打电话要到楼下不远处的一个大自行车棚里头，车棚入口有间小屋子，屋子里的师傅既是车的看管者，也兼公用电话的管理者。他当时的一项频繁而琐碎的任务，就是传呼来电。什么叫传呼电话？八○后、九○后的年轻人，恐怕很难想象了，那时候常有人把电话打到车棚的公用电话，请接电话的师傅去把应邀接电话的人喊过来，师傅也不是偷懒，那么一大片居民楼，都在五层以上，难以爬上楼去叫人，一般就是来到所传那人住的楼下，对着相应的窗户高声呼喊。开头就是敞开大嗓门喊，后来使用了喇叭筒，再后换成了电喇叭。我那时是被喊得最多的一位，"一九八楼六○二，电话！"喇叭响，喜讯到，是我那时的惯有心情。

　　一九七九年的一天，中国作家协会来电话，下楼去接，通知我参加中国作家代表团到罗马尼亚访问；一九八○年，北京市作家协会来电话，通知我被吸收为驻会专业作家；一九八二年，北京电影制片厂来电话，说要把我的小说《如意》搬上银幕……你看传呼电话给我带来了多少快乐！也不光是我。那几年，被喊出楼去接电话的，有的被通知平反、改正了冤假错案；有的被告知已被大学录取；有的让去领回运动中被抄走的物品；有的被催领第一批个体户执照；有的得到涨工资的好信；有的是分居多年的配偶从外地打来电话告知批准回京团聚；有的是居然接到了失去联系几十年的国外亲友的越洋电话……当然也会有内容不喜甚至报忧报凶的电话。但从比例上说，那几年绝对是喜讯频传，而且是喜事普及的难忘岁月！

看车棚兼看公用电话的师傅，那时候大约四十岁，他本来就嗓门粗犷，使用电喇叭以后，那吆喝的声音就更洪亮，那时大家都管他叫喜喉咙，他也就笑嘻嘻地应答。

但是，到一九八三年左右，喜喉咙的公用电话业务就大大萎缩了，楼里多数人家安装上了私家电话。而且，几年后BP机——俗称"蛐蛐机"——盛行一时。人们如果不能直接通话，可以先通过电话传呼台呼叫，那号码及相关信息会被迅速转到人们持有的BP机上，如果需要通电话，从BP机上获得信息的人再去找电话直接沟通。再往后，手机出现了，第一代手机又大又沉，价比黄金。但手机的发展速度惊人，随着手机的普及，BP机被淘汰掉了。我一九八八年迁出那个小区的时候，喜喉咙已经不再出现于车棚了。原来自行车也算是高档物品，存取的时候要由喜喉咙发、收木制的"虎符"式车牌。后来大自行车棚拆除，在不显眼的地方另设小自行车棚，车主自行锁好，无人看管。大自行车棚拆除后的大片地皮，成为了私家小轿车的停车场。喜喉咙传呼电话的声浪，成为悠远的回响。

我和喜喉咙到超市旁边的茶社喝茶话旧，都感叹改革开放带来的变化实在太多太大。他说他儿子那时刚上初中，听说我要访问罗马尼亚，在家里拿着世界地图找那国家，连说："什么时候我也能出国看看多好呀！"谁想到后来儿子真的出国留学，并在欧洲定居，眼下是西欧一家大旅行社的董事长，接待着越来越多的旅游同胞。喜喉咙也已经去过十多个国家旅游。全托赖改革开放啊！

喜喉咙说这天来超市，是打算买些年货，去给几家老邻居拜年。他提起我当年住过的那楼里的几家人，说："他们现在有的还住在地下室的单元里；有的当年觉得挺好的单元，现在三世同堂，没有厅，卫生间里只有一个亚式蹲坑，生活远没有咱们幸福。最近猪肉涨价，他们每月的肉量都在紧缩……"我也感叹："是呀，改革开放还并没有达到均富的理想境界，不搞平均主义，但更不能任由贫富差距拉大啊！"喜喉咙说："这回去给那几家拜年，我打算就买鲜猪肉当年礼，实惠不是？"我说："我跟你一块去。到他们窗外，你先喊：几楼几号，电话！"

大头娃娃舞

　　看杨丽萍的舞蹈，觉得有种特别的美感。电视上看到一个采访她的节目，主持人问她平时如何练功，她的回答给我很深印象。大意是：舞蹈就是她生活的一部分，舞着就活着，活着就舞着，并不是为了登台表演才跳舞，他们老家的那些村民，至今仍然保持着自然起舞的习俗。树下水边，兴之所至，唱起来，舞起来，就像鸟儿要飞翔、花儿要开放一样，哪有什么练功一说？她说她一度被吸收到专业团体，也曾进练功房，按照学院派的规范，一式、二式……左右、右左……下腰、压腿、旋臂……结果，她觉得练完以后自己完全不会跳了！于是，后来她就再不那样练功，就是顺心性，自然而然地舞动身体，对于她来说，到了台上，也无所谓表演，只不过是换了个地方，以舞蹈来延续自己的生命罢了。

　　杨丽萍是白族人。前两年她把云南包括白族在内的民间舞蹈组合成《云南映象》，获得极大成功，她最近又组织了一台藏族的原生态舞蹈，反响也非常强烈。一位朋友看后跟我感叹：比较而言，现在的汉族，自然起舞的情景很少见了，以前的一些原生态的舞蹈，也面临失传的危险。我虽也随他叹息，但没有他那样悲观，我说像舞狮、舞龙、跑旱船、打腰鼓、扭秧歌……节庆日群众自发组织起来嬉戏的场面还是常见的，更何况现在不少晨练、晚练的人们，改编创造了不少舞蹈性很强的套路，像花扇舞、红绸舞、打花棍……都很流行。

　　我特别想起了大头娃娃舞。五十几年前，我上小学的时候，就最喜欢套上用硬纸浆制成、外面彩绘的卡通大头，舞之蹈之。当时我们住的那个大四合院，传达室里屋总堆着一摞大头娃娃，好像是工会出钱置的，供院里大人、小孩随意取用娱乐。当然节庆日会拿它们当道具，在比较正式的联欢会上进行经过精心编排的舞蹈甚至短剧表演。但就在平时，比如星期日下午，甚至夏日晚饭后，也常有大人、孩子取出大头来套在头上，随意嬉戏，那情景，和杨丽萍所说的他们白族村民在树下水边，随兴而翩然起舞，是非常接近的。

还记得有一回我们一群孩子在垂花门前头，各套一个大头，胡乱跳跃舞动，开始大声喧哗。后来听见传达室王大爷对陆续下班进院的大人说："认认自己家的淘气包吧！"我们就都收紧喉咙不再出声，只是摇动大头，手脚乱比划。一位父亲就拉住一个孩子的右手，吆喝说："装什么神弄什么鬼，给我回家做功课去！"都拉了好几米，忽然那孩子用左手掀开大头，露出汗津津的真面目。那父亲目瞪口呆，那孩子乐不可支，其余孩子也就大都取下头套，大家笑跳一片，王大爷也就乐呵呵地说："孩子们鬼着啦！他们把衣服裤子鞋子换着穿啦！"那父亲以为凭着衣裤鞋子一认一个准，那晓得群童虽然乱舞，却机关预设！但是母亲们很少上当，即使我们有更巧妙的乔装打扮，甚至好几个孩子故意围拢上去以一样的姿势摇头摆尾，也总是立刻被认出。那母亲毫不犹豫地取下自己孩子头上的大头套，多半会说："你往哪儿躲？"我曾问过妈妈："为什么当妈的比当爸的精，好像闭着眼睛也能认出自己的孩子？"妈妈含笑说："你长大了就懂了！"

我长大了确实就懂了。还懂得了更多。记得大院里的大人们，往往也会取来大头套套在自己脖子上，兴高采烈地舞动一番，那时候看去，除了腿和身子长些，他们也真成了娃娃。有次我们几个孩子放学回家进了院，在里院大海棠树下，两个大人套着大头在那里摇摇摆摆，还时不时把右手食指放到头套那夸张的鼓脸庞上，装出娇憨的模样。王大爷就让我们猜他们是谁，结果都没猜对，最后头套一摘，竟然是已经年届花甲的郭大爷和郭大妈！从那一回我就朦胧懂得，大头娃娃舞能让所有人全变成孩子，而当我也年届花甲，我更刻骨铭心地意识到，人类的许多娱乐活动，都是想方设法让人保持一颗率真的童心！

大头娃娃舞应该是汉族源远流长的一种民间舞蹈。据说在宋朝时被升华为一种"大头和尚逗柳翠"的小舞剧,一位表演者扮大头和尚,手执尘拂,另一位扮柳翠,自然也是套个大头,只不过外壳绘制成美女,手执大花扇,互相逗趣,舞动翩翩。大头套可以变化出许多花样,因此也就可以衍生出许多种组合。但总的来说,大头娃娃舞比较随意,老少咸宜,无师自通。逢年过节,自娱娱人,让我们套上大头,个个娃娃般欢喜一番!

茶搭子·热水瓶·饮水机

北京西直门外的动物园，乾隆中期，叫作环溪别墅，后来被称作"三贝子花园"。清代皇帝给皇族男子封爵，有亲王、郡王、贝勒、贝子四等，那地方曾归一位排行第三的贝子所有。那位"三贝子"死后，这片花园一度为富察明义拥有，这位字我斋的明义，看到过一部来源于曹雪芹的《红楼梦》，写下二十首题咏，收入到自己编就的《绿烟琐窗集》里，非常值得研究。跟正儿八经的贵族园林相比，这花园里建筑不多，人工雕琢的处所也少，野景为主，野趣迷人。晚清时此地先成为"农事实验场"，引进了一些外国植物，后来，又在其东部成立了"万牲园"，从国外买进了一批动物，乘海轮先运到塘沽，再运进北京。新中国成立以后，动物园增添了许多珍奇动物，但大体还保持着"东动西植"的格局。

清代对皇族的分封，如果要说详细一点，顺治六年厘定为了十二等：和硕亲王、多罗郡王、多罗贝勒、固山贝子、奉恩镇国公、奉恩辅国公、不入八分镇国公、不入八分辅国公、镇国将军、辅国将军、奉国将军、奉恩将军。据清末皇裔溥杰著文，他所知道的入八分与不入八分的区别，只在辅国公一级。"和硕"是满语音译为"一方"之意；"多罗"、"固山"则分别是满语"一角"、"旗"之意；"一方"大于"一角"更大于"旗"。分封这些爵位，大体有"功封"、"恩封"之别，"功封"可以"世袭罔替"，"恩封"则要代代递降，当然，皇帝（晚清同、光时期则主要是皇太后）根据自己的利益可以随时降削或提升这些皇族人员的爵位。

最有意思的是公爵那"入八分"与"不入八分"之别。"八分"指的是八种特殊待遇：坐的车可以是"朱轮"；骑的马可以用"紫缰"；帽子上使用比珊瑚顶更高档的宝石顶；帽子上还配戴双眼花翎；可以使用牛角灯；可以使用茶搭子；马上可以使用坐褥；府邸大门上可以装饰大铜钉。其中第五项殊荣——茶搭子，是什么东西？是盛热水用的，类似于现代的热水瓶。是否可以使用保温热茶水的器皿，在清代居然是区分公爵等级的重要标志之一。

入八分公爵所使用的茶搭子究竟什么模样？我一直很想知道，也询问过若干人士，但始终不得要领。据我的想象，应该就是一种用保温材料紧紧包裹住的茶壶。我的少年时代，虽然那时候热水瓶已经非常流行，但我家和一些亲友、邻居家里，仍有给大瓷茶壶穿上贴身棉衣的习俗。记忆里，从那棉裹茶壶里倒出的茶水，温而不烫，十分适口。《红楼梦》里写到，冬夜宝玉在露天方便后，来到花厅后廊，丫头秋纹伺候宝玉洗手，嫌小丫头捧着的沐盆里的

热水已经变凉，可巧一个婆子提着一壶滚水走来，那本是准备给贾母泡茶用的，秋纹仗势压人，说"我管把老太太茶吊子倒了洗手！"那婆子先不给，后来看清是宝玉跟前的人，忙提起壶来往小丫头捧的水盆里兑热水。那水壶从灌进滚水的地方穿越若许空间提到贾母屋里，如无保温层掩护，必定变成凉水，估计就是茶搭子一类的器皿。小说里的荣国公，读者可以想象属于入八分之列，当然到了小说故事开始以后，贾母的长子贾赦已降袭为一等将军，荣国府的府主贾政则并无爵位，当然也就不能公然使用茶搭子，但将那玩意加以变通，比如改变一下体积形态色彩，随时享受热水供应，也就不能算是僭越了。

上世纪六十年代，在什刹海附近一家街道工厂里，一位工人指着糊纸盒的垫子跟我说："这是用当年茶搭子壳儿剪开铺上的。"我用手捻了捻，感觉很古怪，不像棉花胎、丝绵胎，类似帆布却又有些稀糟，那一刻距清朝覆灭不过半个世纪出头，如果从一九二四年溥仪被驱赶出紫禁城、众满清贵族败落云散算起，则不过三十多年，但那曾给入八分公爵家族带来荣耀骄傲的茶搭子，却已经沦为历史脚步的践垫，人间正道是沧桑，信然！

　　直到二十年前，热水瓶可以说是我们中国一般人的生活必须品。我结婚的时候，收到的礼物里就有好几个热水瓶。一度流行彩印铁皮壳的热水瓶。朴素一点的，外壳是竹木的或塑料的，更节俭的一种是铁条编就有漏孔涂以蓝漆的。如今的则多半是不绣钢外壳。一位同龄人跟我说，他回忆往事，会从陆续使用过的热水瓶引入，伴随着对一个个更换的热水瓶所牵出的昔日生活片断，平凡人生里那些唯有自知其味的喜怒哀乐、离聚歌哭，便会涌汇心头，感慨万千。

　　但是，热水瓶也正在退出许多年轻的中国人的日常生活。如果说当年满清人八分公爵失去茶搭子所标志的特权是他们的悲剧，那么，现在年轻的中国公民逐步告别热水瓶，则是社会发展的喜剧。越来越多的新式住宅里只有罐装桶水饮水机而无热水瓶。那天我到老朋友家去，无意中说了句"热水瓶"，他那小孙子就好奇地眨巴着眼问："什么是热水瓶呀？"我从那稚嫩的腔调里，竟感受到一种历史的足音。

刺青农民工

我常到马路对面一家咖啡馆约见熟人，那天聚完了已经天黑，独自回家。过马路的方式有两种，一是去跨越过街天桥；一是穿过马路下的桥洞。过天桥置身于万丈红尘，安全，但费时较多；过桥洞路径短，但那桥洞里没有路灯，摸黑穿过时总有些忐忑。自己曾多次夜里穿过那约五十米的桥洞，秋毫无犯。那天图省时也便奔桥洞而去。

真是不怕一万，只怕万一。正值夏末，天气溽热，偏那晚云遮月、雾霾浓。迈进桥洞没几米，竟是完全漆黑一片，那边洞口只有模糊的微光，望去更觉瘆人。大约走了不足八米，我后悔不迭，毅然转身返回。毕竟已是望七之年，腿脚哪有当年麻利。匆促转身时，不禁一个趔趄，惶恐间，忽然右手腕被强力拽住，紧接着更有一只坚硬的臂膊将我从左边搂定，同时闻见一股体味，心中闪过一个念头：此生休矣！正巧桥洞那边来了辆小轿车，前灯打得雪亮，顿时使漆黑变为刺眼，本能地低头，恰望见那攥住我的大手之上的臂根处，有刺青，是一个"忍"字！

"老大爷，没崴了脚吧？没闪了腰吧？"在强有力的手与臂的护送下，我被扶出了桥洞。又走了十来米，在路灯下，我看清了紧贴着我的人，是一个精壮的赤膊男子。他见我无大碍，松开手臂，站开，我才发现，他还有个同伴，比他矮，身体单薄些，也不赤膊，年龄应该略大些，与我目光相对时，微笑着问："把我们当坏人了吧？"

误会当然马上消除，我连连道谢，又埋怨："这桥洞真怪，一直不安灯。"年龄大些的就说："大爷就住附近吧？既然常从这桥洞走，就该记着带个手电筒。"扶过我的壮汉则说："他不安灯，你们就总忍着？为什么不投诉？不去告他们？"

这话让我马上想起他手臂上的刺青，不禁笑了："咦！你那刺在身上的是什么字？怎么你要自己忍，不让我忍？"一来二去的，我们竟话语投机，双方都想多聊聊。

我告诉他们，其实可以不必马上回家，而且下次会从天桥上过去，也很安全，如果他们也不忙睡觉，无妨到那边小餐馆坐坐，一起喝点啤酒。没想到壮汉说，他已经五年不喝任何酒了。我灵机一动，就建议："要不，到那边肯德基里坐坐，喝点软饮料，再聊一阵？"他们都朝肯德基那边望，脸上的表情很微妙。年龄大点的就说："我们的人没进那里头的。"我说："我也很少进。一起去坐坐有何不可？"我坚持，他们服从，于是一起坐进了肯德基。我去买来三杯可乐，看见壮汉已经套上了一件红色的T恤，小了起码一号，把他的胸肌箍得暴突，那恤衫上印着一家陶瓷贴面厂家的名称与地址电话，估计是作为福利分发的。他们分别拿出十元钱给我，我推开道："说好了我请，再罗嗦就是不尊重老人。"

他们是那边街上正建造的体积庞大的商用楼的河南农民工。壮汉姓邓，年龄大些的姓张，他们说算是工程队里辈分大的，其实一个才临近四十，一个才四十出头。说起打工的日子，"平平淡淡，就是睡觉、吃饭、干活……再吃饭、睡觉、干活……晚上到街上转一圈，就算文娱生活吧……年关前结算工资，带回家去。"那为什么往身上刺"忍"字？邓师傅把另一只胳膊显示给我，那上头刺着两个并排的字："爱恨"。字是五年前他自己刺上去的，先用墨水写好，再用针尖密密地扎。那时候外出打工，常领不足甚至领不到工资，他领头干过好多事。他轻描淡写，我想象丰富，总之，最激烈的一次，他酒后发威，没领到欠薪，却进了拘留所。"那几年可不平淡。现在的平淡，是努力争来的。"听来现在平淡得也不错：工资不拖，给上保险，伙食绝对管饱，每月最多可以预支出一百五十元零花钱，年底回家或工程结束时，能有较为满意的收获，家里的旧房翻盖成了新房，儿子闺女都供得起他们上高中。

邓师傅说现在想把两边胳臂上的刺青都去掉。张师傅就说："那莫法了。也算文物吧。"我想细问他们究竟怎么争到自己权益的，但实在已经很晚，大家都该休息了。他们送我过了天桥，才回工区。我想起邓师傅问我为什么能忍耐那桥洞无灯的状态直到如今的几句话，不禁憬然。

慎用干冰

现在无论是剧场舞台上，还是电视节目里，常会出现干冰挥发吞云吐雾的场景。干冰是固态的二氧化碳，一接触空气就会迅速挥发飘散，对人体无害，也不会污染环境。大约是上世纪六十年代，世界上开始流行使用干冰来营造梦幻氛围。改革开放以后，中国的舞台装置上干冰也渐成宠儿，以至成了滥觞。随着干冰成本的降低，如今一些人使用干冰时毫不吝惜，以至本来是想形成缥缈的意境，结果却因为投入量太大，成喷涌之势，让人看去绝无仙境的美感，不似霭霭白云倒像滚滚浓烟。

戏曲舞台上，如今也多有使用干冰的。比如京剧《春闺梦》，为表现女主角渐入梦境，舞台侧面飘出干冰挥发的雾霭。但戏曲特别是京剧，本是大写意的艺术品类，实在并无此种必要。凭借锣鼓点的变化和演员身段的表达，入梦的意境是完全可以充分地令观众了然的。有的演出，除了使用干冰造云雾，更把灯光调暗，就更是败笔。《三岔口》表现三人在黑屋子里互相摸索打斗，全靠巧妙的大写意身段。舞台上明光雪亮，观众却完全能意会到那是伸手不见五指的一个神秘空间，其艺术性的精髓也正在于此。据说也有演《三岔口》把灯光调暗的，真是在大写意的非物质性文化遗产上佛头着粪。

戏曲要改革，京剧也可以创新，《红灯记》、《沙家浜》等现代京剧，都使用了离写意比较远的写实布景，看去也还舒服。但无论创新的剧目走得有多远，完全靠大写意体现其艺术精华的传统剧目，还是要认真继承，不仅要培养出新一代擅以大写意造境的天才演员，还要培养出新一代能够迷醉于大写意传统文化的成熟观众。要让新一代学生打小就看《三岔口》、《秋江》这类最能体现大写意风格的传统剧目。你看《秋江》，无需任何布景，更无需以绸摹水，全靠两个演员的身段配合，就活灵活现地把船行江上的种种状态细微生动地表达了出来。倘若真到一处水域，真船真桨，再让那艄公和那尼姑站到船上去唱《秋江》，还有什么京剧艺术可言？

当然，大写意的戏曲也不是不可以适当地配以装饰性的舞台装置。白先勇先生到处推广青春版的昆曲《牡丹亭》，除了对传统演出编排上的革新，也注意到舞台布置不能过分守旧，使用了一些点到为止的装饰性部件。现在的戏曲演出往往使用的是通用性舞台，这种舞台最重要的背景就是天幕。素净的天幕固然最雅，但也许会使得一些不熟悉大写意艺术的观众特别是年轻人觉得过分寡淡。因此，在天幕上缀饰些恰到好处的点眼的符码，是必要的。二〇〇八年春节，天津电视台有一台大联欢节目，其中一部分是京剧名段联唱，其演出区的装置，我以为很好：素净的淡蓝天幕上缀饰着将京剧脸谱极端解构后形成的红色对称图案，图案中有两处可以想象为传神的眼睛，其余部分则绝不做实，只表达出一种含蓄的趣味。就在那图案下面，天幕下正中，布置出一个略高于台面的伴奏区，把京剧的"场面"加以隆重展示。这部分节目看去非常地赏心悦目，除了演员和伴奏的造诣，舞台装置的恰到好处也是重要因素。对比之下，中央电视台戏曲频道使用多次的演出区布置，是天幕正中一个旦角与花脸各占一半的大图徽，怎么看去都非常别扭，想来设计者是出于好意，觉得无论光使用旦角还是光使用花脸的面部来作为装饰，都太"片面"，把两种脸面合在一起，比较"周到"。但因为旦角的脸面是干净的，花脸的那半边，乍望去仿佛是旦角的脸被剥了皮，露出了肌肉经络淋巴。一个中学生就问过我："那半边是不是人体解剖图？"为了成全"概念"牺牲美感，更极端的例子是最近"空中剧院"连续播出多场的京剧青年研修班汇报演出的舞台装置。那演出本是非常精彩的，但非要把四句口号触目惊心地挂在天幕上："百花齐放，弘扬国粹，继承创新，德艺双馨"。竟把大写意的舞台，当成了社论的版面！

　　其实，中央电视台戏曲频道的几种频道标志里，有一种是水墨动画的《白蛇传》意境，把中国戏曲大写意的美感概括得淋漓尽致。从慎用干冰，一直漫话到水墨画风格的频道标志，我的情怀是：大写意是中国传统表演流派的精髓，这个国宝，需要细心维护、全面继承！

内胆存情

儿媳妇孝心可嘉，为我们居所置了台新款饮水机。原来我们用过不断换桶装水的，后来又用直接将自来水过滤加热的，现在这一台，则是无内胆的，说是有内胆的，会造成胆内水潴留，水温一降便反复加热，会影响热水的新鲜度。无内胆呢，则随时流出的都是速热的新鲜水，饮用起来更加适口也更加安心。厂家不断开发出新一代产品，使消费者有更多的选择，是好事。我在消费习惯上，一贯并不保守。改革开放初期，还属于"敢带头吃螃蟹"的一族，若干同辈人还在观望犹豫，我却已经将那新型产品迎进了家中，享受起来。但近来也许确实是人老了，追新的劲头大减，怀旧的情绪氤氲胸臆，对日用消费品，往往总觉得功能达到一定程度就很满意了。对无休止地将功能精微化，心存佩服却敬谢不敏。比如手机，就希望它只具备接听、打出的基本功能就好，不必又能拍照，还能上网，甚至还可以看电视节目。

儿媳妇买来的那台无内胆饮水机速热出的水，我和老伴总觉得"味道不大对"，儿子儿媳妇就耐心地开导我们，其实那才是最正宗的开水味。我们所习惯的，其实是含内胆味的热水。我们正在熟悉那"正宗的开水味"，但也还买来了新暖瓶，把"正宗开水味"的热水储存到暖瓶里，夜里如果喝水，还是使用暖瓶。

无内胆饮水机，仿佛性格外向的急脾气、热情似火的人士；暖瓶呢，早有人拿来比喻人的性格，说"他可是个热水瓶"，意思就是这人很内向，表面看去似乎比较木讷，甚至冷漠，其实内心里也潜伏着滚热的情感。外向的、风风火火的人士，与内向的、黏黏糊糊的人士，都可以交为朋友。这两种人写出的文字，往往文如其人，前者喷涌恣肆，后者沉静悠远。两种文字，我都喜欢。

不过当社会的竞争机制被大大激活以后，总体而言，外向性格具备优势，外向型文字也总能赢得传媒的青睐。外向型的偶像、商品、文字，往往占有比较大的市场份额。但内向型的生命，他那灵魂内胆所积淀存储的浓酽情感，一旦被抽丝般缕缕道出，成为恬淡闲静的文字，也仍然会打动一些人，形成共鸣，获得知音。就我自己而言，眼下更喜欢亲近的，是内向型的人士，以及他们那内胆存情、徐徐吐出的文字。

前些时忽然接到一位资深报人纪从周电话，我们真可谓相交淡如水。最后一次谋面，大约是十五年前，他来电话，当然是记得我，我接电话听到他声音，很高兴。显然，我不但记得他，而且印象很深，很好。他也没有很多的话，听得出，仿佛是犹豫了许久，才打出这个电话，而且大喘气中，才鼓起勇气，说明是想请我为他新编的一本随笔集写个序。我让他把文章传到我的电子邮箱，告诉他需先看过再说，如果看过觉得无话可说，则他无妨另请高明。

读过了从周的文章，我就联想到了儿媳妇买来的那台无胆饮水机，以及仍在使用的暖水瓶。从内容的颠覆性和技巧的花样翻新上说，这些文章都还没有达到"新款无胆"、"引领潮流"的境地，倒更像是质量上乘的传统暖水瓶，从中倾出的滚水，有种悠远的韵味，自传统而来，也融入到我们置身的簇新的现实里。

你看，我先称纪从周，再称从周，前天给他打去电话，叫他小纪。这就说明，他那"内胆"中流泻出的情感，消弭了十五年"相忘于江湖"的距离，使我觉得其人其文，都备感亲切。我问他：为什么非找我写序？他也实在不会花言巧语，实实在在地说，其实这些年他也没读我更多的文字，主要是读了我的一些随笔，觉得共鸣不少。我问他这些年平时多和哪些文化圈的人士来往，他说因为性格内向、嘴拙，交往的不多，只是有一位，二十九年来一直来往密切。他道出那位的名字，令我心动。那位兄长也曾光芒四射，但近些年因为家事繁冗、身体欠佳，已经远离热闹场，传媒也很少关注。如今世道，谁热闹亲近谁的人和事多，谁冷清却仍去亲近的人和事少。所谓写作，文字写作是一方面，行为写作也是一方面。小纪既有文字写作也有行为写作，里面都有沉静的人性善美啊。我会为小纪写出书序来吗？难道，这样一篇文章，也可充为书序？我又希望看到的人士，能从中获得一种通识，万莫当做应酬文字视之。

人生好时光

中国新鼠年春节过后，世界上有两位作家接踵去世，两个独立的生命，都热爱写作，但他们所处的社会，所度过的人生，所写出的作品，差别之大，难以譬喻。

一位是法国"新小说"流派开创者罗伯·格里耶，公历二〇〇八年二月十九日逝于法国西部小城，享年八十五岁。一位是中国作家浩然，公历二〇〇八年二月二十日逝于北京东方医院，享年七十六岁。他们仙去前，都已经被社会边缘化了。他们曾经辉煌，但当今法国和中国引领文学风骚的中心人物，已是另外的一些写作者。

一九八八年初夏，在法国巴黎，正对协和广场的大饭店的露台上，我曾和罗伯·格里耶站在一起喝香槟。当时露台那一角只有三个人，我们三个人站在那里，只不过是因为我们都不喜欢太热闹，当时饭店厅堂里正举行大型酒会，溜到露台一角实际是一种逃避。我不会法语，格里耶不会中国话，另一位恰既懂中文也讲法语，因此我和格里耶有简单的交流。格里耶对我不会有什么兴趣，事后也一定不记得我这个人，但我那时却对他充满崇敬，还有同情。崇敬，大家可以理解，改革开放以后，格里耶及其"新小说"流派有不少品种被翻译到中国。格里耶的《橡皮》几乎成为上世纪七十年代末、八十年代初所有文学爱好者和写作者的必读书，他编剧的先锋派电影《去年在马里昂巴德》在电影资料馆内部观摩，一票难求，能搞到录像带在家里跟几位同好欣赏，成为最大幸事。从那时候起，"文学是叙述技巧的展示","文学创作重在颠覆","不为俗众求雅眼,为下世纪而创作"等等想法和说辞,甚为流行。那么,我怎么会在一九八八年跟他近距离接触时,又会对他心怀同情呢?那是因为,一九八五年瑞典文学院把诺贝尔文学奖颁给了法国作家克洛德·西蒙,据说那也是表达对探索了三十年的"新小说"流派的一种肯定,法国人是最重视这类事情的,法国作家又一次获得诺奖,当然首先是高兴。但接着就感到困惑,消息传来的当天,巴黎大街上不少人面面相觑地互问:谁是克洛德·西蒙?他那本获奖代表作《佛兰德公路》写的是什么?有的则愤愤不平,如果是想肯定"新小说"流派创作,那为什么不颁给罗伯·格里耶?众所周知,格里耶可以说是"新小说"探索的发轫者,其作品人们耳熟能详啊!一九八八年站在格里耶身边,我也有这种情愫,实际上那是格里耶本人并不需要的同情。

一九八八年站在露台上喝香槟的格里耶,六十六岁,非常素净,非常恬淡,我觉得他自己非常清楚,他人生中最好时光,已经流逝,难以再来。他从一九五五年通过午夜出版社发表第一部引起关注的作品,到一九八五年西蒙得到诺奖,正好三十年。他的好时光不短,对于这个变幻莫测的世界上的大多数写作者来说,应该欣慰了。

格里耶当然也是老黄牛类型的作家,生命不息,笔耕不辍。但好景难在,他去世前一年新推出的作品《伤感小说》恶评如潮,在图书市场上遭到冷遇,最刻薄的评论是:"这是行将入土的法国'新小说'棺木上的最后一颗钉子。"唉!但是,他去世消息传出,法国总统萨科齐很快表示哀掉,总统府发表正式言论:"毋庸置疑,随着罗伯·格里耶的去世,法国知识分子史和文学史上的一个时代已经终结。"他定位于煌煌历史卷册,却又被社会发展彻底地边缘化乃至出局。

我一九八〇年至一九八六年曾是北京市文联专业作家,和浩然分在一个学习组,有促膝的接触。但我们之间没有一次超出寒暄的交谈。他逝去后,从传媒上看到的文章,一般不外或指出他为置身其中的时代所局限,或表达对他无政治野心有质朴品格的赞叹。但替他细算一下,他人生中的好时光,也就是写作爱好与才能得以施展喷溢并占据中心位置放射光芒的时间段;也就是一九六三至一九六六和一九七二至一九七六加起不到十年而已。我跟他"一口锅里吃饭"时，他已经并不开心了，后来更逐步地边缘化。引领文学风骚的，到如今也已经换了好几茬。说罗伯·格里耶的代表性"已经终结"也好，说浩然"被时代局限"也好，话说出口是可以很轻松的，但细揆天理，谁又能久据中心永不终结呢？谁又能遁逃于时代局限之外永恒摩登呢？居中时不欺人，边缘时不自欺，顺应代谢，敬畏规律，才是健康的人生。

"杜丝"莫问邻

　　我跟一位白领说见到过杜拉斯，她开头以为我吹牛，我把见到的时间地点和情况告诉她，她双手一握："哇噻！你好大福气！"这位女士是杜拉斯的"骨灰级粉丝"，把翻译成中文在我们这边出版的杜拉斯著作以及相关的传记、评论搜罗殆尽，所收藏的杜拉斯的原创与改编电影《广岛之恋》、《情人》等光盘，每隔一断时间就要"鸳梦重温"一番，像她这样的"杜丝"，相信在中国还很不少。

　　我见到杜拉斯，是在二十年前。那天我步行穿过巴黎市政厅广场，再穿过巴黎圣母院广场，过塞纳河桥，到了所谓左岸地区，继续南行，身右的圣·日尔曼教堂古色古香，身左的"双怪"咖啡馆十分著名。我再往前走，右手是条小街，我拐进那条街，街里全是古董式的老楼。我要进入其中一栋，拜访一位法国学者。我按地址找到了那栋楼，正复验着门牌号码，厚重的楼门被缓缓推开，一位个子奇矮、脊背佝偻的老妇人出现在我眼前。我定睛一看，呀，该不是杜拉斯吧？我到法国之前，已经看熟了她的照片，从童年到青年到老年的那些照片，给我印象最深的是戴一副粗框黑眼镜、满脸皱折的老妇形象，这不活生生地就在我身前吗？

　　年轻白领在我讲述过程里，嵌入过好几次质疑与惊叹："只是像她而已吧？""真的是她吗？那你怎么不求她给你签名？""真的没有人围随吗？"……

　　那一年，在巴黎，我与鼎鼎大名的杜拉斯擦肩而过。进入那栋楼房，乘一架古旧的吊框式电梯，找准单元，按响门铃，被迎进去以后，我还满脑子是杜拉斯，与主人寒暄过后，忍不住就问："杜拉斯是你们邻居？"学者夫妇点头。我真想跟他们聊聊杜拉斯啊。我肚子里滚动着一箩筐话题：你们跟杜拉斯为邻，怎么早没告诉我呢？她跟你们来往密切吗？邻居们以她为荣吧？常年近距离接触、观察，你们是不是感受到了她更多的魅力？……但是，我很快就感觉到，主人对杜拉斯完全没有兴趣。当然，他们并不否定杜拉斯在文学艺术方面取得的成绩和具有世界范围内的巨大影响，不过作为一个邻居，他们知道杜拉斯太多的缺点与弱点，我非逼着他们列举杜拉斯的魅力，不得已，他们只能举出几个小例子，说明杜拉斯实际是几乎全楼其他各家都有点厌烦的一个生命存在。

中国的白领"杜丝"听了我的叙说直发愣。我告诉她，"杜丝"莫问邻，其实还可以推而广之，总结成——"名人"莫问邻。积多年人生经验，我以为这大体是一条规律。在杜拉斯住的那栋楼里，没有人欣赏她的"魅力"，还惹出若干闲言碎语；杜拉斯走出那栋楼，附近熟知她的人们没有人会去特别注意她；她若到"双怪"咖啡馆小坐，也极少有人会凑过去求她签名合影；她若过桥到了右岸，认出她的人可能会注目一时；出了巴黎，会有人凑上去表示钦敬……若是到了法国以外的某个书展签售她作品的译本，"杜丝"可能会把她围个水泄不通；我认识的那位中国白领"杜丝"自己这样说："若是她突然出现在我面前，我可能会激动得晕倒！"当然，杜拉斯已于一九九六年逝世，"杜丝"们不可能再有与她谋面的机会了。

其实，这个社会人际的微妙规律可以更明快地总结为：远香近臭。

现在一些访谈式电视节目，编导总喜欢尽量找些主嘉宾多年未谋面的旧同窗、老邻居，在录制过程中由主持人突出奇兵地宣布上场，以造成主嘉宾由于意外而产生出特殊的情感波动，达到引人入胜的观赏效果。虽然播出的节目是经过删汰剪接的，但是如果我们细心观看，有时候就会发现，知道太多"底细"的同窗、邻居往往禁不住就会道出主嘉宾其实并不希望抖搂出的往昔糗事：不雅的绰号呀，失范的行为呀，寒碜的失败呀……而作为名人、明星出场的主嘉宾，事到临头，只能抑制尴尬，接纳这些"因近知臭"的调侃。

当然，远近皆是好口碑的名人是有的，不过相对较少。其实远香近臭并不是坏事情。知道这一点，对"粉丝"们是一帖清凉剂，可以把对名人的崇拜调整得更理性；对于名人本身，常有近处把你视为平常的目光环绕，想想才是真福气。

窗口比电视好看

应邀去一位晚辈家做客，发现他们客厅窗外的街景丰富多彩，他们在厨房里忙活，请我先坐到沙发上看电视，我却站到窗边难以离开。

他们窗外这边和对过的人行道和马路边，有许多划出的停车位，人行道上的车位，属于两家大餐馆，有保安负责招呼，但马路边的车位，却是按时收费的，另有手持小票穿工作服戴袖标的人在那里紧盯。我朝外望时，正是饭点，免费车位已满，于是频发涉及三方的纠纷，虽然听不清"台词"，但个个的肢体语言都很生动，我能看懂。食客坚持停车应该免费，管马路边车位的坚持要照章收费，而餐馆保安在设法留住食客……有的车主赌气开车离去，有的则终于停泊下来。再细观，食客进去后，保安与收费者站在一处言谈极欢，想来他们之间每天都在利益均衡中形成了共生关系……

斜对面的一家茶室这时候似乎还不到上座高峰，一个穿浅绿工作服戴一顶造型奇突的工作帽的姑娘抱出一大包东西，想来是有待洗烫的桌布之类，送往门外一辆小面包车。那车上司机早在门口等候，迎上去接过，似乎在讨好，但那姑娘卸掉包袱后却对他爱搭不理。餐馆一个保安却走过来，而那姑娘看来满心欢喜，保安伸手摘下她那顶古怪的帽子，她不但不生气，还笑得身体像风中的铃兰花……

忽然有锐利的叫骂声传来，寻找声源，就在窗根下，是一对大约三十多岁的夫妇，穿着都颇体面，但一定是持续多时的情感危机又一次触雷爆发。女声："你总得跟我说个清楚！……你不是人！……"男的无声，但女的随即大哭，难道是男的出力过猛？再细看，附近还有一个小男孩，呆呆地望着他们，而过往的行人，似乎都视而不见，绕过他们各自走路……这个小家庭自何处而来？向何处而去？悬念重重……

又忽然有个蔚蓝色气球飘入眼帘，上面写着个白色的"阿"字，怎么回事？原来是一串连着的气球，"阿梅我……"下面一定是个"爱你"两个字吧？细看，却是"阿梅我好后悔"，谁在拿着这串气球在走动？不是我眼花吧？怎么竟然分明是个胖老头儿？这真叫"情节设计不合理"啊！……

主人呼唤我好几声，我才从窗外的"情节"里脱身。我们坐到餐桌旁边吃边聊。我把从窗外看到的"故事"讲给他们听，他们很惊讶。原来他们自迁入这个新居后，始终没有站到窗前朝外细望过。他们望得最多的，是电脑和电视的屏幕。我告诉他们，在日常生活里，凭窗外眺，是我的一大乐趣。在我来说，窗口框定的图景，往往比电视和网络还精彩，因为那是真正的原生态，兼有悬念小说和朦胧诗的特色，可以引发出我悠远的想象与深邃的思绪，常常能触发出创作的灵感，从修身养性的角度来说，也是一种滋心补气的静气功。

他们问，如果窗外并无街市，没有社会人生图景，您也能津津有味地眺望吗？我说，也能，比如我乡村书房温榆斋窗外，基本上只能看到一些植物。眺望久了，就觉得植物当然也是生命，有表情，有感情，比如那株离我窗口大约五十米的火炬树，从春到夏，我眼见着它从吐芽到叶张，从夏到秋，又眼见它从碧绿到殷红，冬天它叶子落尽，那些枝桠在风中的微颤，似乎也是一种沉吟……所以，我多次凭窗对它进行水彩写生，每一次写生，都觉得是一次生命与生命的对话……他们听了，虽然频频颔首，却也不免抬杠：那么，如果窗外只有别家的墙壁，也值得去观望吗？我说，对有心人来说，也未必不能从中获得美感与慰藉，墙面即使一无装饰，但细观光影的变化，也能引发出许多的遐想，何况墙上还可能有水渍，有岁月的留痕。如果说窗外的市井是小说、风景是诗，那么墙体就好比是抽象派艺术或哲学论文……说得他们笑了起来。

在浅斟慢饮中，我们渐渐达成共识，现代社会科技的发达，派生出了太多把我们拔离自然与社会原生态的替代功能。电视和电脑从"替你看"，发展到了"替你想"的地步，许多人渐渐成了它们的奴隶，离开它们甚至就觉得陷入了生存危机，这个弊端，到了必须认真克服的时候了！摆脱电脑电视对自己生命宰制的第一步，就无妨从凭窗眺外做起！

如丧手机

那天目睹了一位"八〇后"白领的状态，她脸色发白，失魂落魄，慌乱不堪，痛不欲生……哎呀，莫是她父母出了什么问题吧？后来闹明白，她是把手机弄丢了！等她飞速地补购到一个新款手机，抓在手里又是通话又是发短信以后，只见她眉飞色舞，神清气爽，谈笑自如，乐从心生……啊哟，我算明白了，手机对于这一代人中城市一族来说，其重要性达到了什么程度。

刚好收到邱华栋主编的《青年文学》二〇〇八年第三期。这一期是"一九八〇年代出生作家作品专集"，卷首是春树的短篇小说《庸俗让我们如此快乐》。庸常的俗世生活让他们那一代感受到快乐，我能理解。我注意到，小说里的人物，他们的人际关系，沟通与拒绝，欢乐与沮丧，期待与沉溺……时时需要借助于手机。小说在杂志上一共占九面，第一面就写到主人公用手机接电话；第二面则写到去小卖部给手机充电，以及接到短信等等；第三面写到床上的事，手机关机；但第四面就"我一个电话打过去"，第五面写到发短信；第六面"在路上手机响了"，不止一次，推动着情节的进展；第七面一开始就接到令主人公不快的短信；第八面主人公"问他那晚为何不回短信"；第九面主人公在失去男友后接到"宁同志"短信，小说结束在一对女性深情互望上。我个人的阅读感受是，这篇小说也无妨叫做《手机让我们如此快乐》。

无独有偶。同一期杂志上朱婧的短篇小说《七里香》，开篇第一句就是"手机响起来"。一而再，再而三，柴柴的短篇小说《慢拍的房子》，立意与文风与前面举出的两篇不同，但发送手机短信的细节也是至关重要的一处"文眼"。如果再检索包括其他杂志上更多的"八〇后"作品，相信会有更多的手机承担着不仅仅是道具的作用，手机深深地嵌入了他们的生活，融入了他们的灵魂，一些人的生命状态不像是在使用手机，而是几乎成为了手机的附属物。丢了手机，甚过失去亲人，简直就是失落了他们自己。

在中国内地，大约二十年前开始有人用粗重的手机——"大哥大"。"大哥大"也是白道、黑道"大佬"的代号；大约进入上世纪八十年代，手机才从商界推广到政界。体积重量大大缩减；进入二十一世纪，手机开发出发送短信的功能，几乎每月都推出新的款式，功能开发达到绝大多数使用者都不可能项项熟练使用的地步。开始是一切方面"成功人士"的必备符码，后来渐渐渗透到社会的各个阶层，各个年龄段，所谓"手机臭了一条街"，蔷薇还只是四月里处处开放，手机却一年四季无处不在，彩铃声、接讲声和低头看短信、手指按键……等声音动作在我们庸常生活中出现频率奇高。现在你无论是看到一个小学生或者老太婆，也无论是收废品的汉子还是牵名贵犬种的女士，他们正在使用手机，你一点也不会惊讶，因为，即使你本属于觉得与手机无缘，现在也很可能拥有了第一个手机，而且，一旦手机不在身边，虽然不一定会像我文章开头提到的那位"八〇后"那般痛心疾首，至少也会感到"委实不方便"。

电视比手机更早地侵入我们的庸常生活，电视不仅生命力极其旺盛，现在还特别频繁地与手机结盟，打开电视机，有多少档节目在号召我们给他们发送短信呀，许多盯着电视机的庸常人会手指大动，不仅是按遥控器的键，还按手机的键，怀着庸常的愿望，期盼发送短信后会在屏幕上看到遮蔽了当中数字，但分明是自己手机得中奖金或奖品的字幕，然后勃生出庸常的幸运感、幸福感。电视和手机，还有电脑，它们以最锐利的"杀手锏"——互动节目、互转短信和博客文章，刺激庸常人的庸常神经，达到"庸常让我们如此快乐"的效果，而这背后，是有关机构巨大的商业效益。

　　春树的小说里有一句我以为非常好："时间过得像时间一样快。"在这时间之快
已经无法用别的事物比喻的人生情境下，我觉得无论"八〇后"也好，还是"八〇前"
也好，一切自愿或非自愿置身在庸常的俗世生活里的生命，应该利用一切科技成
果而不被其俘虏为奴。我真不愿意"如丧考妣"这个富有人性的形容词，有一天
真被"如丧手机"所替代而收入词典。

修复功能

蚯蚓被截成几段，每一段又都能成为一条新的蚯蚓。壁虎断尾后，过些时会长出一条新尾巴。螃蟹的螯夹被毁后，也会再生出一个新螯夹来。生命的自我修复能力，是生命现象中最令人敬畏的一点。

生命越高级，自我修复能力就越退化吗？表面上看，似乎如此。人哪有蚯蚓、壁虎、螃蟹那样的再生能力？但是，人之所以可称万物之灵，其实最重要的一点，恰是超强的自我修复能力。"伤筋动骨一百天"，说的就是人对筋骨的自我修复能力，通过一代又一代，一个例证又一个例证，人们从经验中总结出来的。二〇〇三年秋天，我忘记自己已逾花甲之年，为了采集野花，在京郊从大约两米高的坡上往下跳，顿时摔裂了右脚脚跟，去了医院打了石膏以后，真是懊丧灰心，我今后还能正常行走吗？马来西亚方面的朋友来电话，问年底能否在吉隆坡欢聚？我觉得那完全没有可能了。但是，确确实实，伤后九十天我都还架着拐，第九十一天去除石膏，那脚还有点像从别人那里借来的，而到一百天时，全然没有了任何异样，俨然好脚一只，第一百零三天，我已活蹦乱跳地出现在吉隆坡，与朋友一起大嚼榴莲了。

自我修复能力，是人最重要的生存要素。就是得了所谓绝症，人也应该保持一种自我修复意识。当然医生、治疗、药品、养护都很重要，但是更重要的是人决心修复损坏的部分。先有信心，再加毅力，乐观豁达，理智处置，往往会产生所谓的奇迹，原来的病灶，竟然大大萎缩乃至消失，令医生称奇。自我修复的能力，源于自我修复的信念，以及自我修复的程序和技巧。

生命肉体的修复是一个方面，生命灵性的修复则是更重要的一个方面。现在人们往往借助于心理医师，来从其分析劝诱中获得解开心结的方法。其实关键还在于调动自我心灵修复力。心灵创伤和肉体创伤不一样，它无形而深邃，自知而无法尽与人述，如何修复？我的生命流程所积累的经验是：不要过多依赖他人的分析引导，要珍视你心底里往往最难与人言的第一直感，从那个直感的原点出发，去进行自我倾诉、自我抚慰、自我鼓励，达到首先不自弃；其次不怨天、不尤人，挺起脊梁直面现实处境，扬所长，补不足，把自己的生命状态，修复到尽可能好的程度。我一生中至少经历了三次大的挫折，都使得心灵流血，但我至今仍有原创力，仍能在参与社会文化活动中产生出一定影响，关键就在于我发挥了自己的心灵自我修复能力。在边缘处，在静谧处，在私密处，默默舐尽心灵创口的血痕，孕育出新的思路，摸索出新的表达方式，再转而从适当角度切入社会，奉献一个公民的才思新见。引出争议也罢，无甚反响也罢，我倾我情，我诉我心，也不枉把自我珍爱与社会责任结合一番。

说得似乎有点玄虚了。其实，修复能力完全可以体现在最平淡的日常生活里。我虽然堪称深居简出之人，偶尔也会邀一二位至多三位朋友，到家中小聚。一次两位年轻朋友到我郊区书房温榆斋做客，我任他们翻弄书架，又叫来送餐一起吃喝，聊一阵，看一阵光盘，更不断饮茶喝酒，我还宽容他们吸烟。他们告辞时，望着那被弄得凌乱不堪的景象，频频告罪致歉。我说其中也有我一份啊，你们来了就好，太无所谓！他们走了约半小时，忽然其中一位又找回来了，他忙乱中把自家钥匙掉在我屋里沙发缝中了。他进了屋大吃一惊："哇，怎么跟我们没来过一样，恢复得一丝不乱！"他算知道了我的脾气：事情一过，立即修复，回到原状，重头再来。我立刻把收拾屋子时发现的钥匙递给他，并不虚客套招呼他再坐，告诉他我已累了以后再见。当我坐到摇椅上养神时，周遭的环境完全修复到无客的"原生态"，真是怡然自得。

　　我的生活就是这样，不断地被良性改变或恶性破坏。但我总是迅即地将其修复到最习惯的状态，我的肉体我的心灵也总是在不断地消耗也不断地修复。生命的修复功能当然会逐步衰竭，当完全无法修复时，也就意味着一个句号的来临。我不畏惧那躲在前面暗处的句号，只要仍有一隙可能，我就要享受生命修复功能带给我的尊严与欢愉。

一粒熟米

　　三十年前在出版社当编辑的时候，每天要看大量的自发来稿。有回我对同室的老编辑说："这位作者连吃饭的时候也在写呀，你看掉的米粒！"他就笑："那是他故意搁上去的！你以后还会遇到更新鲜的手法呢！"原来，那时候出版社号称来稿必看必复不用必退，来稿和退稿都由出版社"邮资总付"。但来稿量与日俱增，从一天半个帆布的周转袋，很快发展到每天两三袋，编务人员疲于奔命地登记，按地区分配到每个编辑案头的稿子天天摞得老高，编辑们虽然很愿认真阅读每一件来稿。但是，把每件来稿从头至尾看完势不可能，有的来稿虽然很厚一本，但看了头几页，也就可以判定实在不够及格水平，当然不必看完就退。开头还是手写退稿信，后来就用统一的油印退稿信，再后来就发布声明，作者若需退稿，请自备足够的邮票。许多作者也就寄来甚至超出所需的邮票，但接到退稿后有的十分不服，致信出版社负责人，控告编辑根本不通读其作品就粗暴退稿。因为他故意在一本稿件里搁放了若干饭粒，稿子退回后，那粘住的页面根本就没被分解开！当然，这类控告都不可能使编辑受到领导批评，再后来，出版社干脆进一步声明，所有来稿请一律自留底稿，概不退还。

　　分析当年看稿时多次遇到饭粒的情况，觉得是两方面的问题，一方面是出版社开始时来稿必看必复不用必退的许诺惠而不实，实际是把一桩并不能做到更难以做好的事情轻易地许诺于社会；另一方面，则说明当时一般作者将自己的文字公诸社会遭遇瓶颈，想通过官方渠道发表作品。有的作者称"比骆驼穿针鼻还难"，这话说得太绝，但若说是"比铁杵磨成针还难"，则颇恰切。有的作者的来稿尽管被初步选中，但编辑提出一大堆修改意见，作者改得焦头烂额，作品改得面目全非，终于编辑觉得可以了，终审却又打了回来，而终审者的再修改意见，有时不仅会令作者听了晕倒，编辑也会仰天长叹，因为那其实是变相的死刑宣判！

我那时看自发来稿，渐渐形成了一个工作习惯，就是即使看了前面就觉得实在不行，也还是把每个被饭粒黏住的页面都统统分解开来，没想到有一回这样也还是遭到了来信抗议，来信者称他其实在后面某页故意在作品里嵌入了"编辑你没看完我稿子就是个大混蛋"的斜体字，我竟没有知觉，可见他骂对了云云，他被退稿心情沮丧骂骂编辑倒也无所谓，但他那抗议信共两页，第二页下面写着："我是黄疸性肝炎患者，我已把自己含病毒的唾液涂满这两页信纸，让你知道我不是好惹的！"呀！读到这句我忙把信纸扔到地上，同仁大吃一惊，我说出缘故，他们全哈哈大笑，但也都嘱咐我把信烧掉后到卫生室把双手好好消毒。

后来回想，用一粒熟饭黏住稿纸的做法，其实主要是太不自信。你的作品真好，编辑读过三页以后肯定会有感觉。如果通篇精彩，会读得爱不释手。那时候，我们同室的编辑尽管谁也不敢说没有漏掉过好稿子，但几乎每一个人都从名不见经传的自发来稿里选出过好作品将其推出，那样的作者现在有的已经成了文学大腕，有的作品已经成为其人的代表作被记载入当代文学史册。而凡是那样的作者的来稿，百分百没有故意用熟米黏住或嵌入离奇"提醒语"或用其他什么伎俩来"考验"编辑的。"是真名士自风流"，"美玉自有慧眼识"，他们凭借的是真才能，自信当头，作风正派，尽管也往往会有"明珠投暗"的遭遇，但"此处不留爷，自有留爷处"。他们不乞求，不威胁，虽然会有些周折，好作品终究还是会脱颖而出。

现在有了网络，人们享受到了自主发表作品的快乐。过去必须穿越瓶颈，一般规律是作者投稿——编辑初选——终审通过——公诸社会这样一个流程。尽管这样的传统流程也还存在，不过已经式微，出版方基本上使用约来的作品。写作者——尤其是年轻人——往往直接把自己的作品贴到网络上，而不少报刊尤其是出版者热中于从网络上去"猎头"、"捞鱼"。作者先行在网络发表——策划者或编辑搜索——联系作者——双方签约——再以纸媒形式公诸社会,尽管这其中也有审查一关,但既然被"钓",可见"渔翁"已经中意,多半轻松过关,一路放行,不出则已,出则奔往畅销。那么,现在网络作品里有没有嵌入"一粒熟米"的呢?其实有的故意弄点"疑似禁语",有的涉色涉暴制造"卖点",也是很不自信,也不正派的做法。如果说过去一个作者将自己作品通过正规途径诉诸社会穿越瓶颈的处境里,受限于出版方规章制度方面的弊病;那么现在网络作品的状态里,管理方在保障创作自由与维护网络纯洁方面,也需要不断调整,以求既除弊更扩利。而出版方在从网络里"捞大鱼"的时候,也应该把看"卖点"与看"良性社会效益"的两只眼都充分地睁开,切忌"睁一只眼闭一只眼"啊。

引　见

　　村友三儿的儿子娶媳妇，邀我赴席，我欣然前往。带去数码相机，打算拍下乡村婚礼的全过程。

　　其实现在北京城里和郊区的婚俗，差别已经不大。像拍婚纱照这个环节，就早已"水流平"。三儿的儿子儿媳妇的婚纱照，跟前些时我城里忘年交新婚夫妇拍的那套相比，不但绝不土气，甚至还更"与世界接轨"。除了着唐装和一般西装婚纱的，还有穿休闲装和和服的，姿势更绝对开放，活像明星的"片花照"。正式婚礼的排场，如礼炮筒巨响后喷涌出满天金银七彩纸屑，专用的速成机瞬间升腾出无数晶莹的肥皂泡，以及由专门聘来的司仪以诙谐的风格主持仪式，更有立体声音响伴奏下的助兴演唱等等，大体都是如今城乡共享的婚礼文化，我早已相当熟悉。

　　我感兴趣的，是那些具有乡村特色的婚俗。宴客，如今城里大体是在一家中等以上的饭馆，包下从几桌到十几桌乃至几十桌的宴席，主宾在仪式完成后共进一顿丰盛的午餐，兴尽而散。三儿家的婚事按照当下婚俗，是头天晚上便开始宴客，屋里屋外，院内院外，十几张大圆桌竟都翻台两三次，热闹非凡。正日子的午间宴席，翻台率更高，我看见不少头晚的熟面孔，往往是一家好几口都光临，大大方方地喝个够吃个足。我发现三儿宅院里一间东厢房门边贴着一张红纸写着"喜账房"字样，走进去发现有一位可以称作老秀才的人士在一个线装模样有红色竖格的本子上，登记着"份子钱"。一般都是一百元，我拍照前忙"随份子"，递上二百，于是我的名字和份钱数也就被郑重地用毛笔优美地记载在了那喜账簿上。跟几位来随喜的村民闲聊，才懂得这样的风俗其实含有一定的村民共享福利的意义。今天你家办事（红白喜均设宴），我来"随分子"，大吃大喝一顿，赶明儿我家办事，你来"随份子"，也可尽情享受一番口福，村子很大，约七百余户，你想想一年里办事的得有多少，每一户享受"随份子"乐趣的机率有多高。但也不是随便哪家办事你都可以去随喜，具有资格的，除至亲好友外，需属同祖同姓的和四围关系友善的邻居，我在去往三儿家的路上遇见了大壮，我以为他既和三儿同姓必去吃席，谁知他说他们同姓而不同根，住得又远，他并不要去；又遇到了一位熟悉的大婶，她说就这半个月里，她该随的"份子"有六份之多，言外不堪其负，她只是三儿一族的远支，"今儿个我就不去了，谅三儿也不会怪罪我。"

三儿说他二十几年前结婚的时候，也是摆大席，但桌椅盘碗等都是四邻借来的，烹饪则由至亲近邻的妇女自动集合义务操办。现在是商品社会了，早有人抓住了这一商机，现在只要打一个电话，相关生意人就会来为你家操办一切，不仅包搭院内外的大棚，连锅灶、炊具、桌椅、碗盘……厨师，甚至端菜、洗碗的服务员都给你全包，你只需下菜单子就是了。当然，价钱必须谈定，一般都是来如一窝蜂好比给你酿出几十箱蜜，去则如一阵风连垃圾也给你收拾干净。

我带了个大红包，婚礼仪式结束后，顺手把红包给了新郎，谁知三儿一把拉开我说："还没引见啦！您别乱了俗！"三儿媳妇从新郎手中取回红包还给我笑说："您是要参加引见的呀！这红包是该递给新娘子的！"

引见，这该是如今京郊农村所保持的，最具中国传统巩固伦常纽带的一个温馨的婚俗环节。新娘子站中间，一边是小姑子捧着一个托盘，里头是糖果香烟，另一边是上午参与了接亲的姑妈，手里捧着一个开头是空着的托盘，被引见的应该都是至亲，过去一位，姑妈说："叫五叔！"新娘就叫"五叔"，同时递上一纸烟，亲自点燃，五叔则将红包放到姑妈的托盘中，或让新娘叫"二舅妈"，则叫过递上一粒剥开的糖，二舅妈搁下红包，依此类推，不想就轮到了我，我还忙于拍照，忽然瞥见三儿站在他姐姐身边，亲自向新娘引见："叫刘爷爷！"我在新娘叫声中接过喜糖、献上红包，觉得三儿那似乎充电的眼光击酥了我的心……

三儿啊三儿，我考察什么民俗，拍什么猎奇照片，你是真心把我当亲人看待啊！引见的这一刻，你期待我融入你的家族，你的生活，你把至诚的感情奉献于我，我荣幸之余，不禁惭愧——我该如何回报这根植在传统美德中的淳朴感情？……

勘误之味

《咬文嚼字》对《刘心武揭秘〈红楼梦〉》一至三部进行了"咬嚼",提出八项纠正,令我十分感激。自己每出一本新书,样书到手,总忍不住立即通读,进行勘误。少年时代,对凡是印出来的东西,总是无限敬畏,"都印出来了,还会错吗",成为思维定势。印出来的东西是流布社会的,确实应该不出舛错,但后来我就发现,除了领袖著作和政府文件,其他印刷品,就难免没有出错的地方。特别是出版充分地商业化以后,为节约成本,往往不设专门的校对人员,以编代校,甚至干脆不校,"无错不成书"似乎已经成为风气。当然,严肃的出版机构,还是严格要求自己的,尽量把出错率控制在管理机构规定的万分之三的底线之内。自己以前的著作,有的能再版或多次印刷,自行勘误以后,通知出版方,他们会在下一版次或印次中改正,再拿到样书,翻看到那些已经纠正过的地方,心头涌生的滋味,有些爽,有些甜。但自己的不少著作,都只停留在第一版第一次印刷,勘误时发现了不能自谅之错,比如明明所举的例子是白居易《琵琶行》的内容,却误写成《长恨歌》,心头那份懊恼,那种苦涩,真是极其浓酽,而这份沉重难咽的滋味,竟无从减缓——因为迄今此书仍无再版再印的安排。

对《揭秘》纠错的人士,有的责备编辑把关不严,其实跟我合作的编辑,都很认真,对书稿中的问题,从引文到句法,从字辞到标点,通过电子邮件,来回询问、洽商到磨合、定夺,可谓费尽心思。但即使作者、编辑双双努力,仍会有错误漏眼。一位早已退休的职业校对跟我说，唯有重新启用专职校对，方能改进目前错多难纠的局面。好在《揭秘》系列现在有不断再印的机会，我已把热心"咬嚼"赐教诸通家的绝大多数意见，编入新打出的勘误表内，交给了出版方，第四部尚欠通家"咬嚼"，但我也已经自检出几处疏漏，比如把"两枝花"印成"一枝花"等，嘱托编辑务必立即在软片上修订，以备再印时更接近善本。

像我的《揭秘》这种书，毕竟只是"闲书"。倘若是历史书，特别是教科书，如有错，以讹传讹，那滋味就不能仅用"遗憾"二字来概括了。一九九七年，党史专家唐宝林先生撰文指出，一九八二年中国学术出版社出版的《斯诺眼中的中国》里，错把彭述之的照片当成陈独秀的照片刊出流布，为此他很着急，希望读者能认清陈独秀的"真面目"。其实，这个张冠李戴的错误早已出现。我一直保存着由北京历史博物馆主编、教育图片出版社一九五八年五月第一版首印一万，分上、中、下三册的《中国近代史参考图片集》，下册一百六十页上有三张照片，分别是李大钊、鲁迅和陈独秀。那张陈独秀的照片，其实是彭述之——这当然是后来我才弄明白的——几十年里，我和读过这本《图片集》的人，就一直以为陈独秀"真容如此"，因为这部《图片集》是很严肃的出版物，主编单位的权威性无可质疑，在标明陈独秀的那张照片下面还特别注明"北京历史博物馆藏片"。除非见过陈独秀本人的人士，谁能不信呢？那以后有众多的出版物据此以讹传讹。《斯诺眼中的中国》不过是"又向荒唐演大荒"罢了！

陈、彭"真面目"的混淆，根源是一九三二年十月三十日天津《大公报》刊登的一张照片。照片上有两个人，本来左边是彭述之，右边是陈独秀，编辑写说明时写错了左、右，后来查报纸翻印照片的人士深信所注的左、右，连五十年前的历史博物馆也郑重地将彭作为陈而藏之。陈独秀（一八七九——一九四二）和彭述之（一八九五——一九八三）同为"托派分子"于一九二九年被中共开除，一九三一年他们鼓吹抗日抨击政府，又同被国民党政府仍以共产党要员身份逮捕，以"文字为叛国之宣传"起诉，《大公报》的照片，是他们被"解送江宁地方法院候审"时记者所拍，记者称他们"态度均极从容"。他们在一九三七年抗战爆发后获释，陈流落四川江津并在那里去世。彭在中华人民共和国成立前夕先去香港最后死在美国，葬在巴黎。对彭一般人均知之甚少，其实他在一九二五年的中共四大位居第二，也曾风光一时。

现在是信息大爆炸的时代，随着信息量的激增，错误也在更活跃地流布，因此，勘误更成为当务之急，自己有错要勇于自纠，更欢迎他人指正；指出别人的失误，不取"给他一大哄""将其扁死"的态度，而持与人为善对社会负责的态度，那么，失误的酸楚苦涩就会因勘误而转为畅爽的美滋美味。

永远的天府

五月十二日下午我在书房里，忽然接到电话问我感没感觉到地震？我并无感觉。但立即打电话给老伴，她在医院十一楼的病床上，说刚才顶灯晃动、门扇乱响，陪护的多是四川人，已接到电话说家乡地震。我听了说，四川离北京那么遥远，震波怎会传到这边？老伴说震波过后医院一切正常。她无碍，让我放心，不必马上往医院跑。

官方信息来得迅捷而且透明，真是四川发生了强震，震中在汶川，离成都市不足一百公里。马上给二哥二嫂拨电话，座机不通，手机也不通，着急！二哥已经八十一岁，二嫂也快八十，儿子在加拿大，是空巢老人。但傍晚终于拨通了电话，二哥说楼房摇晃虽然厉害，但家里只跌碎一只花瓶，有惊无险。楼里人都到外面旷地暂避，有私家车的住到车里。他们吃完晚饭后，也决定多穿衣服到外面过夜。我把一九七六年唐山大地震后北京市民住防震棚的情况讲给他听，我的意思是，主震过后，如果房屋没有裂缝或其他被破坏的迹象，那么，底下的余震一般会越来越小，即使再有几次级别较高的余震，总超不过主震级别，因此，不必过分紧张，不一定非在室外生活，特别是他们年迈之人，遭受风寒派生问题划不来，这经验当然仅供他参考。

第二天二哥二嫂已回楼照常生活。第三天他们说楼里几乎所有人都已回到家中。水、电、煤气供应如常。他们已将注意力从自身的安危，转移到对那些遭受震灾严重的地区和同胞，和我一样，大量时间守在电视机前看有关的直播。

就在今年年初，《中国国家地理》杂志举办了一个很有意思的活动，让专家和读者一起共同选出今日中国的"十大新天府"。结果原"十大天府"的成都仍名列榜首，在揭晓那一期封面上，以美丽的成都平原照片为背景，以大字标出："为何成都天府之冠地位难撼？"再以次大字点明三条："福地：远离灾害的成都；遗憾：老天府纷纷失去桂冠；意外：新天府分布边陲海疆"。二哥在成都买到这本杂志后，兴奋地给我打来电话，对成都的挚爱之情里，带有许多的自豪。其实人们一想起"天府之国"的称号，就不仅想到成都，还一定想到包括都江堰、汶川、九寨沟……的整个四川。我出生在成都，童年在重庆度过，虽然八岁后随父母到北京后就一直定居北京，但许多亲人一直居住在老家，我也多次回去。天府四川，你的富饶美丽，时刻不能忘怀！

然而这次天府大震。这里不讨论地质地理方面的学术问题，即使"福地：远离灾害的成都"这一论断看来不那么准确，即使突如其来的大震使四川遭受重创，而且成都也已有一千多老乡死亡，但那片广袤的土地，仍然堪称天府！因为天府的首要条件是人杰地灵，从电视上我看到许多感人的画面，我故乡的那些普通人，他们在灾害面前当然难免有悲痛，有眼泪，但那份镇定，那种自己遭难却更关怀比自己受灾更重的人们的表情，那种救援队伍到来前的积极自救，救援到来后的恰当配合，以及二哥电话里所描述给我的，成都人的那种互助友爱，和及时回复到正常生活里的那种健康心理，都令我感动不已！

伤痕并不可怕！我们有治愈它的信心与力量、程序与方法！《中国国家地理》上刊登过一幅四川平原春天的对开照片，桃花盛开，农田碧绿，村屋质朴而洁净，远处黛色山脉起伏如歌。那时凝望着那幅照片，我已怦然心动。啊，我要能化为一朵云多好，飘到故乡上空，俯瞰，并将我心中全部的爱，辐射到那每一寸生我养我的土地！

震灾的伤痕最终会被我们完全治愈！我相信，再一个春天，四川的桃花仍会灿烂开放，然后是满山翠绿，还有坡上坡下一格格金黄的油菜田……而具有抗强震能力的新校舍，就在那桃花深处……经受了灾害考验的故乡人，他们那特有的高亢而悠长的山歌，仍将向世界昭示其难撼的天府地位！

记着·记住·记得

母亲以类似古代跪拜礼的姿势，用脊背扛住垮塌的建筑部件，掩护婴儿不受伤害，并在体力衰竭前，设法在手机上留言："亲爱的宝贝，如果你能活着，千万记得我爱你！"当救援人员到达时，母亲已经断气，但婴儿却在酣睡，救援人员从襁褓里发现了手机，读到了那条留给婴儿的短信。我是五月十四日从网络上看到这条信息的，立即灵魂震撼，热泪涌眼。现在，这条母亲留给婴儿的手机短信已经广泛流传，感动了千千万万的人。

但是，我发现，近日电视、广播、网络及平面传媒上对这条短信的引用，在最后一句话上，有不同的版本，有的把"千万"换成"一定"，有的是"记着我爱你"或"记住我爱你"，比较多见，并渐渐成为"定本"的是"一定记住我爱你"。

不知道那个手机还在不在？第一个目击那条短信的是谁？手机是否保留下来了？保留在了什么地方？那条短信是否仍可复现于从新充电的手机上？这个手机，我认为已经具有世界顶尖级文物的价值，应该永久陈列在将来建成的汶川大地震博物馆里。它也应该是几乎所有文学艺术形式取之不尽的创作源泉。比如，可以写成一篇小说，细致地刻画那母亲面临的逐渐加剧恶化的生存环境——开始她可能还有勉强挪动的余地，她在生理与心理上随时间的推移发生着变化，她如何艰难地腾出手指来输入那些文字，并将手机塞到了襁褓中，而最终那致命的进一步垮塌如何压迫到她的脊背，她如何动用那最后的生命力保护下了婴儿……再比如，可以编排成一个先锋派的舞蹈，不用戏剧性的叙事而用完全抽象的舞蹈语汇，来传达出伟大母爱的辐射强波……

如果那个手机还在，而短信不幸因技术原因消失，我们也仍可依靠现场目击者的回忆准确地将那几句话复原。我对最早报导出的那个版本最信任，我觉得后来把最后一句改为"一定记住我爱你"是来回转述中形成的"规范化"。那母亲是四川人，她应该是用平常生活里的四川话来记录心声，"千万记得我爱你"是最地道的四川话。

朱德大元帅是四川人，一辈子说四川话，他写诗，也用四川话。他有一首《龙门石窟》："悠悠伊水出龙门，两岸风光古迹存。石窟浮雕高美术，而今尚得动游人。"他用"尚得"而不用"尚能"——"得"、"能"均为平声——按说"尚能"更顺畅，但四川人比较喜欢说"得"，他很自然地就写成了"尚得"。他那篇收进教科书的著名散文《回忆我的母亲》，第一句就是"得到母亲去世的消息，我很悲痛。"他不用"获悉"而用"得到"，显示出平民化的朴实文风，也是用四川话思维的表现。

陈毅元帅也是四川人，也喜写诗。他那首有名的《手莫伸》："手莫伸，伸手必被捉。党与人民在监督，万目睽睽难逃脱。汝言俱捉手莫伸，他道不伸能自觉，我说想伸不敢伸，人民咫尺手自缩……"用普通话朗诵，就显得不那么合辙压韵，但用四川话朗诵，则顺溜之极。一九六六年夏天，陈毅在巨大的压力下，为了保持军队不乱，面对军队院校的"造反派"大声疾呼："我们随时要记得解放军的模范作用，不要乱搞！"他不说"记着"、"记住"而说"记得"，就是四川话达意的固有习惯。

李劼人是中国现代文学史上最杰出的小说家，他的长篇小说《死水微澜》、《暴风雨前》、《大波》都是用四川话写的，《死水微澜》开篇第一句："至今快四十年了，这幅画景，犹然清清楚楚的摆在眼际。"一个"摆"字就体现出浓郁的川味。他笔下人物的对话："二姐还记得一些。"我一点都记不得了。""记得""记不得"这是四川人口语里最常见的语汇。

因此，依我判断，那位地震中护婴牺牲的母亲给孩子的留言，最后一句应该是"千万记得我爱你"。"千万"是四川人最常见的日常语汇，并且传达出一种深深祈盼的心音。"一定"用在这个地方虽然与"千万"意思相近，却少了祈盼的意味。而"记得"应该更是她心头自然流出的语汇。

推敲这条手机留言的最准确的版本，我以为是必要的。这是对护婴母亲的尊重，也关系到我们对这条留言全部内涵的深入体味。

你的对应树

一位白手起家的实业家，每隔一断时间就要去西双版纳原始森林，亲近一株板根如墙、气根蓊郁的巨榕。我看过他从各种角度拍回来的巨榕照片，问过他：你是否以它励志，或展望自己企业？他坦言有那样的心思，但不是全部。他说观望抚摩那株巨榕时，意识的核心是一种说不清道不明的情怀。我告诉他，那是因为他和那株巨榕之间，有一种生命体之间的对应关系。

中国姑娘棠棠在法国巴黎留学，那里丰富的艺术宝藏令她陶醉，而孤独感却不时旋生。有一天她在巴黎左岸卢森堡公园里发现了一株中国海棠树，兴奋之极。后来她多次搜寻遍整个卢森堡公园，确证那里面只有那么一株海棠树。于是她觉得自己和那株海棠树之间有一种互相慰藉的对应关系。她画了很多幅那株海棠树的写生画，把它一年四季阴晴雨雪的表情都记录下来。她将其中一幅雪中枯枝的油画送给我时说：这是我去年冬天在卢森堡公园的留影。

人树的对应关系是多种多样的。我二十多年前写过一篇《第八棵馒头柳》。写一位妇女常常会朝楼窗下人行道的第八棵馒头柳下凝望，因为她知道离家或归家的亲人，一定会经过那第八棵馒头柳，她在离别后或等归时，期待从那棵馒头柳下的亲人身影里，默默咀嚼浓酽的心灵之蜜。馒头柳并非她的自喻、代码、激励物或图腾，只是一个隐秘的标记，但她与那馒头柳之间，在宏阔的宇宙中却有着牢固的对应性。

一位少年时代从南国迁移北京的人士，他的名字里有一个"蕉"字，现在垂垂老矣，行动要靠轮椅，近年来每到夏天，他总要年轻人推着他到恭王府花园去"望蕉"。他那南国的故乡，处处是蕉林，芭蕉是最常见的庭院植物，窗外蕉叶碧绿，室内蕉香氤氲。"芭蕉叶上诗"我原以为只是一种浪漫想象，他却告诉我小时以蕉叶代纸练习作诗填词，是最常态的事。但是北京却几乎找不到地生蕉，虽有玻璃大暖棚里的热带蕉，他却坚持认为那不足观，他之所以要夏日去恭王府花园，就是因为他知道那花园西花厅外的庭院里，有地生的大芭蕉，那也许确实是整个北京唯一的露天地生蕉。几年前我还随他去看过，确是北国一大奇观。据了解，北京的冬天露天地生芭蕉是绝对无法耐受严寒的，因此，恭王府的那株大芭蕉，是每年要定时连根移进温室，再择时回栽到庭院中的。我帮着推轮椅，和那位长我十六岁的蕉兄围着地生蕉转着圈欣赏不够。他会随口吟出古人咏蕉的一些词句，还提出一些有关曹雪芹笔下的大观园的话题跟我讨论：为什么怡红院要设计成蕉棠两植呀？贾元春为什么见不得"红香绿玉"的措辞呀？……这位老先生与芭蕉的对应关系里，除了"同名相怜"，还蕴涵着许多的文化因素呢！

我在北京地坛附近住了二十年，地坛不消说是我的常往之处，地坛里有我的对应树。那是十六年前一个傍晚，夕阳余晖斜筛过古老的柏树林，我忽然觉得有一株柏树特别地入眼亲切，那不是一株古柏，是古柏林中补种的一株相对细瘦的柏树。当然它也不是很年轻了，它周围的那些古柏都有好几百岁了，它的树龄大概在五十年左右。一刹那间，我觉得自己和那株补种的柏树之间发生了一种灵魂间的默然互动。晚风徐来，它的枝叶微微摇晃，使它的谦卑更加显著。啊！它的那种真诚而质朴的谦卑，感染着我，作为宇宙中的一个生命，感恩之心，谦卑之思，是最不能缺失的啊。那以后，我常常去拜望自己的那棵对应树，我把它称做"补柏"。望着它，我就意识到，自己的生存也只不过是一种"缺位补充"，是幸运，也因此有一种责任，感谢时代，感谢机遇，同时也必须提醒自己保持谦卑，在领受造物赐予的大欢喜时，还应总充溢着一种由己及人的大悲悯。

现在公园和绿地的某些树都有人认养；有的墓园以树代墓，人们认购某棵树，去世后就把自己骨灰埋在树下；还有的父母为新生儿栽下一棵树，发愿以后每年带着孩子来看望那棵树。但我以为，人最好还是有一棵只有自己心知肚明、大体属于隐私的对应树。你有没有这样一棵树呢？

"千万别说抱过我"

那天去一位老友家，他孙子正在厅里看电视，站起来跟我尽到礼数，我不禁问些最原始的问题：上几年级啦？在哪个学校呀？那已上到初二的少年含糊应答，我偏头对老友感叹："一眨眼长这么大啦！"又正过头张嘴想跟那孩子再说几句话，没想到那少年直望着我，生硬地蹦出一句："您千万别说抱过我！"我一愣，老友忙责备孙子，代其向我道歉，那小时候明明被我抱过的小子却自顾自走进他自己屋去了。

见到熟人的儿孙辈，并不夸张地说出"你小时候我还抱过你呢"，是老年人常有的话，老年人说时觉得自己很慈祥，也兼有岁月如梭之叹，对进入老境的心灵，含有自我抚慰的意味。这话绝无恶意，但所面对的孙辈却往往并不爱听，现在的孙辈思想言论的自由度都比前辈高，老友的孙子不仅不爱听老辈如此声口，还"防患于未然"，爽性在我张口前声明"千万别说抱过我"，好在我如今的涵养确实达到"耳顺"，听了不过一笑。老友跟我解释，说实在是不止一位祖辈、父辈来客道出过"我抱过你"的话语，有的还详细回忆充分展开，因此孙子烦了，希望我万勿介意。回到家中，回思他孙子那句"千万别说抱过我"，觉得于我还真有启发，让我受益。

现在的爷爷辈，也都曾经是儿子、孙子，大体也都遇到过类似"我还抱过你呢"的"长者之言"，记得半个多世纪前，我上初中的时候，那个时候没有电视，父亲的老友来了，我正在客厅里看书，我叫过"伯伯"继续看书，没想伯伯走过来摸了摸我头，当时我好不自在！现在分析那时的心理活动，就是你怎么总把我当成一种"低级存在"？那时候我虽然只有十四五岁，读的可已经是傅雷译的法国罗曼·罗兰的四大卷《约翰·克利斯朵夫》，客观上可能确实还属幼稚，但主观上觉得自己已经长大成人，希望获得成人世界的承认与尊重。我十五六岁就开始给报刊杂志投稿，而且并不认为自己只能到比如说"青苗"一类栏目去试试，观摩《人民日报》副刊上的诗文，佩服的当然有，不以为然的也有，"就不信我写的不能登"，十八岁时我投去的一篇散文《丁香花开》果然被《人民日报》副刊采用，但即使是到了那个地步，有的前辈还总以"我抱过你"的眼光对待我，总觉得我进入他们那个世界还为时尚早，那时跟一二同龄人说起，都对"大人们"对我们的"慈祥歧视"愤愤不平。

不知不觉之间，一茬又一茬，一代又一代，活泼泼的生命在持续涌现，并且往往在前茬前代老一辈还对其忽略不计的情况下，已然心大眼空，不公然反叛已经算是克制客气，"千万别说抱过我"的意态眼神肯定层出不穷，在这种情况下，光倚老卖老地规劝他们要懂得感恩、保持谦卑，是无法缓和代间龃龉的，前茬前辈老一代以平等、尊重的心态，肩住因循守旧的闸门，放他们奔跑到更开阔的光明处去，才是人间正道。

前几年"八〇后"成为一个热门话题，社会各界的"八〇后"大都已是骨干，其中已经涌现出一些名人，这个群体对网络平台的贡献不说是最大也是非常之了不起的，史书将如何记载这一茬人在民族这一发展阶段中的作用固然还很难说，但至今仍有一些"老辈子"对他们只怀有浅薄的"慈祥关照"，"我抱过你啊"的思维充满胸臆，却实在要不得！针对一位"老前辈"说的"要对他们宽容"，一位"八〇"在我耳边掷下这样一句话："现在不是要不要对我们宽容的问题，而是我们要不要对他们宽容的问题。"此非良言，却是"原生态"的心音，若要达到代间和谐，先需知彼，再勇审己，平等交流，心宽耳顺，不怕代间有沟，只患前浪化冰阻后浪、老凤压抑雏凤声。

　　当然，生命多元，对同一话语的感受也必因人而异，一位"九〇后"小妹妹
跟我说，她对客人"小时候我抱过你"的宣示不仅不反感，还觉得心头暖暖的。
今年秋初，"九〇后"的第一茬大学生就要入校了，从此"八〇后"中的一部分就
要渐成"前辈"了，江山岁月，人事代谢，写下这些感想，不是要明辨什么是非，
只是想申述一种对生命成长期中早熟心性的理解与尊重。

带福斯特品京菜

福斯特先生自欧洲来北京观赏奥运比赛，希望在观赛之余能品尝些中国美食。他知道北京大餐有"八大菜系"一说，问我究竟是哪"八大"？其实所谓"京城八大菜系"一说，是几十年前的"老黄历"了。"八大"指的是：鲁菜、川菜、苏菜、粤菜、闽菜、浙菜、湘菜、徽菜。福斯特问我：怎么没有京菜？我个人的看法，是鲁菜中的烤鸭、涮羊肉等品种，后来其实也就是京菜。如今北京鲁菜、川菜、粤菜仍稳占前三位，但苏菜的概念已经模糊，如把上海本帮菜、淮扬菜纳入其内，当然也还流行，但徽菜却似乎已经式微，而东北菜、贵州菜、滇菜、藏菜、新疆菜近年来大行其道，若干相关的餐馆已经获得了很大的名声。

福斯特让我给他介绍几种佳肴。我未开言，他笑道，希望我说出每道菜的具体原料，不要"吓唬"他。原来，他此前也曾到中国短期旅游，所进餐馆的菜单上，也有英文译名，一般欧洲人都识英文，福斯特说他见了那菜单上的英文，大惊失色，什么"丈夫和妻子肺部的切片"、"变成松鼠的鱼"、"酱油汁烧的狮子脑袋"、"高僧跳过围墙"……我告诉他，这回北京奥运为迎接八方来客，以几种通行文字译出的菜名已经剔除了此类弊病，并且一律在菜名下注明主要用料，他再不会"见名惊诧"了。

我知道福斯特是位热心环保的人士，像他这样的外国朋友很多，他们是反对食用野生动物的，我们中国的有识之士在这一点上与他们立场一致。这种绿色环保意识加以延伸，也就会回避一些特式菜肴，比如松鼠桂鱼，把鱼背上的肉刻意切割翻卷，再将鱼头鱼尾安排造型，形成松鼠的模样，有的人会觉得生动有趣，食欲大增。但福斯特他们却会望而反胃，因为第一，他们认为松鼠是绝对不能吃的，拿别的东西替代松鼠给人吃也不妥；第二，虽然吃鱼必须处理鱼肉，但那样展示切割痕迹令人不快。我们中国人吃东西当然可以依照固有的习惯。但现在的北京奥运是一次大规模的待客活动，"有朋自远方来，不亦乐乎"，细心考虑各方朋友的饮食心理用餐取向，让他们既品尝到地道的中华佳肴，又不违他们的风俗习惯。体会到我们中国民众好客心细的优良传统，这也是我们东道主的一大乐子。

　　一般外国朋友来北京，请他们吃烤鸭、涮羊肉是最稳妥的招待之道。从欧美来的也好，阿拉伯世界来的也好，非洲大洋州来的也好，绝大多数都能接受，餐后多半会情不自禁地竖起大拇指。但福斯特说他想吃些烤鸭、涮羊肉之外的中国热菜，让我给他一些建议。我想了想，提出建议如下：可以尝尝鲁菜中的"四作鱼"，一条鲤鱼，鱼头红烧，前部肥厚的鱼肉做成"糖醋瓦块"，中段酱汁精烧，尾部及其余的鱼肉做成糟熘鱼片——这样的四盘鱼肉色、香、味各异，吃来一定爽口舒心。另外像淮扬菜里的肴肉煮干丝、巧烹鳝鱼（现在有的淮扬馆把这道菜叫做"口袋长虫"，不知规范的外文译名怎么叫，我这样称呼并把原料和菜肴的形状、色彩、味道形容给福斯特听，他跃跃欲试）；粤菜里的干烧笋，湘菜里的家乡豆腐，谭家菜里的银耳素烩；东北菜里的红烧独头蒜；贵州菜里的蜜汁南腿……都值得一品。福斯特知道北京有一家专做宫廷菜的仿膳，说也曾在别处吃过源自仿膳的豌豆黄、芸豆卷，我告诉他，清末慈禧太后专权，她年纪一天天老化，牙口自然越来越差，宫廷菜肴也就越来越趋于软、甜和小吃化。仿膳的那些小吃包括肉末火烧都是竭力迎合太后的食品，虽然名气很大，却未必让一般游客吃起来都那么可口，倒是有一道宣传上不那么强调的仿膳菜，他很值得一尝，那就是桃仁鸡丁。我把桃仁鸡丁的原料和色香味形容给他，他说鸡肉在他们那边是最便宜的肉类（我告诉他当下的中国也大体如此），一般做法都很简单，"怎么今天又吃鸡肉？"是影视里角色表达厌烦的常用台词，但他这回来北京，已经尝到一种"芙蓉鸡片"，人家告诉他原料是鸡肉，他开头都不信，现在味蕾还为之激动！我告诉他"芙蓉鸡片"是鲁菜中的老品牌，不过，不仅是传统的"八大菜系"，北京现在菜系早已超八，几乎每种菜系都有自己独特的烹饪鸡肉的秘诀，我随口讲出锅贴鸡、草菇蒸鸡、荷花莲蓬鸡……福斯特忍不住说："刘先生，您如果有时间并且有胃口，干脆直接带我到餐馆去吧！"好的，咱们走！

万国旗飘扬

从网上看到，有人倡议在奥运期间让北京成为中国国旗的红海洋。倡议者的爱国情怀我理解，我和他一样地爱国，也意识到北京奥运会的召开对于中国来说有多么重大的历史与现实意义。但奥运会是国际性的体育活动，不是中国自己开一个大型运动会邀请别的国家来观赛，在奥运会上，所有为国际社会所公认的国旗都不但可以而且应该平等展示。奥运会会场外，会飘扬起所有参赛国的国旗，它们和国际奥委会的旗帜将把北京的天空装扮得异常美丽。所有到北京参加奥运会的来宾，不论是体育代表团的成员还是一般看客，他们都可以到遍布北京各处的志愿者服务站那里，指一指那里所陈列的万国旗中的一面，于是就会有相关的志愿者以他或她平时使用的语言为其热情服务。我们都熟悉奥运会各个项目决出金、银、铜牌的颁奖惯例，是要升起获得奖牌的运动员所属国的国旗，同时奏响金牌得主所属国的国歌旋律。这时观众都应起立，即使升起的不是自己国家的国旗，奏响的不是自己国家的国歌，也应该对那旗、那歌表示尊敬。如果那国旗是还未与我们建立外交关系的国家的，我们中国观众怎么办？建立外交关系的事情由外交部去处理，我以为作为一般民众，在此国际竞技场合，仍应对那国旗表达尊重。当然，世界上还有些复杂的麻烦的事情，有的以地区来参赛我们不能认其为一国，但只要他们举的是国际奥委会批准的标志旗，运动员夺魁后奏的是国际奥委会批准的乐曲，我们就应该为他们的入场、夺金鼓掌。

　　大家已经把"同一个世界，同一个梦想"的北京奥运主旨口号背熟，现在应该进一步对这个非常出色的口号细加品味。如今的世界很不平静，如今的人类充满冲突，信仰不同，价值观不同，从大问题到小问题，几乎都会有歧见纷争。但"人类大同"的理想，仍应坚持。国际奥林匹克运动，就是世界、人类通向相互理解、相互亲和的一条纽带，一座桥梁。奥运会为什么要轮流在五大洲不同的国家召开？目的不是增强哪一国的国威，而是增强世界各国各地区民众的友谊。

　　奥运会开幕式上，随着每一个代表队的入场，会展示出一面国旗或地区标志旗，孔夫子倡导大家多识草木虫鱼之名，那可以扩大、加深我们对大自然的了解与亲和，通过奥运会辨认甚至牢记世界各国的国旗，可以扩大、加深我们对人类社会的了解与亲和。北京奥运不是万方来朝，而是万方来聚。我们什么时候都应该会有机会爱国，但是我们并没有很多机会来跟那么多的外国人和外国旗聚集在一座城市里，享受超国界的人类亲和之美。在北京奥运会期间，高唱爱国歌曲当然很好，但我以为心中更应该回荡贝多芬第九交响乐《欢乐颂》那样的旋律。尽管世界上不公平的现象太多，人类生活中还有那么多的不如意，但世界和人类毕竟有了奥运，奥运毕竟来到了北京，北京挂起万国旗，而国无论大小强弱，其国旗无论是什么尺寸、形状、色彩、图案，起码在悬挂上、展示上都享受平等与尊重。奥运期间的北京城，中国国旗多一些，红颜色多一些，是必然的，但刻意去营造"红海洋"，我个人认为是无必要的。

　　香港一个民间组织，将参加北京奥运会的万国旗连缀成长龙，已经在北京长城上隆重而欢乐地展示，他们对"同一个世界，同一个梦想"的理解多么准确，他们的作为多么富有启示性啊！

　　愿北京奥运，成为万国旗一同飘扬，充溢着"人类大同"情怀的缤纷海洋！

平·安·乐

　　"有平才有安！"这是爷爷的话。

　　这个北京普通的市民家庭，三室一厅的单元里充满了奥运的气氛。放暑假的孙子不仅把他那间屋子变成了奥运符码的海洋，还往起居室墙壁上挂起了他绘制拼贴出的"掷铁饼者"画像，身躯是古希腊那著名雕塑，头像却是他的爸爸。奶奶看了说："唔，你爸当年确实练过。晚上睡觉的时候又哭又笑的。醒了问他怎么回事？说是长肌肉添力气哩，酸疼得哭，高兴得笑！"爷爷说："是呀，他不是得过区运动会铁人三项的亚军吗？"孙子就大声纠正："您把运动项目弄清楚点成不成？求您了！爸爸当年是三铁运动员，哪三铁？……"他没说完，奶奶抢过话茬："铁饼，铅球，手榴弹嘛！"孙子嗓门更大："哎呀呀，那是老黄历！现在国际上的田赛三铁，指的是铁饼、铅球跟标枪！"爷爷笑咪咪地点头："铁人三项啊，可惜这小子没坚持往下练，你看现在发胖了不是！"孙子扭动身子拼力再纠正："哎呀，别外行了好不好？奥运会的铁人三项根本不是什么铁饼、铅球跟标枪！是水域游泳、公路自行车跟公路赛跑！是径赛不是田赛！"恰好他妈妈回家来，看见这场面笑说："看你闹腾的！干嘛要爷爷也都搞那么清楚？爷爷对北京奥运一样支持，可是他也不必跟你一样那么狂热啊！"孩子就跟他妈说："爷爷怎么还跟平常一样过啊？"妈妈和奶奶全笑了："你爷爷平常过得不是挺好吗？"爷爷那句"有平才有安"的话，就是在紧接着大家议论"平安奥运"的时候说出来的。

这家的爷爷属于那样一种老人，就是一贯并不怎么锻炼，却身体十分健康。关键是他心态始终非常好。可以说一生宠辱不惊，甘于平凡、平淡、平顺、平和。现在大家强调凡事应以平常心对待，这位老爷子的平常心实在堪称楷模。他自己凡事皆不惊惊咋咋，微笑度日。但最难得的是儿孙辈激情万丈、夸张狂热时，他也并不视为偏颇不妥。他认为大千世界，即使血缘亲人，各各有别，也属正常状态。孙子把家里变成了一个非常态的体育图腾大展场，他也觉得有趣。但他并不打算像儿子儿媳妇孙子那样，全身心投入这场空前的盛世盛事。他每天照样过既往的退休生活。他展开自己的观点："北京奥运办得好不好，除了你们提出的那些指标，还有一条，就是普通老百姓的平常日子，能不能照样细水长流过得滋润。"那天他从附近农贸市场和超市购物回来，笑咪咪地说："跟平常一样。好。"

奥运期间，老爷子说，开幕式闭幕式的电视转播，他要跟全家人一起看电视，但其余的电视转播就都不看了，每天下午，还是照例要到楼下小区绿地，跟他的两位"退友"（退休后交上的朋友）一起斗叶子牌去。孙子多次表示不理解："那算什么竞赛项目呀！桥牌、国际象棋、围棋、中国象棋，毕竟都是正式的体育竞赛项目。叶子牌！三个人玩！哎呀爷爷，您就不能提高提高档次吗？"但奶奶和爸爸妈妈却都支持爷爷雷打不动去玩那叶子牌。

"有平才有安。有安才有乐。"这是孩子爸爸说的话。爸爸头天夜里就排队买奥运会入场券去了。妈妈凌晨去接替他。孩子当中给送过奶奶的绝活"私房蛋炒饭"。爸爸希望能买到两张观看田径赛的入场券。妈妈对儿子说了："有了票，你跟你爸去看。我不馋。我在家看十项全能的电视转播。"爷爷难得插一句："你到现场看多来劲呀。你们反正两个人都排在队里，买四张票不结了，把老太太也带去开开眼！"孙子忍不住又来纠正："哎呀，十项全能一天可进行不完，看电视转播是对的！早先的十项可复杂啦，里头的三铁项目您知道是什么吗？是铅球、链球跟壶铃！您见过壶铃吗？"爷爷抿嘴笑："不见也罢。只希望这次奥运会场内场外都公平，安全顺利，能给体育迷们带来大快乐！"妈妈买好票回到家，递给爸爸，爸爸把那票像小旗子般挥舞："把北京奥运比成香包子，这才是包子馅啊！说到头，奥运会的主体是具体的竞赛项目，真正的大快乐，是观看各国运动员的精彩比赛！"

这家普通的北京市民，就这样以平常心安全地分享着奥运盛会的快乐。

懂你懂我

退休干部老康问"的哥"青岭："拉到外国客人了吗？你那英语派上用场了吗？"青岭高兴地回答："这些天，拉的基本上还是咱们北京市民。可昨天拉上个外国女士，金发碧眼，我用英语跟她问好，她用英语答谢，一听呀，就知道英语也不是她的母语，我问她去哪儿？她递我张卡片……您猜卡片上写的是哪儿？嘿，跟您还有关系啦！"老康说："跟我能有什么关系？别卖关子，立马说出来！"青岭告诉他："上头写的呀，是'利玛窦墓'！巧不？要不是您前些日子跟我讲起这个人，我哪知道他墓地在哪儿！"老康听了很高兴："呵，还真有在奥运期间抽空去看利玛窦墓的外国人呀！"

前些天，老康跟青岭侃山，话题是奥运，侃着侃着老康就提到了利玛窦。青岭以前只知道马可波罗，老康就对青岭说，马可波罗和利玛窦都是意大利人，但马可波罗在世要比利玛窦早大约三百年，他留下的那部《马可波罗游记》影响很大，但他究竟到没到过中国？为什么他对最典型的中国事物比如长城、筷子、茶叶等只字未提？后世学者疑点很多，而且，他是在回到威尼斯以后，在监狱里口述的那本游记，整部书笼罩着梦幻色彩，当然，马可波罗对西方介绍遥远的中国，而且展示了中国瑰丽的一面，是对西方人的一次伟大的启蒙，西方人要懂得中国，《马可波罗游记》是第一本重要的参考书。但是，我们应该更加重视利玛窦，利玛窦一生事迹斑斑可考，他在明朝万历年间来到中国，在中国活动了近三十年，1610

年在北京去世，并且获得了万历皇帝的特准，赐予他一片墓地，葬在了北京——那以前凡外国传教士死在中国，都只允许将灵柩运到澳门安葬——他留下的记述在中国经历的文稿，后来被整理为《利玛窦中国札记》出版，内容翔实可靠，现在也有了中译本。利玛窦作为天主教传教士，不远万里来到中国，经历许多艰难困厄而百折不辞，当然有他的目的，这是我们一定要懂得的，他是要把他信仰的宗教传布到中国，但是，他在客观上也确实起到了打开中国人眼界的作用，他学会了汉语，用中文写出了《交友论》这样的著作，他与中国人徐光启合作编译了《几何原理》，把西方数学与逻辑思维介绍到中国，他带给中国皇帝的贡品里，有一幅刻在木板上的《坤舆万国全图》，第一次使一部分中国人懂得世界是一个万国同存的星球，这幅图后来传至日本，甚至是引发明治维新的一个远因。中国清末的共和志士，他们对西方列强对中国的欺凌宰割，以及清政权的腐朽落伍深恶痛绝，但他们也对利玛窦带来《坤舆万国全图》的启蒙作用大力肯定，那时有共和志士写诗向民众疾呼："若把地球详来参，中国并不在中央！"这是告别自大兼自卑而生的狭隘民族主义的清醒呐喊，是懂我懂你的明智之音。利玛窦在北京宣武门主持建造的天主教堂，一直保存到了今天。老康告诉青岭，利玛窦墓在"文革"中曾被推平，所幸墓碑没有砸碎。一九七八年在邓小平等领导人的亲自过问下，重新恢复旧貌，同时恢复的还有另两位外国传教士南怀仁和汤若望的墓碑。那墓碑所在地现在是北京市委党校，在阜成门外二里沟。老康二十多年前在那党校学习时，常去看那墓碑，也引出了对利玛窦其人其事的兴趣，找来许多相关的书阅读。侃到最后，老康说："中国和西方差异实在太大，相互要懂得很不容易，但是，毕竟同在一个星球，非懂你懂我不可，否则，世界大同的梦想怎么实现？这次北京奥运，就是一次盛大的全球聚会，是一次推进懂你懂我进程的大好契机！"

青岭告诉老康，头天他把那位外国女士送到利玛窦墓，一起瞻仰了墓碑。那女士拍了不少照片。青岭说，那墓碑远看是中国味儿的，似乎还有螭——龙生九子中的一子——的图案装饰，但是走近细看，却分明镌有天主教十字架，又是异国情调了。青岭后来又把那女士送往一处星级酒店，一路上两个人都有交流的欲望，但是双方说出的非标准英语大半是惹出友好的笑声，懂得善意，却难知究竟。不过，临告别时，他们同时说出了都懂得并一再回味的英语："同一个世界，同一个梦想。"

有糖大家甜

空中鸟瞰，京城如绣，定格某居民小区，门口一面五环旗，一面五星旗相映生辉。且把镜头摇进高楼某层窗口，啊！典型的 2+2+1 家庭。起居室里，那孩子怎么不跟大人一起看电视？呀，他摆弄着些什么自绘旗帜？原来，开幕式后，爸爸给他出了一个题目：这回参加北京奥运会的二百零四个国家（地区）的旗帜里，出现了多少动物和植物的图案，分别象征着什么？这引出了他极大的求知欲，他查家里藏书，查网络，不仅得意地向全家宣布了正确答案，还进一步提出了问题：这些旗帜里出现了多少太阳、月亮和星星？又分别有什么象征意义？许多国旗都只使用两三种单纯的颜色，那么，这些颜色又分别是什么含义？他还特别问奶奶：一半红一半白的国旗，上白下红是哪国？下白上红又是哪国？奶奶一时答不出，却也呵呵笑：谁说开幕式光是演出和点火好看？那二百零四个国家（地区）的入场式，丰富了咱们多少地理知识！爷爷替奶奶答对了，又补充说：这不光是地理知识啊，奥运奥运，世界一体，人类亲和，但愿有生之年，再经历几个奥运！……

那孩子最喜欢看田径比赛，头几天田径未开赛，所以忙着求证万国旗方面的知识。孩子他爸爸是球迷，各类球赛既已开赛，下班回家边吃晚饭就边看边议，孩子妈妈一旁提醒："奥林匹克精神的实质之一，是促进人类健康生存，细嚼慢咽，进食时少说话，才有利健康……"谁知荧屏上顿时险象环生，她倒先唤起来："玄呀！悬、悬、悬……哎呀呀！……"一桌人全笑了，差点把饭喷出来的爷爷说："偶

尔例外，边吃边喊，也未必不是养生诀窍！快乐就是幸福！快乐人必长寿！"瞧
这一家子，奥运之乐，甜到心中。

镜头移出这栋居民楼，摇到立体交叉桥附近，马路上留出一条奥运专用道，
未获特准的汽车全在其余道上穿梭，在立交桥某侧出现了车多慢驶的情况。镜头
急速下移，于是我们先看见了"的哥"青岭，他穿着为奥运特制的浅杏黄短袖衬
衫，扎着黄黑斜纹领带，他正载着一位中年妇女和一位老太太前行，只听他蔼然
地对她们说："您二位的担心是多余的，我也很理解您们——老奶奶这病不算重，
叫急救车不值，您们招手叫我，我怎会拒载？为咱们市民服务，包括照常载客去
医院就医，这也是北京奥运应有的风景之一。因为还在下班高峰期，虽然实行了
单双号限行，这样的枢纽处还是不够通畅，不过拐过去就立刻会好起来，放心，
我会稳稳当当把您二位送到医院！"镜头停住，我们看见"的哥"青岭的那辆车
拐弯后，顺着布满街边花钵和灯柱彩旗的马路迅速远去。祝那可能是中暑的老奶
奶尽快康复！

镜头别闲着，绕几下，时间已是晚上，钻进异国情调的酒吧。啊，中国白领，
外国游客，萨克斯婉转，咖啡飘香，中国腔英语，洋调调普通话，交流之乐，莫
过于争论抬杠。张艺谋风格究竟如何？一位洋妞赞不绝口，声光色电，挥洒演绎
出中国五千年文明精髓，"盖了帽啦！"不少中外吧客真诚附和，咦呀，这位洋妞
不仅会普通话，还能引用北京土语，中外今后沟通，此妞定能超常发挥！一位中
国小伙子对这次的主题曲不满意："旋律不可谓不美，但是一味阴柔，缺乏阳刚之
气，适合专业人士献唱，恐怕难以在俗众中流行！"此评一出，争论不大，不少
人回忆起亚运会的《亚洲雄风》和汉城奥运会的《手拉手》，都说实在是好，"不
是一次性使用，随时可以卡拉 OK"……恰好高悬的电视荧屏上报出新闻：中国前
奥运射击运动员这次卫冕功亏一篑，是印度射手获得金牌，大家看完报导，争论
又起，有的说，中国选手挂上银牌后，哭成泪人，观众席上的同胞对他大声喝彩，
他才抑制住眼泪，得体地举手举牌致意。这让人觉得多少有些个"金迷心窍"；有
的说，连电视台也忽略了，这可是印度在奥运历史上获得的第一块个人项目金牌，

我们电视台光注意报导获银的中国选手的状态和国人对他的鼓励，竟不用印度金牌得主上台领金的镜头就终止这条报导，虽是无意，却实在不够礼貌……于是有的就坚持说比赛成败乃运动员个人的事，喜怒哀乐理应悉听其便，有的就强调个人背后分明有民族、国家……不知怎么又扯到了"这几天哪个运动员的笑容最动人"，居然在这个问题上抬来杠去，达于白热化……忽然一群人唱起了欢快阳刚的歌曲，举杯互碰，到头来"四海之内皆兄弟也"！

我们的镜头切换到了城乡结合部，一些留居北京多半在服务行业的外地农民，在租来的小平房里，使用投资一百多元的卫星接收器，挤在一起看电视，他们所接收的频道里找不到中央台体育频道电影频道综艺频道。但是，他们能接收到某些播出电视连续剧的地方频道，他们多半不是在看奥运赛事转播，而是在兴致盎然地观看某部古装武打连续剧。他们床边的小炕桌上，有着"草草杯盘供笑语"的痕迹，不要打搅他们！毕竟我们这个处于转型期的社会，还有比他们更困窘的人士，要知道：有糖应该大家甜！

永远记住他

爷爷说，人的一生，总要经历几桩大事，总要记住几个人。少年跟爸爸说，我经历了北京奥运，也记住了不少体育明星，可心里头，总觉得不满足。爸爸问：你不满足的是什么呢？少年说出一大串来：

比如，同班的小华，别看人家暑假去姥姥家了，那里离北京好远，可他们家乡，就出了在北京奥运赛场上夺金的选手。那个项目开赛那天，嗬，小华打来电话，显摆的厉害！那个运动员老家屋里屋外，跟赶庙会一样，乡亲四邻齐来跟运动员亲属看电视转播。当地电视台的、电台的、报社的……记者们"武装到牙齿"，电视里还没转播到相关的那一幕，记者们就采访开了。小华得意地说，连他都被采访到，他就告诉记者，曾经看到那运动员如何在家乡的小河边苦练……小华在电话里惊呼：呀，地区领导都来了！停了好大一排小汽车啊！听说准备好了一大笔奖金，还准备把他们那条巷子用那运动员的名字命名呢！……少年跟爸爸说，人家小华，是真的跟体育明星有很近乎的关系，那才叫结结实实地记住了一个人，下学期学校搞作文比赛，小华用那真实的素材一写，我们怎么写得过他？

爸爸听了关于小华的例子，没吭声。少年知道，爸爸当然清楚，非常遗憾的是，那个运动员在那个项目的那场比赛里，没能像预期的那样夺得金牌，小华后来也就没有再来电话，电视里也没出现在那个运动员家乡采访的镜头。好，不说小华，说潘莉莉吧，那天在书店遇见了她，好得意啊！她把什么都展现给同班的少年看了？少年的爸爸那天跟他一起去书店的嘛，潘莉莉的爸爸也在，两个爸爸在家长会上见过的，大家礼貌地招呼，潘莉莉就把她那总随身带着的粉红封皮的袖珍硬皮本翻开了，故意问：你们看，这是谁的签名呀？真认不出来，怎么不像中文呀？对呀，潘莉莉就快活地宣布：莎拉·布莱曼呀！嗬，真的吗？潘莉莉爸爸一旁证明：是真的，也真巧……少年好嫉妒啊！特别是，潘莉莉那个小本子里，原本就有她利用各种机会求来的明星签名，其中本来就有刘欢的签名，你看看，《我和你》的双主唱，全收在她那个小本子里了，人家这回跟你经历了同一桩大事，可你近距离接触到了几个明星？你能记牢的只是电视里的影像，人家可是一次记牢了两个活脱脱的大名人！

从书店回家，一路上少年很难平静。他埋怨爸爸说，潘莉莉爸爸多有本事，你怎么连张进场看真实比赛的票都弄不到呢？爸爸只是说，从电视上看，许多场次的比赛看台上都有不少的空座位，一些得到赠票的人士，不知为什么并不去观看比赛，也不能说人家不珍惜，恰恰相反，听说有的人是故意连票根把入场券保留起来，作为收藏品，留待以后升值呢！不过，别着急，到田径赛开始以后，鸟巢那么大的场子，座位空多了实在不好，估计会组织你们学生去观看的！少年嘟噜着嘴，不答言。

但是，那一天，少年听他们居住的那个小区的同龄人大耳说，他叔叔就要到他家做客来了，而大耳的叔叔，是参加了开幕式表演的！少年好激动啊，尽管开幕式表演基本上是些群体表演，大耳的叔叔够不上明星，那见到他，也总算见到荧屏外的真佛了呀！如今同住一个小区的人士，哪怕住同一栋楼同一个门同一层，也多半不串门的，少年平时跟大耳等孩子，也就是在楼下公共活动区一起玩玩，但那天他却鼓起勇气去了大耳家，大耳也就得意地把那位叔叔介绍给了他！好魁梧的一个帅叔啊！浑身洋溢着阳刚之气！少年拉了帅叔的手，还故意跟帅叔掰腕子，当然不堪一掰，好快活啊！大耳一家，串门少年，都催帅叔讲讲排练的情况，帅叔也不多讲，只是让大家看他脖颈后晒爆的皮、手上磨出的茧子和耳朵上的助听器——他说恐怕许久以后才能恢复一多半的听力……说到最后，帅叔交代，他虽然练了那么久，但他只是一个候补的群众演员，开幕式那天，他并未上场，也未在观众席上，也是看的电视，但他觉得这段排练是他宝贵的人生经历。

见完帅叔，回到自己家，少年大声地宣布：我见到了一个真正的奥运英雄，我会永远记住他！

闲为仙人扫落花

从美国波士顿来了越洋电话，是金珠姐打来的，她惊悉我小哥刘心化去世，悲叹感慨，欲说还休，欲休还说，半小时后我搁下电话，心潮难平。

金珠姐是小哥在北京大学就学期间，业余京剧社的同好，他们那个京剧社的许多成员，那期间都到我家做过客，往往是来了一起包饺子，吃完同去剧场观看著名京剧艺术家的表演。有的晚上就借宿我家，记得金珠姐就和妈妈同屋歇息过，我那时还在上中学，在他们一群熏陶下，也对京剧发生了浓厚的兴趣。

那是小哥、金珠姐他们的青春期。青春的友情是最难忘却的。青春期由同一爱好构建起的纯真情谊，是人生中永远滋润灵魂的甘露。二〇〇〇年我应邀到美国哥伦比亚大学讲《红楼梦》，梅筠姐来听，讲完围上来的人很多，梅筠姐只来得及递我一张纸条，回到住处我才展读，是她留下的电话号码，我给她打去电话，她回忆和小哥在北大京剧社一起活动的情形，话匣子打开就关不住。那时候小哥还健在，她问明小哥成都宅电号码，又约我到曼哈顿上城吃饭。那天应约而去，进餐间她还是两眼放光地谈燕园京剧社，"沙场秋点兵"，唱须生的金珠姐、唱铜锤的茂望哥、唱丑的庄鼎哥、唱花旦的大卫哥……她提起一位，我记忆里就闪现一位。回到住处，陪我与梅筠姐见面的朋友很惊异："怎么她一句也没与你聊《红楼梦》，说的全是你小哥他们唱戏的事儿？"

梅筠姐和金珠姐从我处得知小哥宅电后，都给他打去很长的电话，小哥后来与我通电话时转告，金珠姐攻下了余（叔岩）派最难的唱段，在天津演出惊倒四座；而梅筠姐嗓音竟晚年转亮，在纽约票房开唱《生死恨》大获成功！

小哥在北大京剧社有"燕园梅兰芳"之称，这当然是带有揶揄意味的雅谑。他自知与梅大师相去不啻天渊，但他崇梅、赏梅、研梅、学梅，贯穿一生。他和金珠姐同台演出过《二堂舍子》，和茂文哥合作过《二进宫》，和大卫哥在《大登殿》里一个演王宝钏，一个演代战公主，都留有剧照。二〇〇六年同心出版社出版了小哥刘心化著的《戏迷陶醉录》，里面有他回忆北大京剧社演出的文章，附带不少珍贵的资料照片。此书他分寄当年同好诸友后，反响强烈，也有某些当今的戏迷自购此书，随他一起陶醉。

小哥在北大攻读的是俄罗斯语言文学专业，他入学不久，就遭逢了反右，他是一个天真的人，政治上幼稚，人家动员他大鸣大放，他觉得无话可说，学业以外，时间精力都用在了学习梅派青衣的表演上。他的入门师，是北大希腊文学翻译家研究者罗念生的夫人马宛颐，那一次政治运动北大很惨烈，他们系里一些教师学生划了右，小哥在言行上也不是没有可追究之处，比如他叹息过"他也是右派吗？真想不到啊！"又在食堂里把饭票借给挨过批斗的人，但也许是他实在过于透明，人人都知道他只不过是喜欢唱梅派青衣而已，常常可以看到他去罗教授家，在罗夫人指导下练习《宇宙锋》里的唱腔与卧鱼身段什么的。因此，直到运动结束，倒也没拿他凑数，混过一劫。毕业以后，他被分配到湖南一个县城中学教外语，在那里，他依然坚持自己的爱好。"文革"期间，梅派青衣自然唱不得了，当年京剧社的同好，有的遭到严重打击，有的竟被迫仰药自尽，小哥不理解这一切。但他到北京探亲，见到我，悄悄跟我说："不管人家给这些同过台的伙伴定下多么吓人的罪名，我对他们的感情至死不会改变！"他就是这样一个一生温情的人，他从未参与过整人，万幸的是他也没有被人专门地整治过。

改革开放以后，小哥调到成都一所大学任教，退休后他获得了欣赏京剧最佳的社会环境，我给他寄去一套从老唱片翻录的自谭鑫培、王瑶卿到上世纪六十年代初京剧泰斗们演唱资料，他高兴地说那是他百品不厌的"满汉全席"。随着年事渐高，嗓音失润，登台献演已不可能，他就潜心研究，并陆续把自己的成果交由《中国京剧》等报刊发表。万没想到的是，二〇〇八年三月，他竟因到医院动腿部手术，麻醉过度导致心力衰竭仙去，享年七十七岁。小哥是一位终生执著于单一爱好的人。仔细想想，一个生命能享受一种健康的嗜好直到永远，也并非易事。他现在在哪里？我想，一定是在许多成仙的京剧艺术家汇聚的天堂一隅，"翠凤毛翎扎帚叉，闲为仙人扫落花"。

有杯咖啡永远热

因为城里家事繁冗，多日未到乡间书房，那天抽空去了，还没走拢，就发现书房外的小花园呈现荒芜状态，灌木长疯了，玉兰树被牵牛花藤缠绕，野草丛生，仿佛提醒我今夏雨水是如何丰沛。

走拢栅栏，吃惊不小。实际是我让里面的一个生命吃一大惊。那是一只猫。它吃惊，是因为不曾想我的出现。我吃惊，倒不是因为在意野猫进入我的小花园，而是瞬间以为那是一种灵异现象——难道，狸狸竟然复活了吗？

我家两只爱猫，一只纯白蓝眼长毛波斯猫、一只脸部和前后身花狸其余部分纯白的短毛猫。前者名睛睛，后者名狸狸。前些年相继去世后，都以锦匣葬在了这小花园里。眼前的这只警惕地趴伏着瞪视我的花狸猫，酷似狸狸啊！它怎么不马上跑开呢？啊，明白了——我发现它身后有四只小猫，显然，那是它的子女，大概还没断奶，作为一个母亲，它不能丢下小猫自己逃开。我更加吃惊，因为那几只小猫，两只纯白，一只浑身花狸，一只与母亲相同是身上除了花狸毛还有纯白部分。这就说明，它们的父亲，应该是一只纯白的公猫。呀，难道睛睛和狸狸全都复活，而且婚配，在此产下了后代吗？

我蹑手蹑脚离开小花园，绕到另一面进入书房，立即往城里打电话，告诉老伴所看到的异像，她激动不已："你怎么光看到狸狸？睛睛呢？"我对她说："我们的睛睛狸狸应该还都在地下安息，你别忘了，它们都是公猫。一定是有只酷似睛睛的公猫，跟这酷似狸狸的雌猫，生下了四个宝宝，而公猫对小猫不负责任，早不知跑到哪里去了，只剩下猫妈妈带着猫宝宝在那小花园里安家。不过，巧合得实在神秘！"老伴感叹之余，立即给我几条指示："不要吓走它们！不要清理花园！立刻去给它们准备猫窝、猫粮和饮水盆！"我很快一一落实，可喜的是猫妈妈看出我的善意，没有带着猫宝宝转移。

入夜，我从窗隙朝外望，不见小猫，但猫妈妈在吃猫粮，心中祈盼它们能长久在花园中定居。用音响放送出柔曼的曲调，我在落地灯光圈里翻阅女作家苏葵寄给我的散文集。苏葵多次到世界各地"自由行"，我非常羡慕。"自由行"需要一定的经济条件以及兴致和体力自不必说，最好还具有外语对话的能力，苏葵不仅这几个条件全都具备，还有一颗敏感的心和一只绣花针似的笔，我最欣赏她抛开一般游记介绍名胜古迹或作些中外对比的套路，而从"凡景""琐事"里勾勒出人情之美的那些细腻舒缓的文字，比如她写到佛罗伦萨小巷中一对老人牵手同行停下轻吻的场景，感悟人生中"相依"的易与不易。苏葵把这个集子命名为《咖啡凉了》，在最后一篇文章里对世道速变发出惆怅的喟叹，我虽有所共鸣，却不由得产生了逆向思维。

我在灯下想到窗外"复活的狸狸"，想到狸狸的来历。二十一年前，我遭遇人生中最大挫折，这挫折被中央电视台新闻联播以一条"刚刚收到的消息"向全世界昭示，并且刊登在第二天所有报纸的头版。我作为主编为杂志惹的祸理应担负全责。确实有许多杯咖啡立马凉了，甚至凉咖啡也拿走了。这很正常，不应抱怨。但就在这样的时刻，有杯热咖啡送到了我的眼前：同事带来一个纸盒，说是杨学仪师傅送给我的，纸盒里是一只幼猫，后来被取名狸狸。杨师傅知道我爱猫，知道我在遭遇挫折后因为心烦意乱，家里走失了爱猫，他就用送猫来表达他那热辣辣的安慰。

那时杨师傅已因病休养。他在杂志社为主编开车，几年里是越开主编年龄越小。先是接送李季，那时候六十多岁，比他大，后来是王蒙，五十出头，比他小，到我坐进车里时，他奔六十而我只有四十四岁，开始我们俩都感到尴尬。他为王蒙开车时，西服革履十分气派，而那时的王蒙穿着还很随便，有时到了某场合，他下了车，人家就簇拥上去把他当主编往里迎，他忙摆手指向王蒙，竟还有人坚持觉得他就是王蒙而在幽默。我不记得是在哪一天，经过我们双方努力，杨师傅跟我说："咱爷俩可以交朋友了。"他竟为惹了祸的朋友送来了无言的温暖。那以后没几年杨师傅因病去世。

世事多变，咖啡会凉，但有一杯咖啡永远是热的，那里面满盛超越世态炎凉的宽厚与善意。

谢晋仙逝使我憬悟

我和谢晋有过亲密交往，那是在一九八三年春天，他任团长，我和陶玉玲及一位法语翻译为团员，组成中国电影代表团，由当时电影局派往法国参加在南特市举办的"三大洲电影节"。"三大洲"指亚、非、拉三个洲，电影节的宗旨在破除一贯由美国好莱坞和西欧"说了算"的电影评奖，试图闯出一片新的电影天地。这个电影节至今仍在举办，不过看来影响还是敌不过戛纳、威尼斯、柏林电影节和美国奥斯卡奖。那回我是以电影节开幕式影片《如意》的原作与编剧身份去的，这部影片也是黄建中独立署名执导的第一部影片。李仁堂、郑振瑶、陶玉铃、赵子岳等联合主演。那次主办方是以中国电影为"焦点"，安排了声势浩大的"谢晋电影回顾展"。我记得主办方印制了精美的画册，为谢晋开列了详尽的创作年表。那时候谢晋还没有拍《芙蓉镇》，《牧马人》刚拍完还不为外界所知，年表上最后的一部是《天云山传奇》，作为整个回顾展的压轴戏，放映完了全场观众起立鼓掌足有五六分钟。

在南特我们每天马不停蹄地参加电影节各项活动，回到巴黎，我和谢晋住在酒店的一个大套间里。那是我初游巴黎，兴致很高，每天和陶玉玲结伴去观光，谢晋却除了铁塔等几个主要景点，其他地方都懒得去，宁愿留在酒店房间里喝酒遐思。我回到酒店房间，总有一股酒气袭入我的鼻息。"心武老弟，又逛了哪儿？"从那以后，他见了我或偶尔通电话，总以"心武老弟"为引领语。我当然马上向他报告比如参观罗丹博物馆的心得，他却笑眯眯地似乎心不在焉，后来我知道他一只耳朵失聪，往往听不见我在说什么，我特别想让他听见时，就坐到或走在他那只好耳朵一边去说，他听见了，会非常诚恳地作出坦率的回应。

我问他，南特电影节的主席抱怨，说中国方面不愿出借《春苗》、《青春》的拷贝到他的回顾展上放映，他自己究竟作何感想？他反问我："心武老弟，你觉得呢？"我说，其实应该把他执导的所有影片都大大方方地借给主办方，回顾得越全面，越具有学术价值。《春苗》是"文革"中拍摄的歌颂"赤脚医生"的一部故事片，通过这部影片推出了一度大受中国观众喜爱的女演员李秀明。我说我特别记得影片中李秀明饰演的女主角为救治患病的贫农，不辞辛苦从山野采药回村，在朝阳驱散雾霭时光腿从水塘里走出的那一组镜头，把"赤脚医生"升华为超时代超地域的爱心天使，真的非常动人。当然，影片在丑化其对立面农村卫生院"走资派"方面，则情节不合理，角色脸谱化。谢晋笑说："你以为那时候导演说了就算？有'三结合'领导小组哩！"所谓"三结合"就是由"革命干部、工人宣传队、群众代表"组成的班子。《青春》拍摄公映在一九七七年，影片推出了至今仍活跃影坛的女星陈冲。这部影片既表现了粉碎"四人帮"，却又仍歌颂"文化大革命"，是短暂的华国锋时期"两个凡是"的意识形态的产物。我说主办方其实很有水平，他们懂得中国电影导演的艺术才能只能在特定的框架里去发挥，比如在研讨会上，一位法国影评人说，《舞台姐妹》固然有浓烈的意识形态内涵，但开片的一组长镜头处理之妙之巧之气派之流畅，是放诸世界电影之林而令人赞叹的审美极致，这评价还是公正的。

我也曾冒昧地问过他，是否因为嗜酒导致了智障儿子？他说绝对不是，他婚前就嗜酒，长子谢衍聪明过人呢！又说"文革"中"造反派"抄他家，下楼时他小二小三两个儿子跑到楼梯口往下面愤怒地啐唾沫，"哪里弱智？"言谈间充满对其他儿女一样的挚爱。

那回在南特电影节上，看到了不少有大胆性爱表现的电影，都是些主题很严肃甚至很深沉的文艺片，绝非一味色情的展示，我觉得眼界大开。法国记者采访我时问，你那《如意》虽然是黄昏恋的主题，里面的男女主角怎么连拥抱接吻的镜头都没有？我说许多中国人就是这样克制，特别是在婚前，记者很不理解。我问谢晋，他以后会在他的电影里安排床戏吗？他说不会，他老实承认在性的问题上他是真诚地保守。因为谢晋一贯善于在自己的新片子里推出新女星，新近就有传言说他搞"潜规则"，以我和他的接触，我觉得他是个好酒不好色的艺术家，不要再对他如此误解和污蔑下去。

谢晋已被定位为中国第三代电影导演翘楚。这一代电影导演那悲苦与欢欣交织的创作历程需要后辈有更多的理解、尊重与崇敬。现在一些年轻人对他们那一代及他们前后的两代文学艺术工作者往往会有"不洁的作品"而鄙夷。所谓"不洁的作品"，主要指当年紧贴式配合政治运动的那些作品，谢晋一九五八年就自编自导过表现"反右运动"的《疾风劲草》，是一部短片，与其他人拍摄的另两部短片组合为《大风浪里的小故事》。这部电影我始终没有能看到，如今从网上搜索也只有简单的文字资料而无图象资料。据当年看过的人告诉我，《疾风劲草》表现的是大学里有"右派分子"反对大学毕业生"国家统一分配"，有趣的是饰演"右派分子"的是杨在葆，而这位演员在一九六四年拍摄的《年青的一代》里却出演了坚决服从国家分配到最艰苦地区去的先进大学生；故事里的"右派分子"取名为秦兆龙，这显然是因为一九五七年《人民文学》杂志的一位因发表《现实主义——广阔的道路》而划右的副主编叫秦兆阳。《疾风劲草》镜头的推拉摇移十分别致，给观众强烈的视觉冲击力，展现出导演的才华。如今的"八〇后"听了这个短片的故事可能大惑不解，国家不包分配、自己到招聘会上去求职，这不已成了社会惯例了吗？影片里是非对垒的两方，怎么"右"的倒显得颇有"先见之明"呢？我也曾听到个别人因有过《疾风劲草》，就对谢晋二十几年后拍摄的《天云山传奇》啧有烦言，怎么女主人公拉着板车上的"右派分子"在风雪中前行的一组煽情镜头，又成了"疾风劲草"呢？我以为，《天云山传奇》的激情才是谢晋内心深处本真的东西。作为一个虽然比谢晋老哥小十九岁却也经历了多个政治运动的过来人，我呼吁生活在可以游离于政治之外的新一代弄文学艺术的年轻生命，多一点精微的历史考察，多一点人性的感悟，多一点体谅与宽容，而实际上，敢问一句：如今自诩为"洁净"的人士，待时空转移后，又真能被更后来的年轻人视为"美丽的不沾锅"吗？个体生命，从本质上说，是被时空捕捉的人质，无论什么时候竭力保持独立思考善其言行都是高尚的，但只要不是主动害人甘心附恶，因轻信迷信而被大潮裹胁一度失却自我，都应以大悲悯的情怀予以理解与谅解。

自一九八四年《黄土地》、《红高粱》出现以后，中国电影逐渐多元化了，导演也已经衍进到第六代、第七代，但谢晋一脉的政治抒情电影，仍有后继，我觉得尹力的《云水谣》就是这个流派的新发展。

二〇〇一年，久未联系的谢晋老哥来北京开政协会，从住地给我来电话，说他打算拍新的《桃花扇》。问一起开会的王蒙："请谁编剧合适？"王蒙竟说非我莫属，"心武老弟，听说你研究《红楼梦》走火入魔，《桃花扇》、《红楼梦》是相通的啊！"我问："古装文艺片，很费钱的，谁来给你投资呢？"作为民营影视公司的法人，他不必再受什么"三结合"小组之类的羁绊，却又遇到了资本的桎梏。他叹口气说："找到钱我再找你！"过一年，二〇〇二年夏天，他又忽然风风火火地来电话约我到京广中心见面，我去了。他近八十岁高龄，谈吐却像个大儿童，兴奋地说，不拍《桃花扇》，要拍一部表现当下乡村教师生活的影片，"我们公司自己就能投资"，他说已找陈道明、赵薇谈过，都欣然同意出演，现在只欠剧本，他要"心武老弟"来编剧，"这是多么强大的阵容啊！"他甚至提出来过几天就带我去上虞他老家一带"下生活"搜集素材。我干脆利落地拒绝了这个约请。谢晋老哥大出意料，愣在沙发上半天说不出话。

前几天谢晋老哥在老家上虞仙去。消息传来，我百感交集。我对不起他。但是现在说什么做什么都晚了。静夜里，我憬悟：其实任何从事文学艺术创作的人士，其才能都是镶嵌在特定的时空里的，问题只在于能不能将其艺术良知与良能在特定的范畴里推到极致。

二〇〇八年十月二十四日于北京绿叶居

随柳而动

记得今年开春的时候，我走出乡村书房，漫步到小中河堤岸，堤上杨柳泛出绿芽，忽见河边待耕的大田上，几位大农机驾手正休息玩耍，其中我最熟悉的三儿手持一根树棍，猛抽一样东西，那东西刚离地一尺，他又甩棍将其击向远方，其余几位便大声喝彩。我走过去说："嗬，练习打高尔夫球啦！"他们便都摇头笑，三儿告诉我："杨柳发芽儿，打柭柭！"我听成"打饽饽"，置疑："农村人最珍惜粮食，怎么会把饽饽当球打呀？"三儿解释："不是吃的那个饽饽，这是老辈子传下的玩意儿，如今比我年轻的全不会了，这不，我教给他们哩！"那几个比他年轻的农机手就说："挺来劲的！""比高尔夫还过瘾！"

最近闲来乱翻书，从明朝刘侗、于奕正编的《帝京景物略》里，发现确有三儿随口道出的古民谣，全首是："杨柳儿活，抽陀螺。杨柳儿青，放空钟。杨柳儿死，踢毽子。杨柳发芽儿，打柭柭。"奇怪的是查《现代汉语词典》和《辞海》，都不收"柭"这个字，查《康熙字典》，才找到，其发音词意竟有八种之多，经推敲，其中"北末切，音拨，也棓，击禾连枷"一条可采，三儿从老辈子那里听来的"打柭柭"正是"打拨拨"的音。但"棓"却发"棒"的音，就是以往用来摔击收割后的禾穗使其脱粒的工具——连枷。三儿开春那天用树棍击打一个根核，只是一种"仿意"，按《帝京景物略》的解释，打柭柭的玩法是："小儿以木二寸，制如枣核，置地而棒之，一击令起，随一击令远，以近为负……

古所称击壤者也。"高尔夫球的玩法是一击球飞,比较简单,而打板板却必须第一下击起第二下击飞,技巧性高出许多。不过刘侗他们断定打板板也就是古代的击壤,似尚可讨论。清朝沈德潜那流传很广的《古诗源》,开篇第一首古诗就是《击壤歌》:"日出而作,日入而息,凿井而饮,耕田而食,帝力于我何有哉!"题解为:"帝王世纪,帝尧之世,天下大和,百姓无事,有老人击壤而歌。"细品这首四千多年前民歌的蕴味,我总觉得那作歌的老人不会是一边打板板一边吟唱,他的"击壤"应该就是用锄头击碎田地里板结的土块。

包括"打板板"在内的那首古民谣,说明我们的先人早已习惯随柳而动。杨柳是最易成活并且广布东西南北中的树种,春天最早抽芽,冬日最晚落叶。古民谣里随柳而动的四种民间体育运动,细想是非常有道理的。"杨柳儿活,抽陀螺。"为什么这个时间段需要抽陀螺?因为冬闲过后,人们的腰腿臂腕都相对养娇了,需要通过抽陀螺这种运动来把相关的肌肉关节放开使其恢复活力。"杨柳儿青,放空钟。""放空钟"也就是抖空竹。抖空竹有与抽陀螺相同的健腰腿臂腕的功用,但不能像抽陀螺那么凶猛,需要更高的平衡能力与更巧妙的柔性发挥,特别是让左右臂腕都能得到锻炼,这无疑是春耕春播过程中最佳的准备活动与事后舒解方式。"杨柳儿死,踢毽子。"当然杨柳并不是真的死了,只不过柳叶落尽的冬眠期里沉睡得如同枯死罢了。这时早已完秋,粮进仓,过年忙,人们的血脉轻易不能周转全身,老弱病残会首先觉得腿冷,于是用踢毽的办法先把腿血激活以温暖全身,就成为非常适合的运动了。我写这篇文章时,温榆斋外面就有村民在踢毽嬉戏。尽管生活中还有诸多的不如意,但人们既然到处生活,也就处处自发地激荡起欢乐的浪花,娱人娱己,以把《击壤歌》开篇的坚韧而自信的民间生命之歌继续谱写下去。

当然,所有这些运动方式,都可以在任何季节里采纳,都会有利于我们的身心健康。但古民谣里随杨柳荣枯而变换运动方式的说法,确实是宝贵的传统文化遗产。冬至后,数九寒天开始,古人在苦寒期里,也会想出各种办法来"消寒","冬天到了,春天还远吗?"贴出一张《九九消寒图》,入九后每天划掉一块,八十一天划完喜迎新春，也是一桩快事，而各种《消寒图》里，最有名的也是以杨柳为题材，随柳而动的，那就是把"亭前垂柳珍重待春风"九个双钩字每天用墨填实一笔（"垂"和"风"当然需是繁体的），填完最后一笔，跑到田野里打枝杈，那该是多么快活的事啊！

梅兰芳之谜

　　三十几年前，在穷乡僻壤，曾与一位老农交谈，那时那里还没通电，信息十分闭塞，我惊讶地发现，他居然知道梅兰芳！他是老贫农，从不曾离开过那一片村庄。当地即使是土改前的地主，也不曾拥有留声机和京剧唱片，更没有到过大城市观看过梅兰芳的演出。而且当地流传的戏曲也非京剧。更何况，那已经是文化大革命时期，已经有了"样板戏"，梅兰芳和"旧京剧"统统被当做"四旧"扫荡掉了。但是，那位老农所知道的村外世界的人物，除了革命领袖，能说出来的就是梅兰芳！我记得，当他提到梅兰芳的时候，灶膛的火光照亮着他橘皮般的脸，皱纹涟漪般舒展，眼睛眯起，嘴巴微微张开，露出剩下不多的褐色病牙，竟是一种瞬间感到满足的表情。

　　对我来说那是一个极度焦虑的时期。老农给予我的惊讶很快就被其他更重要的刺激所掩盖。但是进入改革开放的新时期以后，我把这瞬间的记忆从尘封中拎了出来，多次思考。最近陈凯歌执导的《梅兰芳》全球热映，传媒中关于梅兰芳的信息更加丰富，我不由得又探究起这个问题。

　　梅兰芳高风亮节，日据时期蓄须明志，台上赛美女，台下大男人。但那位穷乡僻壤的老人未必知道梅兰芳那么多的事情。梅兰芳的舞台艺术，造成了"男人皆欲娶，女人皆欲嫁"的心理效应，但旅美历史学家唐德刚的这一揭示，恐怕也还难以把那位老农的心理概括进去。梅兰芳实施"移步而不换形"的稳健的改革方针，不仅从剧本、唱腔、对白、身段、场次、服装、头面等方面改良旧剧目，还创造出《黛玉葬花》、《一缕麻》等前所未有的"古装剧"和"时装剧"……但那位老农又怎么能懂得这些名堂？梅兰芳在美国经济大萧条的时候访美，竟然赢得了票房爆棚，并且使包括卓别林在内的好莱坞翘楚们个个服膺、人人称赞。他后来访问苏联，戏剧大师史坦尼斯拉夫叹为观止，表示这才知道除了自己的表演体系外，还有梅兰芳完美体现出来的另一种非常成熟的迥异的戏剧表演体系。梅兰芳艺术往境外传播的效应不难解释，在国内大、中城市因演出引出的轰动更属必然，但他成为一个代表"美"的符码，竟然浸润、渗透到了穷乡僻壤的老农心中，仅仅因为大略知道有他的存在，就在一瞬间从眉眼面容上流露出那么深沉的向往与满足，这个谜底实在有大家一起来揭破的必要。

就"四大名旦"而言，不少人更倾心于程砚秋。程派艺术近年来被诸多杰出的传人发扬光大得红火艳丽，情况可喜。但程派艺术的浸润力恐怕还是有限的。尚小云开创的尚派艺术影响相对要小些。荀慧生开创的荀派艺术十分平民化，在城市中大受欢迎，但和程派、尚派一样，似乎都太有棱角了，在民众审美中获得的"公约数"，就始终不能与梅兰芳相垺。在宣传电影《梅兰芳》的一个电视节目里，梅葆玖有段话值得重视，大意是：他父亲的舞台艺术，不像其他京剧艺术家那么有特点，似乎找不出什么"非常"之处，而这种并不幽咽婉转也并不俏皮突兀的圆润亮丽的唱腔、并不夸张渲染而是点到为止的规矩做派、不高不矮不胖不瘦不奇不怪的标准扮相，却因"无特点"反而成了最迷人之处。我们是否可以这样来解谜：梅兰芳之能够在受众中获得"最大公约数"，奥秘正在于他最大限度地满足了从皇室到军阀、从富人到穷人、从戏迷到戏盲内心里对于民族传统美的甚至只是朦胧状态的向往。

电影《梅兰芳》里通过孙红雷、英达等塑造的角色，使观众明白一个艺术家的艺术，是需要有"死党"来忘我传播的，而这种刻意的传播，最后会衍生为全社会的自动流布。知道梅兰芳，不一定是进戏院看过他演出，也不一定是听过他的唱片、看过他的舞台记录片，像我三十几年前接触的那位老农，他很可能只是曾从农村集市上买到过以梅兰芳舞台艺术为主题的年画，甚至只是偶然从货郎担那里见到了印有、绘有梅兰芳戏装照的小百货，比如家用镜子背面的装饰……于是，"梅兰芳"在他心目当中，就成为了超越他个人生活的"美"的象征。

愿今天的艺术家中，也出现梅兰芳式的一直浸润、渗透至人间最边缘的"美神"。

村中又闻饹馇香

晚餐前，一股特殊的气息从窗缝沁入温榆斋，那是美食的味道。我抛开手中书，出门循味而去。啊，不是小吃店里飘出，也不见推车卖食的小贩……呀，分明是从潘嫂院中逸出，她家大门虚掩，我唤了声"潘嫂"以代叩门，迎着一声爽朗的"进呀"，我推门进了院子。只见潘嫂坐在马扎上，正用临时搭起的一个柴锅灶炸饹馇呢！

"刘爷爷来啦！"潘嫂的孙女菊菊从正房里跑出，懂事地招呼："进屋坐吧！"潘嫂就笑："他才不进屋哩，我就知道他要看个究竟，还要把我问个底儿透！"菊菊也就笑："谁让您容他叫您'铅笔'啦！"潘嫂两口子都比我小个十来岁，我管他们一位称潘哥，一位称潘嫂，是随小年轻的口吻，这并不违背当地习俗，但菊菊上学以后，上完头几节英语课回来，好奇地当着我问她奶奶："刘爷爷干吗管您叫'铅笔'呀？"潘嫂明白过来英文"铅笔"的发音近似"潘嫂"，笑得仰背又捶腿，相处更熟稔以后，她摸清了我的习惯：对原先不了解的农村事儿，总愿意"打破沙锅璺（问）到底儿"。

潘嫂不待我细问，就主动说出了许多我想知道的详情。饹馇如今不算什么稀罕物，有的超市里经常摆着玻璃纸包着的成袋的饹馇卖，但那种杂豆面的饹馇，潘嫂提起来就摇头，认为"好比没漤的涩柿子，不招人待见"。潘嫂炸饹馇的方式，是祖传的，正宗的，说起来，带着一份自豪。她说饹馇应该用纯红小豆磨的面来制作。把红豆面和成糊浆，需要很高的手艺，而把糊浆（潘嫂强调糊浆可不是糨糊，弄成糨糊那就麻烦了）倒进柴锅里，用木勺抹成薄饼时，更需掌握"见熟揭"的技巧。现在各家平日做饭都使用上了液化气罐，也有就用那液化气灶盘和不粘锅烙饹馇饼皮的，但潘嫂认为那样制做"好比印花布充十字绣"，她是坚持要使用原来安放在烧炕的砖土灶上的那种圆底的老式大铁锅，如今家里没有炕了，也没有砖土柴灶了，但是村里许多家都还存留着老式大铁锅，偶尔会临时用砖头码个灶，用柴禾当燃料，弄一些老式食品来吃。潘嫂炸饹馇，就用的是这种临时灶，烧的呢，是好不容易收集来的干麦秸。第一道工序，只是把红豆面糊浆烙成薄饼状，每张足有水缸盖大；第二道工序，是用那薄饼卷胡萝卜丝和香菜丝，卷成长筒，再切成一段段的；第三道工序，才是炸。第一道工序，讲究的是要把"见锅熟"的饼烙得薄如纸而且均匀绵软；第二道工序，卷入的胡萝卜和香菜并不要从地里现挖现采的，而是要窖藏的胡萝卜和晾干的香菜，胡萝卜去皮后擦成细丝，香菜呢，潘嫂指给我看，原来她家厢房屋檐下不仅挂着成串的红辣椒、金黄的老玉米、肥壮的辫子蒜，还有以往我一直忽略的深绿色的香菜辫子，她说那香菜辫子就是专用来切碎了填入饹馇里的，市场里卖的饹馇怕存不住，里头都不放胡萝卜丝和香菜丝，因此，"那都没有啥嚼头"；第三道工序，掌握火候尤为要紧，正如吃饺子讲究"原汤化原食"，炸饹馇必得用豆油，用昂贵的花生油去炸，那就"娶媳妇瞎用官轿子"了。只见潘嫂把切好段的生饹馇"哗"地倒进热好的豆油里，一手往灶眼里麻利地填入大把麦秸，一手用漏勺技巧地推动被热油浸透的饹馇段，一阵吱吱的声响中，炸熟的饹馇香气扑鼻，我还没来得及咽完馋涎，潘嫂已经把又一锅炸得黄金般璀璨的饹馇全捞到一个绿釉大陶盆里了，她仰起头，乐呵呵地跟我说："可不是我抠门儿，今儿个不给你吃，炸饹馇必得搁凉了，散尽热油味儿，才吃着爽口哩。你别急，赶明儿我让菊菊给你那温榆斋送一坛子去！"

第二天菊菊果然送来一坛炸饹馇，学她奶奶声气嘱咐："不必搁冰箱，不要盖闷盖子，实在怕灰，浮头苫张豆包布就行啦！也别怕一时吃不了底下的坏掉，衬着好些山里红啦！"

　　这些天，村里有更多人家炸饹馇，巷巷飘散着香气。尽管如今可以吃到那么多种新颖的食品，这个村的村民仍把炸饹馇视为从年前一直吃到年后的美味，男子汉用来下酒，孩子们当做零食，男女老少又都把它用开水一沏倒点酱油醋，撒点葱花，甚至搁点辣椒，当做早餐……炸饹馇在生活中的延续，不也是乡土审美韧性的一种体现吗？

乘着电波的翅膀

　　某电视台编导问我：一九七九年全国第一届优秀短篇小说评奖，你的《班主任》获得第一名，那时是有过电视报导的，你能不能把那次录下的带子借我们用一下？我回忆了一下，确实，那回是有电视报导的，'不但颁奖现场有电视台录像，中央电视台还特别派人到我家录过一组镜头。那时我和妻子儿子住在一个杂院一间十平方米的东房里，房间太小，录起像来非常困难，小屋里打起强光灯，使屋子里的一切都显得异常陌生。我被安排做翻阅杂志状，只觉得脸被灯烤得热烘烘的。不过，我不但没有那次录像的带子，连照片也没有拍下一张。因为动静大，来围观的左邻右舍不少，但那时我们那个杂院里各家还都没有电视机，因此并没有人问："什么时候播出呀？"我把电视台的人送走的时候，他们主动告诉我："看明天晚上新闻联播吧！"这让我很兴奋。但问题跟着就来了：我可到哪儿去看呀？经过一番考虑，决定向当时我所在的出版社的一位同事求援，她爽快地答应了。第二天，我们全家三口步行半小时到达她家，她全家都热情地欢迎我们。她家有一台九英寸的黑白电视。六七个人一起看，说实在的，靠边上的很难看清画面。大家照顾我，让我坐当中，等呀等，关于短篇小说评奖的那条新闻出现了，前后大概两三分钟。在我家录的镜头足有七八来秒，好高兴啊！我告诉眼下年轻的电视台编导：抱歉，能提供的只有这么一点记忆。

　　一九八〇年，我家买来第一台黑白电视机，一九八四年将第二台黑白的赠给别人换了一台彩色的。一九八三年有了四个喇叭的磁带放音机。一九八五年，拥有了放录像带的机子。一九八六年以后突飞猛进，有了落地大音响，换了"二十一遥平板"电视……更新换代中，我那落地大音响的电唱机部分及其胶木走针大唱片俨然已属古董文物，而放录像带的机子已经派不上用场，以前保存的一些录像资料在二〇〇二年全刻成了光盘，现在常用的自然是 DVD 机。

但是，有一样东西很早拥有、始终没有过时，那就是收音机。在没有电视机的岁月里，收音机传出的电波见证着我与社会、群体、他人的血肉联系。一九八〇年以后，我频繁应邀到各地参与文化活动，许多次，遇到的某些人告诉我，我的《班主任》等作品，感染过他们，但他们并不是直接读到文字，而是"从广播里听到"。在一九七八年和一九七九年，中央人民广播电台重复多次播出过将《班主任》、《醒来吧，弟弟》改编成的广播剧，还有《爱情的位置》、《穿米黄色大衣的青年》的直接朗读。那时候整个社会的收音机拥有率非常高，而且，许多工厂、农村生产队的广播站都还保持着定时转播中央人民广播电台广播节目的习惯，不仅转播新闻类节目，也转播文艺节目、高音喇叭那么一响，你不想听声浪也会传进你的耳朵。那时候，大批上山下乡的知识青年都还没有回到城里，他们听到高音喇叭里传出来新小说所表达的新诉求、新情感、新思路，往往非常激动，从中捕捉到了社会进入良性变化的信号。

那时，中央人民广播电台文艺部的谷文娟是一位积极热情将新小说改编为广播剧的人士。开头也未必是领导给她布置的任务，她以敏锐的触角感受到一批新作者的新小说是在呼唤有利于社会进步的变革，就抓紧时间和时机精心地编排录制起来，拿给领导审听时，又往往引出审听者的强烈共鸣，鼓励她更多更快地向听众提供这类精神食粮，而节目的播出，又迅速得到社会各方面听众的积极反馈。谷文娟改编的广播剧很不少，涉及到许多作家和作品，也吸引了许多演员的参与。因为她改编我的小说最早，就有不少作者来问我如何与她取得联系？也有舞台剧演员找到我，说尽管有专业的播音演员，但现在改编的小说题材多样、角色繁杂，恐怕忙不过来，他们也愿意站到广播间里，为广播剧贡献一份力量，希望我代为联系谷文娟或别的相关人士。那时候中央人民广播电台青年节目组的王成王，也是一位积极推广新小说的人士，我的《爱情的位置》、《穿米黄色大衣的青年》都是他组织播出的。他特别邀请了北京人民艺术剧院的董行佶朗诵《穿米黄色大衣的青年》，我那篇小说写到一位小青年受当时"狂不狂，看米黄；匪不匪，看裤腿"的新时尚影响，追求穿米黄色大衣、喇叭口裤的"狂放劲头"，在肯定他个性解放的同时，有引导他那样的青年超越外在的物质要求，投身民族复兴的建设事业的用意，我很怕朗诵者把那篇作品搞成说教口吻，王成玉让我放心，他说董行佶是大师级演员，他对内心产生不出共鸣的活儿是绝对不接的，既然答应给录，那就一定好。果然，当我从收音机里听到董大师以沉吟而抒情的声音，细致入微地将文字化为对青年人的关爱与期望时，觉得他的朗诵已经构成了另一个更高明的作品，使我也深受启发。

我的成名，既是通过文字，更是乘着电波的翅膀达到极致的。回忆起三十年前改革开放初期，那时社会各类人士中的大多数，为祖国进步形成高度共识、合声诉求、共同推进，真可谓流金岁月。

刘心武文学活动大事记

1942 年

6 月 4 日生于四川省成都市育婴堂街。

后在重庆度过童年。

父母兄姊均热爱文学艺术，深受家庭熏陶。

1950 年

随父母迁居北京，从此定居北京。

在隆福寺小学上小学，在北京 21 中上初中。

1958 年

在北京 65 中上高中。

给若干报刊投稿，屡被退稿。

8 月，在《读书》杂志发表《谈〈第四十一〉》一文，是投稿第一次成功。

1959 年

在《北京晚报》"五色土"副刊陆续发表一些儿童诗、小小说。

为中央人民广播电台少儿部《小喇叭》（对学龄前儿童广播）编写若干节目；其中快板剧《咕咚》经编辑加工、录制后大受欢迎；"文革"中录音带被销毁；1991 年重新录制播出。

1961 年

毕业于北京师范专科学校，分配到北京 13 中任教。

至"文革"前，在《北京晚报》《中国青年报》《人民日报》《光明日报》《大公报》《北京日报》《体育报》《儿童时代》《大众电影》等报刊上发表了约 70 篇小小说、散文、杂文、评论等文章。

1966—1976 年

"文革"中，因 1964 年曾发表过一篇关于京剧的文章，以"反江青"罪名被冲击。

1974 年后再试写作，曾写一关于"教育革命"的长篇小说，由出版社联系获准脱产修改，但终未达到当时出版要求。

1976 年

写出一个大院里孩子们同坏蛋斗争的中篇小说《睁大你的眼睛》并得以出版（北京人民出版社）。

又按照当时政治要求写出一些短篇小说、散文，有的到次年才收入多人合集中出版。

调到北京人民出版社（后恢复"文革"前社名：北京出版社）文艺编辑室当编辑。

1977 年

11 月，在《人民文学》杂志发表短篇小说《班主任》，产生重大影响——被认为是"伤痕文学"的开山作，也是"新时期文学"的发端；从此成名。

从《班主任》后，写作冲破懵懂，沿着认定的方向跋涉，穿越风云，锲而不舍。

1978 年

参加《十月》杂志（开始以丛书名义出版）创刊工作，在创刊号上发表短篇小说《爱情的位置》，经转载和广播，影响巨大。

在《中国青年》杂志上发表短篇小说《醒来吧，弟弟》，反应亦极强烈。

《班主任》《爱情的位置》《醒来吧，弟弟》均被改编为广播剧，由中央人民广播电台多次广播，《醒来吧，弟弟》被搬上话剧舞台；此年发表的短篇小说《穿米黄色大衣的青年》亦由电台播出。

1979 年

在首届全国优秀短篇小说评奖中《班主任》获第一名。颁奖会上，从茅盾先生手中接过奖状。

参加中国作家协会第三次全国代表大会，被选为中国作家协会理事。

成为中华全国青年联合会常务委员，至 1993 年卸任。

9 月，参加中国作家代表团访问罗马尼亚，此系"文革"后第一个作家出访团。

在《人民文学》杂志发表短篇小说《我爱每一片绿叶》，写作技巧有长足进步。

1980 年

调至北京市文联当专业作家。

《我爱每一片绿叶》获 1979 年全国优秀短篇小说奖。

《看不见的朋友》获 1954—1979 年第二届全国少年儿童文学创作奖。

在《十月》杂志发表中篇小说《如意》，其弘扬人道主义的追求引起争议。

出版《刘心武短篇小说选》(北京出版社)。

1981 年

在《十月》杂志发表中篇小说《立体交叉桥》，引出更大争议，一些评论家认为"调子低沉"是步入了写作上的歧途，另有评论家则认为此作标志着刘心武的小说创作在反映现实、探索人性及艺术工力上均达到了新的水平。

5 月，应日本文艺春秋社邀请访问日本。

1982 年

应导演黄健中之请，改编《如意》；北京电影制片厂拍成彩色艺术片《如意》。

1983 年

11 月，参加中国电影代表团赴法国，在南特"三大洲电影节"上，《如意》在开幕式上放映，获好评；后陆续在法国、西德电视台播出。

1984 年

冬，应邀访问西德，参加"中德大学生会见活动"，并在波恩大学、波鸿大学与威尔兹堡大学介绍中国当代文学。

年底，参加中国作家协会第四次全国代表大会，再次当选为理事。

在《当代》文学双月刊第 5、6 期连载长篇小说《钟鼓楼》。

1985 年

出版长篇小说《钟鼓楼》（人民文学出版社），并获第二届茅盾文学奖。

因《钟鼓楼》获北京市政府嘉奖。

7 月，在《人民文学》杂志发表纪实小说《5·19 长镜头》，反响强烈。

11 月，又在《人民文学》杂志发表纪实小说《公共汽车咏叹调》，引起轰动。

1986 年

年初，应当代文艺出版社邀请访问香港。

6 月，调中国作家协会人民文学杂志社，任常务副主编。

在《收获》杂志设《私人照相簿》专栏，进行图文交融的文本尝试。

散文集《垂柳集》出版，冰心为之作序。

1987 年

1 月，被任命为《人民文学》杂志主编。

2 月，《人民文学》杂志 1、2 期合刊发表马建写的小说《亮出你的舌苔或空空荡荡》违反民族政策，承担责任，停职检查。

9 月，复职。

冬，应邀赴美国访问。参观美洲华侨日报；在哥伦比亚大学、三一学院、哈佛大学、麻省理工学院、康奈尔大学、芝加哥大学、旧金山大学、斯坦福大学、伯克利加州大学、洛杉矶加州大学、圣迭戈加州大学等处演讲，介绍中国当代文学，并参观耶鲁大学；参加爱荷华大学"作家写作中心"的纪念活动；游览华盛顿等地。

1988 年

3月，应香港《大公报》邀请，赴香港参加五十周年报庆活动；在《大公报》安排的大型报告会上作关于改革开放与文学创作的报告。

5月，应法国文化部邀请，参加中国作家代表团访问法国，除在巴黎活动外，还访问了西部港口城市圣·拉扎尔。

《私人照相簿》在香港出版（南粤出版社）。

《我可不怕十三岁》获 1980—1985 年全国优秀儿童文学奖。

以上数年中，若干小说、散文还分别获得过《当代》《十月》《小说月报》《小说选刊》《中篇小说选刊》《儿童文学》《北方文学》等杂志，《人民日报》《文汇报》等报纸副刊的奖；拍成电视剧播出的有《没工夫叹息》《熄灭》（电视剧名《火苗》）《今夏流行明黄色》《到远处去发信》《非重点》《公共汽车咏叹调》和八集连续剧《钟鼓楼》；若干作品被英国、美国、西德、苏联、日本、瑞士、瑞典、法国、意大利等国翻译为英、德、俄、日、法、意、瑞典等文字出版；自 1987 年起被世界上有威望的英国欧罗巴出版社《世界名人录》收入词条。

1989 年

春，应香港中文大学翻译中心邀请，与妻子吕晓歌赴香港访问。

1990 年

3月，以任届期满，免去《人民文学》杂志主编职务。

香港中文大学翻译中心编译的英文小说集《黑墙与其他故事》出版。

秋，以"鱼山"笔名在《钟山》杂志发表中篇小说《曹叔》。

1991 年

出版小说集《一窗灯火》。

除小说外，开始发表大量散文、随笔。

1992 年

长篇小说《风过耳》在内地（中国青年出版社）、香港（勤＋缘出版社）分别出版，反响颇为强烈。

长篇小说《四牌楼》完稿，交上海文艺出版社出版。

《献给命运的紫罗兰——刘心武谈生存智慧》由上海人民出版社出版，受到读者欢迎。

在《收获》杂志发表中篇小说《小墩子》，后由中国电视剧制作中心改编拍摄为电视连续剧。

至该年，在海内外出版的个人专著按不同版本计已达 43 种。

在《红楼梦学刊》1992 年第二辑上发表论文《秦可卿出身未必寒微》，在"红学"界和读者中均引起注意；另有若干《红楼梦》人物论和《红楼边角》专栏文章发表。

冬，应瑞典学院邀请（斯堪的纳维亚航空公司赞助）赴北欧访问；在挪威奥斯陆大学、瑞典斯德哥尔摩大学和隆德大学、丹麦哥本哈根大学和奥胡斯大学的东亚系汉学专业以《九十年代初的中国小说》为题作学术报告；12 月 7 日，参加诺贝尔文学奖有关活动，听 1992 年得主德里克·沃尔科特发表受奖演说。

1993 年

华艺出版社出版《刘心武文集》（1—8 卷）。

出版长篇小说《四牌楼》。

1994 年

1 月，应台湾《中国时报》邀请赴台参加"两岸三地文学研讨会"。

《四牌楼》获上海优秀长篇小说大奖，到沪领奖。

1995 年

出版随笔集《人生非梦总难醒》（上海人民出版社）。

出版小说集《仙人承露盘》（华艺出版社）。

1996 年

出版长篇小说《栖凤楼》（人民文学出版社）。至此，由《钟鼓楼》《四牌楼》《栖凤楼》构成的"三楼"长篇小说系列竣工。

应《南洋商报》邀请赴马来西亚访问并顺访新加坡。

1997 年

应日本文化交流基金会邀请,与妻子吕晓歌访问日本。其长篇小说《钟鼓楼》、儿童文学作品《我是你的朋友》、短篇小说《王府井万花筒》等此前已相继译为日文在日本出版。

1998 年

建筑评论集《我眼中的建筑与环境》由中国建筑工业出版社出版,在建筑界产生影响。

应美国科罗拉多大学邀请,赴美参加金庸作品国际研讨会,在会上提交关于《鹿鼎记》的论文《失父:一种生存困境》。

1999 年

出版纪实性长篇小说《树与林同在》(山东画报出版社)。

出版《红楼三钗之谜》(华艺出版社)。

赴新加坡出席国际环境文学研讨会。

2000 年

应邀访问法国,并应英中协会和伦敦大学邀请,从巴黎赴伦敦讲《红楼梦》。

至此年底在海内外出版的个人专著(不含文集)按不同版本计达 101 种。

2001 年

出版包含建筑评论的随笔集《在忧郁中升华》(文汇出版社)。

在北京电视台录制播出《刘心武谈建筑》系列节目。

2002 年

出版小说集《京漂女》(中国文联出版社),自绘插图。

应澳大利亚雪梨华文写作协会邀请赴澳大利亚访问。

2003 年

以马来西亚《星洲日报》世界华人文学"花踪奖"评委身份赴吉隆坡参加相关活动。

台湾联经出版社出版小说集《人面鱼》。此前台湾已出版过刘心武多种作品，如皇冠出版社出版了《钟鼓楼》，幼狮文化事业公司出版了《四牌楼》《为他人默默许愿》（散文集）。

2004 年

赴法参加巴黎书展活动。书展上展出了译为法文的著作有小说《树与林同在》《护城河边的灰姑娘》《尘与汗》《人面鱼》《如意》与歌剧剧本《老舍之死》。

建筑评论集《材质之美》由中国建材工业出版社出版。

小说集《站冰》出版（人民文学出版社），自绘封面插图。

2005 年

出版集历年研红成果的《红楼望月》（书海出版社）。

应 CCTV-10（中央电视台科学教育频道）《百家讲坛》邀请，录制播出《刘心武揭秘〈红楼梦〉》系列节目 23 集，反响强烈，引出争议。

《刘心武揭秘〈红楼梦〉》第一、二部相继出版（东方出版社），畅销。

2006 年

应美国华美协会邀请，赴纽约在哥伦比亚大学讲《红楼梦》。

应邀参加香港书展。

出版《刘心武揭秘古本〈红楼梦〉》（人民出版社）。

2007 年

继续应邀到 CCTV-10《百家讲坛》录制节目，并出版《刘心武揭秘〈红楼梦〉》第三部、第四部（东方出版社）。

访问俄罗斯。

2008 年

出版随笔集《健康携梦人》（中国海关出版社）。

自 1986 年出版《垂柳集》，至此所出版的散文随笔集已逾 30 种。

2009 年

在《上海文学》杂志开《十二幅画》专栏，每期发表一篇写人物命运的大散文，并配发自己的画作。

4 月，妻子吕晓歌病逝，著长文《那边多美呀！》悼念。

2010 年

再应 CCTV-10《百家讲坛》邀请，录制播出《〈红楼梦〉的真故事》系列节目。至此在《百家讲坛》录制播出关于《红楼梦》的个人系列讲座累计达 61 集。

出版《〈红楼梦〉的真故事》（凤凰联动·江苏人民出版社），在争议声中畅销。

4 月，应台湾新地文学社邀请赴台参加"21 世纪世界华文文学高峰会议"。

出版《命中相遇——刘心武话里有画》（上海文艺出版社）。

加快《刘心武续〈红楼梦〉》的写作，次年完成推出。

至本年底，在海内外出版的个人专著，文集不算在内，重印亦不算，按不同版本计达 182 种（按不同书名计则为 141 种）。

年底，筹备编辑《刘心武文存》。

附录二 刘心武著作书目

只包括在中国大陆、台湾、香港和海外出版的书（同一著作每种版本单列）；不包括散发于报刊尚未出书的篇目，亦不包括多人合集中的篇目。第一个数字表示不同版本的排序；［　］中的数字表示剔除同一书名的版本后的排序；注意：文集8卷不参加排序。

1976 年

1.[1]《睁大你的眼睛》[儿童文学·中篇小说]

北京人民出版社 1976 年 1 月第一版

1978 年

2.[2]《母校留念》[儿童文学·小说集]

中国少年儿童出版社 1978 年 7 月第一版

1979 年

3.[3]《小猴吃瓜果》[低幼读物·画册]

少年儿童出版社 1979 年 4 月第一版

1980 年 6 月第二次印刷

4.[4]《班主任》[短篇小说集]

中国青年出版社 1979 年 6 月第一版

1980 年

5.[5]《我是你的朋友》[儿童文学·中篇小说]

北京出版社 1980 年 7 月第一版

6.[6]《绿叶与黄金》[中短篇小说集]

广东人民出版社 1980 年 8 月第一版

7.[7]《刘心武短篇小说集》

北京出版社 1980 年 9 月第一版

1981 年

8.《这里有黄金》[中短篇小说集]

广东人民出版社 1981 年 4 月第二次印刷

有平装、软精装两种

9.[8]《大眼猫》[中短篇小说集]

浙江人民出版社 1981 年 8 月第一版

1982 年

10.[9]《如意》[中篇小说集]

北京出版社 1982 年 5 月第一版

1983 年

11.[10]《中国现代作家选（Ⅲ）刘心武〈我爱每一片绿叶〉〈深谷小溪默默流〉》

[日本] 东方书店 1983 年第一版

12.[11]《同文学青年对话》

文化艺术出版社 1983 年 10 月第一版

1984 年

13.[12]《到远处去发信》[中短篇小说集]

四川人民出版社 1984 年 4 月第一版

有平装、软精装两种

14.[13]《如意》[电影文学剧本](与戴宗安联合署名)

中国电影出版社 1984 年 6 月第一版

1985 年

15.[14]《嘉陵江流进血管》[中篇小说集]

陕西人民出版社 1985 年 2 月第一版

16.[15]《日程紧迫》[中短篇小说集]

群众出版社 1985 年 5 月第一版

17.[16]《我可不怕十三岁》[儿童文学集]

新世纪出版社 1985 年 8 月第一版

18.[17]《钟鼓楼》[长篇小说]

人民文学出版社 1985 年 11 月第一版

有平装、软精装两种

1986 年 5 月第二次印刷

1986 年

19.[18]《公共汽车咏叹调》[纪实小说]

湖南文艺出版社 1986 年 1 月第一版

20.[19]《都会咏叹调》[小说集]

作家出版社 1986 年 3 月第一版

21.[20]《垂柳集》[散文集]

陕西人民出版社 1986 年 4 月第一版

22.[21]《立体交叉桥》[中短篇小说集]

人民文学出版社 1986 年 6 月第一版

有平装、软精装两种

23.[22]《巴黎郁金香》[访法散文集]

群众出版社 1986 年 11 月第一版

24.[23]《木变石戒指》[中短篇小说集]

> 青海人民出版社 1986 年 12 月第一版

1987 年

25. *Little Monkey Triesto Eat Fruit* [科学童话·英文]

> 海豚出版社 1987 年第一版
>
> 有平装、精装两种

26.[24]《斜坡文谈》[文学理论]

> 上海文艺出版社 1987 年 4 月第一版

27.[25]《王府井万花筒》[中篇小说集]

> 湖南文艺出版社 1987 年 9 月第一版
>
> 有平装、精装两种

28.[26]《5·19 长镜头》[小说自选集]

> 四川文艺出版社 1987 年 11 月第一版

29.げくけきの友たちだ [《我是你的朋友》日译本]

> [日本] 福武书店 1987 年 12 月第一版
>
> 1989 年 3 月第二版
>
> 1991 年 2 月第三版

1988 年

30.[27]《她有一头披肩发》[中短篇小说集]

> 台湾林白出版社 1988 年 4 月第一版

31.《钟鼓楼》[长篇小说]

> 香港天地图书有限公司 1988 年第一版
>
> 1993 年第二版

32.[28]《私人照相簿》[纪实文学]

> 香港南粤出版社 1988 年 11 月第一版

33.[29]《刘心武代表作》

> 黄河文艺出版社 1988 年 12 月第一版

1989 年

34.《小猴吃瓜果》[科学童话]

> 开明出版社、海豚出版社 1989 年 3 月第一版

35.《钟鼓楼》[长篇小说]

> 台湾皇冠出版社 1989 年 4 月第一版

36.[30]《一片绿叶对你说》[文艺随笔集]

> 河北教育出版社 1989 年 12 月第一版

1990 年

37.[31]*BLACK WALLS AND OTHER STORIES* [小说集·英译本]

> 香港中文大学翻译中心出版社 1990 年第一版

38.[32]《王府井万花镜》[小说集·日译本]

> [日本] 德间书店 1990 年 9 月第一版

1991 年

39.《母校留念》[小说]

> [日本] 骏河台出版社 1991 年 4 月第一版

40.[33]《一窗灯火》[中短篇小说集]

> 华艺出版社 1991 年 10 月第一版
> 1993 年第二次印刷

1992 年

41.[34]《列奥纳多·达·芬奇》[传记]

> 江苏教育出版社 1992 年 5 月第一版

42.[35]《有家可归》[散文随笔集]

> 广东旅游出版社 1992 年 5 月第一版

43.[36]《风过耳》[长篇小说]

中国青年出版社 1992 年 6 月第一版

1992 年 12 月第二次印刷

1993 年 3 月第三次印刷

1995 年 8 月第五次印刷

1996 年 3 月第六次印刷

44.《风过耳》[长篇小说]

香港勤＋缘出版社 1992 年 6 月第一版

45.[37]《献给命运的紫罗兰——刘心武谈生存智慧》

上海人民出版社 1992 年 6 月第一版

1992 年 11 月第二次印刷

1995 年第三次印刷

1996 年 12 月第五次印刷

46.《刘心武代表作》

河南人民出版社 1992 年 6 月第二次印刷·精装本

47.[38]《蓝夜叉》[中篇小说集]

香港勤＋缘出版社 1992 年 9 月第一版

1993 年

48.《北京下町物语》[长篇小说·《钟鼓楼》日译本]

[日本] 东京恒文社 1993 年 2 月第一版

1994 年第二版

49.[39]《为你自己高兴》[随笔集]

内蒙古人民出版社 1993 年 3 月第一版

50.[40]《杀星》[小说集]

香港勤＋缘出版社 1993 年 6 月第一版

51.《我是你的朋友》[儿童文学·中篇小说·增订本]

希望出版社 1993 年 6 月第一版

52.[41]《四牌楼》[长篇小说]

上海文艺出版社 1993 年 6 月第一版

1994 年 4 月第二次印刷

1996 年 11 月第三次印刷

53.[42]《我是怎样的一个瓶子》[随笔集]

成都出版社 1993 年 9 月第一版

54.[43]《沉默交流》[随笔集]

中国华侨出版社 1993 年 11 月第一版

55.[44]《富心有术》[随笔集]

群众出版社 1993 年 12 月第一版

1995 年第二次印刷

56.[45]《中国当代名人随笔·刘心武卷》

陕西人民出版社 1993 年 12 月第一版

☆《刘心武文集》[1—8 卷]

华艺出版社 1993 年 12 月第一版

☆《刘心武文集·〈钟鼓楼〉〈风过耳〉》(简装本)

☆《刘心武文集·〈四牌楼〉〈无尽的长廊〉》(简装本)

华艺出版社 1997 年 5 月第一版

1994 年

57.[46]《仰望苍天》[随笔集]

知识出版社 1994 年 1 月第一版

1995 年第二次印刷

东方出版中心 1996 年 7 月第三次印刷

58.[47]《男扮女妆与女扮男妆》[随笔集]

中原农民出版社 1994 年 2 月第一版

59.[48]《相对一笑》[小小说集]

中共中央党校出版社 1994 年 2 月第一版

60.[49]《秦可卿之死》[专著]

华艺出版社 1994 年 5 月第一版

61.《四牌楼》[长篇小说]

台湾幼狮文化事业公司 1994 年 8 月第一版

62.[50]《为他人默默许愿》[散文集]

台湾幼狮文化事业公司 1994 年 10 月第一版

63.[51]《中国小说名家新作丛书·刘心武卷》

海峡文艺出版社 1994 年 11 月第一版

64.[52]《红楼梦(缩写本)》

接力出版社 1994 年 12 月第一版

1995 年第二次印刷

1997 年 9 月第三次印刷

1995 年

65.[53]《人生非梦总难醒》[名人日记·随笔集]

上海人民出版社 1995 年 1 月第一版

1995 年 3 月第二次印刷

66.[54]《仙人承露盘》[中短篇小说集]

华艺出版社 1995 年 3 月第一版

67.[55]《女性与城市》[杂文集]

中国城市出版社 1995 年 6 月第一版

68.《我是你的朋友》[增订版·"小学生成才书架"系列之一]

希望出版社 1995 年 10 月第一版

69.《在胡同里转悠》[随笔集]

陕西人民出版社 1995 年 11 月第二次印刷

70.[56]《刘心武海外游记》

华文出版社 1995 年 12 月第一版

1996 年

71.[57]《刘心武小说精选》

太白文艺出版社 1996 年 2 月第一版

72.[58]《开发心大陆》[随笔集]

吉林人民出版社 1996 年 3 月第一版

1997 年 3 月第二次印刷

73.[59]《你哼的什么歌》[散文集]

湖南文艺出版社 1996 年 6 月第一版

74.[60]《刘心武张颐武对话录——"后世纪"的文化了望》

漓江出版社 1996 年 7 月第一版

75.[61]《边缘有光》[随笔集]

汉语大辞典出版社 1996 年 8 月第一版

76.[62]《刘心武怪诞小说自选集》

漓江出版社 1996 年 8 月第一版

有平装、精装两种

77.[63]《我是刘心武》

团结出版社 1996 年 9 月第一版

78.[64]《刘心武》[中国当代作家选集丛书]

人民文学出版社 1996 年 10 月第一版

79.[65]《刘心武杂文自选集》

百花文艺出版社 1996 年 11 月第一版

80.《秦可卿之死》[修订本]

华艺出版社 1996 年 11 月第二版

81.[66]《栖凤楼》[长篇小说]

人民文学出版社 1996 年 12 月第一版

1998 年 3 月第二次印刷

1997 年

82.[67]《封神演义（缩写本）》

接力出版社 1997 年 1 月第一版

1997 年 9 月第二次印刷

83.[68]《胡同串子》[中短篇小说集]

北京燕山出版社 1997 年 8 月第一版

84.《私人照相簿》

上海远东出版社 1997 年 9 月第一版

1998 年 2 月第二次印刷

2000 年换封面版权页称 2000 年 6 月第二次印刷

85.[69]《中国儿童文学名家作品精选丛书·刘心武作品精选》

河北少年儿童出版社 1997 年 8 月第一版

86.[70]《把嘴张圆》[随笔集]

上海远东出版社 1997 年 12 月第一版

1998 年

87.[71]《我眼中的建筑与环境》[建筑评论随笔集]

中国建筑工业出版 1998 年 5 月第一版

1999 年 5 月第二次印刷

2000 年 6 月第三次印刷

2001 年 6 月第四次印刷

88.《钟鼓楼》[茅盾文学奖获奖书系]

> 人民文学出版社 1998 年 3 月第一次印刷
>
> 1998 年 7 月第二次印刷
>
> 1998 年 8 月第三次印刷
>
> 1999 年 3 月第四次印刷
>
> 2000 年 1 月第五次印刷
>
> 2001 年 1 月第六次印刷
>
> 2001 年 8 月第七次印刷
>
> 2002 年 8 月第八次印刷
>
> 2003 年 1 月第九次印刷

1999 年

89.[72]《树与林同在》[非虚构长篇小说]

> 山东画报出版社 1999 年 3 月第一版
>
> 2006 年 7 月第二次印刷

90.[73]《八十六颗星星》(*The Eighty-Six Stars*)[儿童文学小说·汉英对照]

> 希望出版社 1999 年 6 月第一版

91.[74]《红楼三钗之谜》[刘心武红学探佚精品]

> 华艺出版社 1999 年 9 月第一版

92.[75]《蓝玫瑰》[中短篇小说集]

> 中国华侨出版社 1999 年 10 月第一版

93.[76]《过隧道的心情》[随笔集]

> 华东师范大学出版社 1999 年 12 月第一版

2000 年

94.[77]《一切都还来得及》[随笔集]

> 中国青年出版社 2000 年 1 月第一版

95.[78]《善的教育》[儿童文学]

辽宁少年儿童出版社 2000 年 2 月第一版

96.[79] Le Talisman（version bilingue)[《如意》中、法文对照版]

Librarie You Feng 2000 年 4 月第一版

97.[80]《作家刘心武〈班主任〉手迹》

线装书局 2000 年 5 月第一版

98.[81]《楼前白玉兰》[小小说集]

中国广播电视出版社 2000 年 7 月第一版

99.[82]《刘心武侃北京》

上海文艺出版社 2000 年 10 月第一版

100.[83]《我爱吃苦瓜》[茅盾文学奖获奖作家散文精品]

广州出版社 2000 年 10 月第一版

2002 年 10 月第二次印刷

101.[84]《了解高行健》

香港开益出版社 2000 年 12 月第一版

2001 年

102.[85]《亲近苍莽》

中国旅游出版社 2001 年 1 月第一版

103.[86]《在忧郁中升华》

文汇出版社 2001 年 2 月第一版

《刘心武谈建筑——在忧郁中升华》2007 年 8 月第二次印刷

104.[87]《人在风中》

作家出版社 2001 年 8 月第一版

105.《风过耳》

时代文艺出版社 2001 年 10 月第一版

有平装、精装两种

2002 年

106.[88]《京漂女》(自绘插图)

中国文联出版社 2002 年 1 月第一版

107.[89]《深夜月当花》

中国工人出版社 2002 年 1 月第一版

108.[90]《春梦随云散》

人民文学出版社 2002 年 4 月第一版

109.[91]《藤萝花饼》

台湾二鱼文化事业有限公司 2002 年 4 月第一版

110.[92]《刘心武自述》

大象出版社 2002 年 10 月第一版

2003 年

111.[93] L'arbre et la forêt [《树与林同在》法译本]

Bleu de Chine 2003 年 1 月第一版

112.[94]《人面鱼》

台湾联经出版事业股份有限公司 2003 年 2 月初版

113.[94] La Cendrillon Du Canal [《护城河边的灰姑娘》法译本]

Bleu de Chine 2003 年 4 月第一版

114.[95]《画梁春尽落香尘》["红学" 专著]

中国广播电视出版社 2003 年 6 月第一版

2003 年 9 月第二次印刷

2004 年 1 月第三次印刷

2005 年 6 月第四次印刷

115.[96]《眼角眉梢》

新华出版社 2003 年 8 月第一版

116.[97]《钟鼓楼》[初中生语文新课标必读]

人民日报出版社 2003 年 9 月第一版

117.[98]《天梯之声》

中国青年出版社 2003 年 10 月第一版

2004 年

118.[99] Poussiêre et sueur [《尘与汗》法译本]

Bleu de Chine 2004 年 1 月第一版

119.[100] La mort de Lao SHe [《老舍之死》歌剧剧本法译本]

Bleu de Chine 2004 年 3 月第一版

120.[101] Poisson à face humaine [《人面鱼》法译本]

Bleu de Chine 2004 年 3 月第一版

121.《如意》[电影伴读中国文学文库·附电影光盘]

中国青年出版社 2004 年 1 月第一版

122.[102]《泼妇鸡丁》

台湾二鱼文化事业有限公司 2004 年 4 月第一版

123.[103]《在柳树臂弯里——刘心武随笔》

光明日报出版社 2004 年 5 月第一版

124.[104]《材质之美——刘心武城市文化酷评》

中国建材工业出版社 2004 年 5 月第一版

125.[105]《站冰——刘心武小说新作集》(自绘插图)

人民文学出版社 2004 年 6 月第一版

126.《四牌楼》

上海文艺出版社 2004 年 8 月第二版

127.[106]《大家文丛:刘心武》

古吴轩出版社 2004 年 8 月第一版

2005 年

128.《钟鼓楼》(中国文库·文学类)

人民文学出版社 2005 年 1 月第一版第一次印刷（平装）

2005 年 1 月第一版第一次印刷（精装）

129.《钟鼓楼》(茅盾文学奖获奖作品全集之一)

人民文学出版社 1985 年 11 月第一版、2005 年 1 月第一次印刷

2005 年 5 月第二次印刷

2005 年 7 月第三次印刷

2006 年 3 月第四次印刷

2008 年 4 月第七次印刷

2009 年 8 月第八次印刷

2010 年 1 月第九次印刷

2011 年 7 月第 15 次印刷

2011 年 9 月第 16 次印刷

2011 年 11 月第 17 次印刷

130.[107]《心灵体操》

时代文艺出版社 2005 年 1 月第一版

131.[108]《刘心武作文示范》

少年儿童出版社 2005 年 1 月第一版

132.[109] La Démone bleue（《蓝夜叉》法译本）

Bleu de Chine 2005 年第一版

133.[110]《红楼望月》

书海出版社 2005 年 4 月第一版

2005 年 6 月第二次印刷

2005 年 7 月第三次印刷

2005 年 8 月第四次印刷

2005 年 9 月第五次印刷

2005 年 9 月第六次印刷

134.[111]《刘心武揭秘〈红楼梦〉》

东方出版社 2005 年 8 月第一版

至 2005 年 19 月共十三次印刷

2005 年 11 月第二版

至 2005 年 12 月已第十八次印刷

至 2007 年 7 月已第二十八次印刷

2007 年 12 月第三十次印刷

2008 年 4 月第三十二次印刷

135.《红楼解梦——画梁春尽落香尘》

中国广播电视出版社 2005 年 9 月第二版第五次印刷

136.《楼前白玉兰——刘心武最新小小说集》

中国广播电视出版社 2005 年 9 月第二版第二次印刷

137.[112]《刘心武揭秘〈红楼梦〉》[第二部]

东方出版社 2005 年 12 月第一版

至 2007 年 7 月已第十五次印刷

2007 年 12 月第十七次印刷

2008 年 4 月第十九次印刷

138.[113]《刘心武解读人世情》

时代文艺出版社 2005 年 12 月第一版

139.[114]《刘心武感悟平常心》

时代文艺出版社 2005 年 12 月第一版

2006 年

140.[115]《刘心武自选集》

云南人民出版社 2006 年 1 月第一版

141.[116]《刘心武点评〈红楼梦〉》

团结出版社 2006 年 1 月第一版

142,《刘心武精品集·第一卷·钟鼓楼》

东方出版社 2006 年 1 月第一版

143.《刘心武精品集·第二卷·四牌楼》

东方出版社 2006 年 1 月第一版

144.《刘心武精品集·第三卷·栖凤楼》

东方出版社 2006 年 1 月第一版

145.《刘心武精品集·第四卷·献给命运的紫罗兰》

东方出版社 2006 年 1 月第一版

146.[117]《戴敦邦绘刘心武评〈金瓶梅〉人物谱》

作家出版社 2006 年 4 月第一版

147.[118]《红楼拾珠》

云南人民出版社 2006 年 5 月第一版

148.[119]《藤萝花饼》

云南人民出版社 2006 年 5 月第一版

149.《刘心武揭秘〈红楼梦〉》[第一部]

台湾好读出版有限公司 2006 年 6 月初版

150.《刘心武揭秘〈红楼梦〉》[第二部]

台湾好读出版有限公司 2006 年 6 月初版

151.《我是刘心武》

天津人民出版社 2006 年 8 月第一版

152.[120]《刘心武揭秘古本〈红楼梦〉》

人民出版社 2006 年 12 月第一版

同月第二次印刷

2007 年

153.[121]《四棵树》

二十一世纪出版社 2007 年第一版

154.[122]《用心去游》

上海三联书店 2006 年 12 月第一版

2007 年 1 月第一次印刷

155.[123] Dés de poulet façon mégère [《泼妇鸡丁》法译本]

Bleu de Chine 2007 年 4 月第一版

156.《一切都还来得及》

中国青年出版社 2005 年 5 月第一版

157.[124]《刘心武揭秘〈红楼梦〉》[第三部·黛玉之谜及古本之秘]

东方出版社 2007 年 7 月第一版

至 2007 年 8 月已第四次印刷

2007 年 12 月第六次印刷

2008 年 3 月第七次印刷

158.[125]《刘心武说世道人心》

中国青年出版社 2007 年 7 月第一版

159.[126]《刘心武说寻美感悟》

中国青年出版社 2007 年 7 月第一版

160.[127]《刘心武说草根情怀》

中国青年出版社 2007 年 7 月第一版

161.[128]《长吻蜂》

上海人民出版社 2007 年 8 月第一版

162.《私人照相簿》

华龄出版社 2007 年 10 月第一版

163.《善的教育》

华龄出版社 2007 年 10 月第一版

164.[129]《刘心武揭秘〈红楼梦〉》[第四部·宝钗湘云之谜暨红楼心语]

东方出版社 2007 年 11 月第一版

2008 年 3 月第三次印刷

2008 年

165.[130]《健康携梦人》

中国海关出版社 2008 年 4 月第一版

166.[131]《刘心武小说》

吉林文史出版社 2008 年 5 月第一版

167.[132]《刘心武散文》

吉林文史出版社 2008 年 5 月第一版

2009 年

168.《钟鼓楼》(共和国作家文库)

作家出版社 2009 年 4 月第一版

169.《四牌楼》(共和国作家文库)

作家出版社 2009 年 4 月第一版

170.[133]《人在胡同第几槐》

中国文联出版社 2009 年 6 月第一版

171.《钟鼓楼》(新中国 60 年长篇小说典藏)

人民文学出版社 2009 年 7 月第一版

172.[134]《刘心武短篇小说》

现代教育出版社 2009 年 8 月第一版

173.[135]《刘心武中篇小说》

现代教育出版社 2009 年 8 月第一版

174.[136]《刘心武散文随笔》

现代教育出版社 2009 年 8 月第一版

175.《刘心武揭秘〈红楼梦〉》上卷 (共和国作家文库)

作家出版社 2009 年 8 月第一版

176.《刘心武揭秘〈红楼梦〉》下卷 (共和国作家文库)

作家出版社 2009 年 8 月第一版

2010 年

177.[137]《人情似纸》

江苏文艺出版社 2010 年 1 月第一版

178.[138]《红楼梦八十回后真故事》

江苏人民出版社 2010 年 3 月第一版

179.[139]《刘心武小说精选集》

[台湾] 新地文化艺术有限公司 2010 年 4 月第一版

180.《红楼望月》

江苏人民出版社 2010 年 6 月第一版

2010 年 9 月第二次印刷

181.[140]《命中相遇——刘心武话里有画》

上海文艺出版社 2010 年 7 月第一版

182.[141]《红楼眼神》

重庆出版社 2010 年 9 月第一版

2011 年

183.[142]《刘心武续红楼梦》

江苏人民出版社 2011 年 3 月第一版

江苏人民出版社 2011 年 4 月第 4 次印刷

184.[143]《红楼梦》(曹雪芹著刘心武续)

江苏人民出版社 2011 年 3 月第一版

185.《刘心武续红楼梦》[繁体字竖排本]

香港明报出版社有限公司 2011 年 3 月初版

186.《刘心武揭秘〈红楼梦〉》精华本（一）

江苏人民出版社 2011 年 4 月第一版

187.《刘心武揭秘〈红楼梦〉》精华本（二）

江苏人民出版社 2011 年 4 月第一版

188.《刘心武揭秘〈红楼梦〉》精华本（三）

江苏人民出版社 2011 年 4 月第一版

189.《刘心武揭秘〈红楼梦〉》精华本（四）

江苏人民出版社 2011 年 4 月第一版

190.《刘心武续红楼梦》[繁体字竖排本]

台湾城邦文化事业股份有限公司商周出版 2011 年 4 月第一版

191.《〈红楼梦〉的真故事》

台湾人类智库数位科技股份有限公司 2011 年 6 月第一版

192.[144]《听刘心武说房子的事儿》

中国商业出版社 2011 年 8 月第一版

193.[145]《刘心武心灵随感》

时代文艺出版社 2011 年 11 月第一版

2012 年

194.[146]《刘心武种四棵树》

漓江出版社 2012 年 1 月第一版

195.[147]《风雪夜归正逢时——我是刘心武》

漓江出版社 2012 年 1 月第一版

196.《献给命运的紫罗兰》

漓江出版社 2012 年 1 月第一版

197.[148]《人生有信》

江苏人民出版社 2012 年 3 月第一版

198.Poussière et sueur [《尘与汗》法译本 folio 袖珍版]

Gallimard 2012 年 8 月出版

199.La Cendrillon du canal [《护城河边的灰姑娘》法译本 folio 袖珍版]

Gallimard 2012 年 8 月出版